21 LIÇÕES PARA O SÉCULO 21

YUVAL NOAH HARARI

21 lições para o século 21

Tradução
Paulo Geiger

11ª reimpressão

Copyright © 2018 by Yuval Noah Harari
Todos os direitos reservados.

Grafia atualizada segundo o Acordo Ortográfico da Língua Portuguesa de 1990, que entrou em vigor no Brasil em 2009.

Título original
21 Lessons for the 21st Century

Capa
© VINTAGE, Penguin Random House UK

Imagem de capa
Da série We Share Our Chemistry with the Stars, Marc Quinn, óleo sobre tela.
© cortesia de Marc Quinn studio

Preparação
Joaquim Toledo Jr.

Índice remissivo
Luciano Marchiori

Revisão
Huendel Viana
Valquíria Della Pozza

Dados Internacionais de Catalogação na Publicação (CIP)
(Câmara Brasileira do Livro, SP, Brasil)

Harari, Yuval Noah
    21 lições para o século 21 / Yuval Noah Harari ; tradução Paulo Geiger. — 1ª ed. — São Paulo : Companhia das Letras, 2018.

    Título original: 21 Lessons for the 21st Century.
    ISBN 978-85-359-3091-7

    1. Civilização moderna – Século 21 2. História moderna – Século 21 3. Mudança social I. Título.

18-18028   CDD-909.83

Índice para catálogo sistemático:
1. Civilização : Século 21 : História   909.83

Iolanda Rodrigues Biode — Bibliotecária — CRB-8/10014

[2021]
Todos os direitos desta edição reservados à
EDITORA SCHWARCZ S.A.
Rua Bandeira Paulista, 702, cj. 32
04532-002 – São Paulo – SP
Telefone: (11) 3707-3500
www.companhiadasletras.com.br
www.blogdacompanhia.com.br
facebook.com/companhiadasletras
instagram.com/companhiadasletras
twitter.com/cialetras

Para meu marido, Itzik, para minha mãe, Pnina, e para minha avó Fanny, por seu amor e seu apoio ao longo de tantos anos.

Sumário

Introdução 11

PARTE I: O DESAFIO TECNOLÓGICO
1. Desilusão
   O fim da história foi adiado 21
2. Trabalho
   Quando você crescer, talvez não tenha um emprego 40
3. Liberdade
   Big Data está vigiando você 69
4. Igualdade
   Os donos dos dados são os donos do futuro 102

PARTE II: O DESAFIO POLÍTICO
5. Comunidade
   Os humanos têm corpos 115
6. Civilização
   Só existe uma civilização no mundo 124
7. Nacionalismo
   Problemas globais exigem respostas globais 144

8. Religião
Deus agora serve à nação 164
9. Imigração
Algumas culturas talvez sejam melhores que outras 178

PARTE III: DESESPERO E ESPERANÇA
10. Terrorismo
Não entre em pânico 201
11. Guerra
Nunca subestime a estupidez humana 215
12. Humildade
Você não é o centro do mundo 228
13. Deus
Não tomarás o nome de Deus em vão 246
14. Secularismo
Tenha consciência de sua sombra 254

PARTE IV: VERDADE
15. Ignorância
Você sabe menos do que pensa que sabe 271
16. Justiça
Nosso senso de justiça pode estar desatualizado 278
17. Pós-verdade
Algumas fake news duram para sempre 287
18. Ficção científica
O futuro não é o que você vê nos filmes 304

PARTE V: RESILIÊNCIA
19. Educação
A mudança é a única constante 319
20. Sentido
A vida não é uma história 331

21. Meditação
   Apenas observe 378

Agradecimentos 391
Notas 395
Índice remissivo 427

Introdução

Num mundo inundado de informações irrelevantes, clareza é poder. Em teoria, qualquer um pode se juntar ao debate sobre o futuro da humanidade, mas é muito difícil manter uma visão lúcida. Muitas vezes nem sequer percebemos que um debate está acontecendo, ou quais são suas questões cruciais. Bilhões de nós dificilmente podem se permitir o luxo de investigá-las, pois temos coisas mais urgentes a fazer, como trabalhar, tomar conta das crianças, ou cuidar dos pais idosos. Infelizmente, a história não poupa ninguém. Se o futuro da humanidade for decidido em sua ausência, porque você está ocupado demais alimentando e vestindo seus filhos — você e eles não estarão eximidos das consequências. Isso é muito injusto, mas quem disse que a história é justa?

Como historiador, não posso dar às pessoas alimento ou roupas — mas posso tentar oferecer alguma clareza, ajudando assim a equilibrar o jogo global. Se isso capacitar ao menos mais um punhado de pessoas a participar do debate sobre o futuro de nossa espécie, terei realizado minha tarefa.

Meu primeiro livro, *Sapiens*, investigou o passado humano, examinando como um macaco insignificante dominou a Terra. *Homo Deus*, meu segundo livro, explorou o futuro da vida a longo prazo, contemplando como os humanos finalmente se tornarão deuses, e qual pode ser o destino final da inteligência e da consciência.

Neste livro quero analisar mais de perto o aqui e o agora. Meu foco está nas questões atuais e no futuro imediato das sociedades humanas. O que está acontecendo neste momento? Quais são os maiores desafios e escolhas de hoje? Qual deve ser o foco de nossa atenção? O que devemos ensinar a nossos filhos?

Claro, 7 bilhões de pessoas têm 7 bilhões de agendas, e, como já observado, pensar no contexto geral é um luxo relativamente raro. Uma mãe solteira lutando para criar dois filhos numa favela em Mumbai está preocupada com a próxima refeição; refugiados num barco no meio do Mediterrâneo perscrutam o horizonte em busca de qualquer sinal de terra; e um homem que está morrendo num hospital superlotado em Londres reúne todas as forças para respirar mais uma vez. Todos têm problemas muito mais urgentes do que o aquecimento global ou a crise da democracia liberal. Nenhum livro pode dar conta de todas as angústias individuais, e não tenho lições a ensinar às pessoas que estão nas situações que descrevi. Posso apenas esperar aprender com elas.

Minha agenda aqui é global. Observo as grandes forças que dão forma às sociedades em todo o mundo, e que provavelmente vão influenciar o futuro do planeta como um todo. A mudança climática pode estar muito além das preocupações de quem está em meio a uma emergência de vida ou morte, mas pode futuramente tornar as favelas de Mumbai inabitáveis, enviar novas e enormes levas de refugiados através do Mediterrâneo, e levar a uma crise mundial dos serviços de saúde.

A realidade é formada por muitas tramas, e este livro tenta

cobrir diferentes aspectos de nosso impasse global, sem pretender ser exaustivo. Diferentemente de *Sapiens* e de *Homo Deus*, ele não tem a intenção de ser uma narrativa histórica, e sim uma coletânea de lições, as quais não têm por conclusão respostas simples. Elas visam a estimular a reflexão, e a ajudar os leitores a tomar parte em algumas das principais conversas de nosso tempo.

O livro, na verdade, foi escrito em diálogo com o público. Muitos dos capítulos surgiram como resposta a perguntas de leitores, jornalistas e colegas. Versões anteriores de alguns segmentos foram publicadas em diferentes formatos, o que me deu oportunidade de receber feedbacks e refinar meus argumentos. Algumas seções têm por foco tecnologia, algumas política, outras religião ou arte. Certos capítulos celebram a sabedoria humana, outros destacam o papel crucial da sua estupidez. Mas a questão mais abrangente em todos é a mesma: o que está acontecendo no mundo hoje, e qual é o significado profundo dos eventos?

Qual é o sentido da ascensão de Donald Trump? O que podemos fazer ante a epidemia de *fake news*? Por que a democracia liberal está em crise? Deus está de volta? Haverá uma nova guerra mundial? Qual civilização domina o mundo — o Ocidente, a China, o Islã? A Europa deveria manter portas abertas aos imigrantes? O nacionalismo pode resolver os problemas de desigualdade e mudança climática? O que fazer quanto ao terrorismo?

Embora a perspectiva deste livro seja global, não negligencio o nível pessoal. Ao contrário, quero enfatizar as conexões entre as grandes revoluções de nossa era e a vida interior dos indivíduos. Por exemplo, o terrorismo é tanto um problema de política global quanto um mecanismo psicológico interno. O terrorismo manipula o medo em nossa mente, sequestrando a imaginação privada de milhões de indivíduos. Da mesma forma, a crise da democracia liberal se desenrola não somente em parlamentos e seções eleitorais, mas também nos neurônios e nas sinapses. Dizer que o pessoal é político é um clichê. Mas, numa era em que cientistas, corporações e governos estão aprendendo a hackear o cérebro humano, esse truísmo é mais sinistro do que nunca. Portanto, o livro apresenta observações sobre a conduta de indivíduos bem como de sociedades inteiras.

Um mundo global exerce uma pressão sem precedentes sobre a conduta e a moralidade pessoais. Cada um de nós está enredado em numerosas e vastas teias de aranha, que restringem nossos movimentos, mas ao mesmo tempo transmitem nossos mais minúsculos movimentos a destinações longínquas. Nossa rotina diária influencia a vida de pessoas e animais do outro lado do mundo, e alguns gestos pessoais podem inesperadamente incendiar o mundo inteiro, como aconteceu com a autoimolação de Mohamed Bouazizi na Tunísia, que desencadeou a Primavera Árabe, e com as mulheres que compartilharam suas histórias de assédio sexual e deram origem ao movimento #MeToo.

Essa dimensão global de nossa vida pessoal significa que é mais importante que nunca revelar nossos vieses religiosos e políticos, nossos privilégios raciais e de gênero, e nossa cumplicidade involuntária na opressão institucional. Mas será este um empreendimento realista? Como poderei achar um terreno ético firme num mundo que se estende muito além de meus horizontes, que gira completamente fora do controle humano, e que suspeita de todos os deuses e ideologias?

O livro começa examinando o atual impasse político e tecnológico. No final do século xx tudo levava a crer que as grandes batalhas ideológicas entre fascismo, comunismo e liberalismo tinham resultado na vitória arrasadora do liberalismo. Democracia política, direitos humanos e capitalismo de livre mercado pareciam destinados a conquistar o mundo inteiro. Mas, como de costume, a história dá voltas inesperadas, e após o colapso do fascismo e do comunismo agora o liberalismo está emperrado. Então para onde caminhamos?

Essa pergunta é especialmente incômoda, porque o liberalismo está perdendo credibilidade justo quando as revoluções gêmeas na tecnologia da informação e na biotecnologia enfrentam os maiores desafios com que nossa espécie já deparou. A fusão das duas áreas pode em breve expulsar bilhões de seres humanos do mercado de trabalho e solapar a liberdade e a igualdade. Algoritmos de Big Data poderiam criar ditaduras digitais nas quais todo o poder se concentra nas mãos de uma minúscula elite enquanto a maior parte das pessoas sofre não em virtude de exploração, mas de algo muito pior: irrelevância.

Comentei extensivamente a fusão da tecnologia da informação com a biotecnologia em meu livro anterior, *Homo Deus*. Mas, enquanto aquele livro focava nas perspectivas a longo prazo — perspectivas de séculos e até de milênios —, este livro concentra-se na crise social, econômica e política mais imediata. Meu interesse aqui é menos pela criação, no futuro, da vida inorgânica, e mais pela ameaça ao Estado de bem-estar social e a determinadas instituições, como a União Europeia.

O livro não tenta cobrir todos os impactos das novas tecnologias. Embora a tecnologia encerre muitas e maravilhosas promessas, minha intenção é destacar principalmente as ameaças e os perigos que ela traz consigo. Já que as corporações e os empreendedores que lideram a revolução tecnológica tendem, naturalmente, a entoar loas a suas criações, cabe a sociólogos, filósofos e historiadores como eu fazer soar o alarme e explicar o que pode dar errado.

Depois de delinear os desafios que enfrentamos, na segunda parte do livro examinaremos uma ampla gama de respostas possíveis. Poderiam os engenheiros do Facebook usar inteligência artificial para criar uma comunidade global que vai salvaguardar a liberdade e a igualdade humanas? Talvez a resposta seja reverter o processo de globalização e tornar a fortalecer o Estado-nação? Será que devemos retroceder ainda mais, e ir buscar esperança e sabedoria nas fontes de antigas tradições religiosas?

Na terceira parte do livro vemos que, embora os desafios tecnológicos sejam sem precedentes e as discordâncias políticas sejam intensas, o gênero humano poderá enfrentar a situação à altura se mantivermos nossos temores sob controle e formos um pouco mais humildes quanto a nossas opiniões. Essa parte investiga o que pode ser feito quanto à ameaça do terrorismo, quanto ao perigo de uma guerra global, e quanto aos vieses e ódios que desencadeiam esses conflitos.

A quarta parte enfrenta a questão da pós-verdade, e pergunta em que medida ainda somos capazes de compreender desenvolvimentos globais e distinguir os malfeitos da Justiça. Será o *Homo sapiens* capaz de dar sentido ao mundo que ele criou? Haverá ainda uma fronteira nítida entre realidade e ficção?

Na quinta e última parte, eu junto todas essas diferentes tramas e lanço um olhar mais geral à vida na era da perplexidade, quando as antigas narrativas históricas desmoronaram, e nenhuma outra surgiu até agora para substituí-las. Onde estamos? O que deveríamos fazer na vida? De que tipos de habilidades necessitamos? Considerando tudo que sabemos e que não sabemos sobre ciência, sobre Deus, sobre política e sobre religião — o que podemos dizer sobre o sentido da vida hoje?

Isso pode soar ambicioso demais, mas o *Homo sapiens* não pode esperar. O tempo está ficando escasso para a filosofia, a religião e a ciência. As pessoas têm debatido o sentido da vida por milhares de anos. Não podemos continuar esse debate indefinidamente. A crise ecológica iminente, a ameaça crescente das armas de destruição em massa e o surgimento de novas tecnologias disruptivas não o permitirão. Talvez o mais importante seja o fato de que a inteligência artificial e a biotecnologia estão dando à humanidade o poder de reformulação e reengenharia da vida. Muito em breve alguém terá de decidir como usar esse poder — com base numa narrativa implícita ou explícita sobre o sentido da vida. Filósofos são muito pacientes, mas engenheiros são muito menos, e investidores são os menos pacientes de todos. Se você não sabe o que fazer com o poder de reengenharia da vida, as forças do mercado não vão esperar mil anos por uma resposta. A mão invisível do mercado imporá sua resposta cega. A menos que você se compraza em deixar o futuro da vida à mercê de relatórios de contabilidade, é preciso ter uma ideia clara do que é a vida.

No capítulo final eu me permito algumas observações pessoais, falando de um *Sapiens* para outro, antes que a cortina desça sobre nossa espécie e comece um drama completamente diferente.

Antes de embarcar nesta jornada intelectual, eu gostaria de destacar um aspecto decisivo. Grande parte do livro discute as imperfeições da visão de mundo liberal e do sistema democrático. Faço isso não por acreditar que a democracia liberal é excepcionalmente problemática, e sim porque penso que é o modelo político mais bem-sucedido e versátil que os humanos desenvolveram até agora para lidar com os desafios do mundo moderno. Mesmo que não seja adequado a toda sociedade em todo estágio de desenvolvimento, ele provou seu valor em mais sociedades e em mais situações do que qualquer uma de suas alternativas. Portanto, ao examinar os novos desafios que temos diante de nós, é necessário compreender as limitações da democracia liberal, e explorar como podemos adaptar e melhorar suas instituições atuais.

Infelizmente, no atual clima político, todo pensamento crítico sobre liberalismo e democracia pode ser sequestrado por autocratas e vários movimentos não democráticos, cujo único interesse é desacreditar a democracia liberal, em vez de se envolver numa discussão aberta sobre o futuro da humanidade. Ao mesmo tempo que ficam mais do que satisfeitos em debater os problemas da democracia liberal, não toleram críticas dirigidas a eles.

Portanto, como autor, tive de fazer uma escolha difícil. Deveria expor minhas ideias abertamente, arriscando que minhas palavras fossem interpretadas fora de contexto e usadas para justificar as novas autocracias? Ou deveria censurar a mim mesmo? É uma marca dos regimes não liberais dificultar a livre expressão até mesmo fora de suas fronteiras. Devido à disseminação desses regimes, está ficando cada vez mais perigoso pensar criticamente sobre o futuro de nossa espécie.

Após uma reflexão íntima, optei pela discussão livre e não pela autocensura. Se não criticarmos o modelo liberal não seremos capazes de corrigir suas falhas ou ir além dele. Mas é importante notar que este livro só poderia ter sido escrito num mundo em que as pessoas ainda são relativamente livres para pensar o que quiserem e se expressar como quiserem. Se você dá valor a este livro, deveria valorizar também a liberdade de expressão.

PARTE I

O desafio tecnológico

*O gênero humano está perdendo a fé
na narrativa liberal que dominou a política global
em décadas recentes, justamente quando a fusão
da biotecnologia com a tecnologia da informação
nos coloca diante das maiores mudanças
com que o gênero humano já se deparou.*

1. Desilusão
O fim da história foi adiado

Os humanos pensam em forma de narrativas e não de fatos, números ou equações, e, quanto mais simples a narrativa, melhor. Toda pessoa, grupo e nação tem suas próprias lendas e mitos. Mas durante o século xx as elites globais em Nova York, Londres, Berlim e Moscou formularam três grandes narrativas que pretendiam explicar todo o passado e predizer o futuro do mundo inteiro: a narrativa fascista, a narrativa comunista e a narrativa liberal. A Segunda Guerra Mundial derrotou a narrativa fascista, e do final da década de 1940 até o final da década de 1980 o mundo tornou-se o campo de batalha de apenas duas narrativas: a comunista e a liberal. Depois a narrativa comunista entrou em colapso, e a liberal prevaleceu como o principal guia do passado humano e o manual indispensável para o futuro do mundo — ou assim parecia à elite global.

A narrativa liberal celebra o valor e o poder da liberdade. Diz que durante milhares de anos a humanidade viveu sob regimes opressores que concediam ao povo poucos direitos políticos, poucas oportunidades econômicas ou liberdades individuais, e restringiam rigorosamente os movimentos de indivíduos, de ideias e de bens. Mas as pessoas lutaram por sua liberdade, e passo a passo a liberdade se firmou. Regimes democráticos tomaram o lugar de ditaduras brutais. A livre-iniciativa superou as restrições econômicas. As pessoas aprenderam a pensar por si mesmas e a seguir o próprio coração, em vez de obedecer cegamente a sacerdotes fanáticos e tradições inflexíveis. Estradas de acesso livre, pontes sólidas e aeroportos movimentados substituíram muros, fossos e cercas de arame farpado.

A narrativa liberal reconhece que nem tudo vai bem, e que ainda há muitos obstáculos a superar. Grande parte de nosso planeta é dominada por tiranos, e mesmo nos países mais liberais muitos cidadãos sofrem com a pobreza, a violência e a opressão. Mas pelo menos sabemos o que fazer para superar esses problemas: dar às pessoas mais liberdade. Precisamos proteger os direitos humanos, garantir que todos possam votar, estabelecer mercados livres e permitir que indivíduos, ideias e bens se movimentem pelo mundo o mais facilmente possível. Segundo essa panaceia liberal — aceita, com ligeiras variações, tanto por George W. Bush quanto por Barack Obama —, se simplesmente continuarmos a liberalizar e globalizar nossos sistemas políticos e econômicos, o resultado será paz e prosperidade para todos.[1]

Os países que se juntarem à irrefreável marcha do progresso serão em breve recompensados com paz e prosperidade. Países que resistirem ao inevitável sofrerão as consequências, até que eles também se iluminem, abram suas fronteiras e liberalizem suas sociedades, sua política e seus mercados. Pode levar tempo, mas ao fim até a Coreia do Norte, o Iraque e El Salvador parecerão a Dinamarca ou o estado de Iowa.

Nos anos 1990 e 2000 essa narrativa virou um mantra global. Muitos governos, do Brasil à Índia, adotaram receitas liberais numa tentativa de se juntar à marcha inexorável da história. Os que não as adotaram pareciam fósseis de uma era ultrapassada. Em 1997 o presidente dos Estados Unidos, Bill Clinton, repreendeu confiantemente o governo chinês dizendo que sua recusa a liberalizar a política chinesa a punha "no lado errado da história".[2]

Contudo, desde a crise financeira de 2008, pessoas em todo o mundo estão cada vez mais desiludidas com a narrativa liberal. Muros e sistemas protecionistas estão de novo em voga. Cresce a resistência à imigração e a acordos comerciais. Governos supostamente democráticos solapam a independência do sistema judiciário, restringem a liberdade de imprensa e enquadram toda oposição como traição. Líderes com mão de ferro em países como a Rússia e a Turquia ensaiam novos tipos de democracias não liberais e francas ditaduras. Hoje em dia, poucos declarariam com todas as letras que o Partido Comunista Chinês está no lado errado da história.

O ano de 2016 — marcado pelo voto pró-Brexit na Grã-Bretanha e pela ascensão de Donald Trump nos Estados Unidos — representou o momento em que essa onda tempestuosa de desilusão atingiu o cerne dos Estados liberais da Europa ocidental e da América do Norte. Enquanto há poucos anos americanos e europeus ainda tentavam libertar o Iraque e a Líbia pela força das armas, muita gente no Kentucky e em Yorkshire agora considera a visão liberal indesejável ou inatingível. Alguns descobriram o gosto pela velha ordem mundial, e simplesmente não querem abrir mão de seus privilégios raciais, nacionais ou de gênero. Outros concluíram (certa ou erroneamente) que liberalização e globalização são uma grande farsa que confere poder a uma elite minúscula às expensas das massas.

Em 1938 foram oferecidas três narrativas aos seres humanos para que escolhessem uma; em 1968, apenas duas; e em 1998 uma única narrativa parecia prevalecer; e em 2018 chegamos a zero. Não é de admirar que as elites liberais, que dominaram grande parte do mundo nas décadas recentes, tenham entrado num estado de choque e desorientação. Ter uma só narrativa é a situação mais cômoda de todas. Tudo está perfeitamente claro. Ser deixado de repente sem nenhuma narrativa é aterrador. Nada mais faz sentido. Um pouco como a elite soviética na década de 1980, os liberais não compreendem como a narrativa se desviou de seu curso preordenado, e lhes falta um prisma alternativo para interpretar a realidade. A desorientação os faz pensar em termos apocalípticos, como se o fracasso da narrativa em chegar a seu final feliz só possa significar que ela está sendo arremessada para o Armagedon. Incapaz de constatar a realidade, a mente se fixa em cenários catastróficos. Como a pessoa que imagina que uma forte dor de cabeça é sinal de tumor cerebral terminal, muitos liberais temem que o Brexit e a ascensão de Donald Trump pressagiam o fim da civilização humana.

DA MATANÇA DE MOSQUITOS À MATANÇA DE IDEIAS

A sensação de desorientação e catástrofe iminente é exacerbada pelo ritmo acelerado da disrupção tecnológica. O sistema político liberal tomou forma durante a era industrial para gerir um mundo de máquinas a vapor, refinarias de petróleo e aparelhos de televisão. Agora, tem encontrado dificuldade para lidar com as revoluções em curso na tecnologia da informação e na biotecnologia.

Políticos e eleitores mal conseguem compreender as novas tecnologias, que dirá regular seu potencial explosivo. A partir da década de 1990 a internet mudou o mundo, provavelmente mais do que qualquer outro fator, mas a revolução da internet foi dirigida mais por engenheiros que por partidos políticos. Você alguma vez votou em qualquer coisa que concerne à internet? O sistema democrático ainda está se esforçando por entender o que o atingiu, e está mal equipado para lidar com os choques seguintes, como o advento da inteligência artificial (IA) e a revolução da tecnologia de *blockchain*.

Os computadores já tornaram o sistema financeiro tão complicado que poucos humanos são capazes de entendê-lo. Com a evolução da IA talvez logo cheguemos a um ponto em que as finanças não farão sentido nenhum para os humanos. E o que isso fará com o processo político? Dá para imaginar um governo que aguarda humildemente que um algoritmo aprove seu orçamento ou sua nova reforma fiscal? Enquanto isso redes *peer-to-peer* de *blockchain* e criptomoedas como o bitcoin poderão renovar completamente o sistema monetário, de modo que reformas fiscais radicais serão inevitáveis. Por exemplo, a cobrança de imposto sobre o dólar pode se tornar impossível ou irrelevante, porque a maior parte das transações não vai envolver um valor de câmbio claro e definido para a moeda nacional, ou qualquer moeda em geral. Portanto, os governos talvez tenham de inventar impostos totalmente novos — talvez um imposto sobre informação (que será o ativo mais importante na economia, e também a única coisa trocada em numerosas transações). Será que o sistema político conseguirá lidar com a crise antes de ficar sem dinheiro?

Ainda mais importante, as revoluções gêmeas da tecnologia da informação e da biotecnologia poderiam reestruturar não apenas economias e sociedades mas também nossos corpos e mentes. No passado, nós humanos aprendemos a controlar o mundo exterior, mas tínhamos pouco controle sobre o mundo interior. Sabíamos construir uma represa e interromper o fluxo de um rio, mas não sabíamos interromper o envelhecimento do corpo. Sabíamos projetar um sistema de irrigação, mas não tínhamos ideia de como projetar um cérebro. Se mosquitos zumbiam em nossos ouvidos e perturbavam nosso sono, sabíamos matar mosquitos; mas, se um pensamento zumbia em nossa mente e nos mantinha despertos à noite, a maioria de nós não sabia matar o pensamento.

As revoluções na biotecnologia e na tecnologia da informação nos darão controle sobre o mundo interior, e nos permitirão arquitetar e fabricar vida. Vamos aprender a projetar cérebros, a estender a duração da vida e a eliminar pensamentos segundo nosso critério. E ninguém sabe quais serão as consequências disso. Humanos sempre foram muito melhores em inventar ferramentas do que em usá-las sabiamente. É mais fácil manipular um rio construindo uma represa do que prever todas as complexas consequências que isso trará para o sistema ecológico mais amplo. Da mesma forma, será mais fácil redirecionar o fluxo de nossa mente do que predizer o que isso fará a nossa psicologia pessoal ou nosso sistema social.

No passado, adquirimos o poder de manipular o mundo a nossa volta e de remodelar o planeta inteiro, mas, como não compreendemos a complexidade da ecologia global, as mudanças que fizemos inadvertidamente comprometeram todo o sistema ecológico e agora enfrentamos um colapso ecológico. No século que vem a biotecnologia e a tecnologia da informação nos darão o poder de manipular o mundo dentro de nós e de nos remodelar, mas porque não compreendemos a complexidade de nossa própria mente as mudanças que faremos podem afetar nosso sistema mental de tal modo que ele também vai quebrar.

As revoluções em biotecnologia e tecnologia da informação são feitas por engenheiros, empresários e cientistas que têm pouca consciência das implicações políticas de suas decisões, e que certamente não representam ninguém. Parlamentares e partidos serão capazes de assumir essas questões? No momento, parece que não. O poder disruptivo da tecnologia nem chega a ser prioridade na agenda política. Assim, durante a corrida presidencial de 2016 nos Estados Unidos, a principal referência a uma tecnologia disruptiva foi relativa ao escândalo dos e-mails de Hillary Clinton,[3] e, apesar de tudo que se disse sobre o fechamento de postos de trabalho, nenhum candidato mencionou o impacto potencial da automação. Donald Trump avisou aos eleitores que mexicanos e chineses iriam tomar seus empregos, e que, portanto, eles deveriam construir um muro na fronteira mexicana.[4] Ele nunca avisou aos eleitores que algoritmos iriam roubar seu trabalho, nem sugeriu que se construísse um sistema de proteção cibernético na fronteira com a Califórnia.

Esse pode ser um dos motivos (embora não o único) pelo qual até mesmo eleitores no coração do Ocidente liberal estão perdendo a fé na narrativa liberal e no processo democrático. As pessoas comuns talvez não compreendam a inteligência artificial e a biotecnologia, mas percebem que o futuro as está deixando para trás. A condição de vida de uma pessoa comum na União Soviética, na Alemanha ou nos Estados Unidos em 1938 talvez fosse sombria, mas sempre lhes diziam que ela era a coisa mais importante do mundo, que ela era o futuro (contanto, é claro que fosse uma "pessoa normal" e não judia ou africana). Ela olhava os pôsteres de propaganda — que, tipicamente, mostravam mineradores, operários siderúrgicos e donas de casa em poses heroicas — e ali se via: "Eu estou naquele pôster! Sou o herói do futuro!".[5]

Em 2018 a pessoa comum sente-se cada vez mais irrelevante. Um monte de palavras misteriosas são despejadas freneticamente em TED Talks, *think tanks* governamentais e conferências de alta tecnologia — globalização, *blockchain*, engenharia genética, inteligência artificial, aprendizado de máquina —, e as pessoas comuns bem podem suspeitar que nenhuma dessas palavras tem a ver com elas. A narrativa liberal era sobre pessoas comuns. Como ela pode continuar a ser relevante num mundo de ciborgues e algoritmos em rede?

No século XX, as massas se revoltaram contra a exploração, e buscaram traduzir seu papel vital na economia em poder político. Agora as massas temem a irrelevância, e querem freneticamente usar seu poder político restante antes que seja tarde. O Brexit e a ascensão de Trump poderiam, assim, demonstrar uma trajetória contrária à das revoluções socialistas tradicionais. As revoluções russa, chinesa e cubana foram feitas por pessoas que eram vitais para a economia, mas às quais faltava poder político; em 2016, Trump e Brexit foram apoiados por muita gente que ainda usufruía de poder político, mas que temia estar perdendo seu valor na economia. Talvez no século XXI as revoltas populares sejam dirigidas não contra uma elite econômica que explora pessoas, mas contra a elite econômica que já não precisa delas.[6] Talvez seja uma batalha perdida. É muito mais difícil lutar contra a irrelevância do que contra a exploração.

A FÊNIX LIBERAL

Esta não é a primeira vez que a narrativa liberal enfrenta uma crise de confiança. Desde que essa narrativa passou a exercer uma influência global, na segunda metade do século XIX, ela tem passado por crises periódicas. A primeira era da globalização e da liberalização terminou no banho de sangue da Primeira Guerra Mundial, quando a disputa geopolítica imperial interrompeu precocemente a marcha global para o progresso. Nos dias seguintes ao assassinato do arquiduque Francisco Ferdinando em Sarajevo, constatou-se que as grandes potências acreditavam muito mais no imperialismo que no liberalismo, e em vez de unir o mundo mediante um comércio livre e pacífico elas se concentraram em conquistar uma fatia maior do mundo pela força bruta. Porém o liberalismo sobreviveu ao momento de Francisco Ferdinando e emergiu desse turbilhão ainda mais forte que antes, prometendo que aquela fora a "guerra para pôr fim a todas as guerras". A carnificina sem precedente havia supostamente ensinado ao gênero humano quão terrível é o preço do imperialismo, e agora a humanidade estava enfim pronta para criar uma nova ordem mundial baseada nos princípios da liberdade e da paz.

Depois veio o momento de Hitler, nos anos 1930 e início dos 1940, quando o fascismo pareceu, por um instante, invencível. A vitória sobre essa ameaça apenas levou à seguinte. Durante o momento de Che Guevara, entre as décadas de 1950 e 1970, pareceu novamente que o liberalismo estava nas últimas, e que o futuro pertencia ao comunismo. No fim, foi o comunismo que entrou em colapso. O mercado provou que era mais forte que o gulag. Mais importante que isso, a narrativa liberal provou ser de longe mais flexível e dinâmica do que qualquer uma de suas oponentes. Triunfou sobre o imperialismo, sobre o fascismo e sobre o comunismo ao adotar algumas de suas melhores ideias e práticas. Em particular, a narrativa liberal aprendeu com o comunismo a expandir o círculo da empatia e a dar valor, além da liberdade, à igualdade.

No começo, a narrativa liberal se preocupava principalmente com as liberdades e privilégios de homens europeus de classe média, e parecia cega à situação difícil das pessoas da classe trabalhadora, das mulheres, das minorias e dos não ocidentais. Quando, em 1918, as vitoriosas Inglaterra e França falavam com empolgação sobre liberdade, não tinham em mente os súditos de seus extensos impérios. Por exemplo, as demandas dos indianos por independência tiveram como resposta o massacre de Amritsar em 1919, no qual o Exército britânico assassinou centenas de manifestantes desarmados.

Mesmo após a Segunda Guerra Mundial, liberais ocidentais ainda tinham dificuldade em aplicar seus supostos valores universais a povos não ocidentais. Assim, em 1945, quando os holandeses saíram de cinco anos de uma brutal ocupação nazista, uma das primeiras coisas que fizeram foi mobilizar um exército e enviá-lo para o outro lado do mundo para reocupar sua ex-colônia da Indonésia. Se em 1940 os holandeses cederam a própria independência após pouco mais de cinco dias de batalha, combateram por mais de quatro longos e amargos anos para suprimir a independência da Indonésia. Não surpreende que muitos movimentos de libertação nacional por todo o mundo tenham depositado suas esperanças nos comunistas de Moscou e Pequim, e não nos autoproclamados campeões da liberdade no Ocidente.

No entanto, aos poucos a narrativa liberal expandiu seus horizontes, e pelo menos em teoria passou a dar valor às liberdades e aos direitos de todos os seres humanos sem exceção. À medida que o círculo de liberdade se expandia, a narrativa liberal veio a reconhecer também a importância dos programas de bem-estar social no estilo comunista. A liberdade não vale muito se não vier acompanhada de algum tipo de rede de segurança social. Estados social-democratas de bem-estar social combinaram democracia e direitos humanos com serviços de educação e saúde bancados pelos governos. Até mesmo os ultracapitalistas Estados Unidos deram-se conta de que a proteção da liberdade exige ao menos alguns serviços públicos de bem-estar social. Crianças morrendo de fome não têm liberdade.

No início da década de 1990, pensadores e políticos declararam o "Fim da História", afirmando com segurança que todas as grandes questões políticas do passado haviam sido resolvidas, e que o renovado pacote liberal de democracia, direitos humanos, livres mercados e serviços públicos de bem-estar social eram a única opção disponível. Esse pacote parecia estar destinado a se espalhar por todo o mundo, superar todos os obstáculos, apagar todas as fronteiras nacionais e transformar o gênero humano em uma comunidade global livre.[7]

Mas a história não chegou ao fim, e depois do momento de Francisco Ferdinando, do momento de Hitler e do momento de Che Guevara, encontramo-nos agora no momento de Trump. Desta vez, no entanto, a narrativa liberal não enfrenta um oponente ideológico coerente como o imperialismo, o fascismo ou o comunismo. O momento de Trump é muito mais niilista.

Enquanto todos os grandes movimentos do século XX tinham uma visão que abrangia toda a espécie humana — fosse dominação, revolução ou libertação global —, Donald Trump não oferece nada disso. Exatamente o contrário. Sua mensagem principal é que não é tarefa dos Estados Unidos formular nem promover qualquer visão global. Da mesma forma, os formuladores e apoiadores do Brexit dificilmente têm um plano para o futuro do Reino Desunido — o futuro da Europa e do mundo está muito além de seu horizonte. A maioria das pessoas que votaram em Trump e no Brexit não rejeitaram o pacote liberal inteiro — elas perderam a fé principalmente na parte sobre a globalização. Ainda acreditam na democracia, no livre mercado, nos direitos humanos e na responsabilidade social, mas acham que essas ideias belas só devem ir até a fronteira. Na verdade, acreditam que, para preservar a liberdade e a prosperidade em Yorkshire ou no Kentucky, é melhor construir um muro na divisa e adotar políticas não liberais em relação a estrangeiros.

A China, superpotência em ascensão, apresenta uma imagem quase invertida. É cautelosa na liberalização de sua política doméstica, mas adotou uma abordagem muito mais liberal em relação ao resto do mundo. Quando se trata de livre mercado e cooperação internacional, Xi Jinping parece ser o verdadeiro sucessor de Obama. Tendo posto o marxismo-leninismo em segundo plano, a China parece estar bem feliz com a ordem liberal internacional.

A emergente Rússia considera-se uma rival muito mais poderosa da ordem liberal global, mas, embora tenha reconstituído seu poder militar, está ideologicamente falida. Vladimir Putin certamente é popular na Rússia e entre movimentos de direita por todo o mundo, mas ainda não tem uma visão global que possa atrair espanhóis desempregados, brasileiros insatisfeitos ou estudantes idealistas em Cambridge.

A Rússia oferece uma alternativa à democracia liberal, mas esse modelo não é uma ideologia política coerente; é uma prática política na qual poucos oligarcas monopolizam a maior parte da riqueza e do poder de um país, e depois usam a mídia para ocultar suas atividades e consolidar seu domínio. A democracia baseia-se no princípio de Abraham Lincoln de que "é possível enganar todas as pessoas por algum tempo, e algumas pessoas o tempo todo, mas não é possível enganar todas as pessoas o tempo todo". Se um governo é corrupto e não melhora a vida das pessoas, em algum momento os cidadãos se darão conta disso e substituirão o governo. Mas o controle da mídia pelo governo solapa a lógica de Lincoln, porque impede que os cidadãos conheçam a verdade. Mediante seu monopólio da mídia, a oligarquia governante pode sempre culpar os outros por suas falhas e desviar a atenção para ameaças externas — reais ou imaginárias.

Quando se vive sob tal oligarquia, sempre haverá alguma crise que parece mais importante que coisas fastidiosas como o sistema de saúde ou a poluição. Se a nação está enfrentando uma invasão externa ou uma diabólica subversão, quem tem tempo para se preocupar com hospitais superlotados e rios poluídos? Ao fabricar uma torrente interminável de crises, uma oligarquia corrupta pode prolongar seu domínio indefinidamente.[8]

Porém, mesmo que duradouro na prática, esse modelo oligárquico não atrai ninguém. Diferentemente de outras ideologias que expõem com orgulho sua visão, oligarquias dominantes não se gabam de suas práticas, e tendem a usar outras ideologias como cortina de fumaça. Assim, a Rússia pretende ser uma democracia, e sua liderança proclama lealdade aos valores do nacionalismo russo e do cristianismo ortodoxo — e não à oligarquia. Extremistas de direita na França e na Inglaterra até podem confiar na ajuda russa e expressar admiração por Putin, mas seus eleitores não gostariam de viver num país que copiasse o modelo russo — um país com corrupção endêmica, serviços que funcionam mal, sem estado de direito e com uma desigualdade assombrosa. Segundo certos parâmetros, a Rússia é um dos países mais desiguais do mundo, com 87% da riqueza concentrada nas mãos dos 10% mais ricos da população.[9] Quantos apoiadores do Front National da classe trabalhadora gostariam de copiar essa distribuição de riqueza na França?

Humanos estão abandonando seus locais de origem. Em minhas viagens pelo mundo conheci muitas pessoas que querem imigrar para os Estados Unidos, Alemanha, Canadá ou Austrália. Conheci algumas que queriam se mudar para a China ou o Japão. Mas ainda não conheci uma só pessoa que sonha em imigrar para a Rússia.

Quanto ao "Islã global", ele atrai principalmente aqueles que nasceram em seus braços. Embora seja capaz de seduzir algumas pessoas na Síria e no Iraque, e mesmo jovens muçulmanos na Alemanha e na Inglaterra, é difícil imaginar Grécia ou África do Sul — muito menos Canadá ou Coreia do Sul — aderindo a um califado global como solução para seus problemas. Para cada jovem muçulmano da Alemanha que foi ao Oriente Médio a fim de viver sob uma teocracia muçulmana, provavelmente cem jovens do Oriente Médio gostariam de fazer o percurso inverso e começar uma nova vida na Alemanha liberal.

Isso talvez implique que a atual crise de fé seja menos grave que suas predecessoras. Todo liberal levado ao desespero pelos acontecimentos recentes deveria simplesmente relembrar como as coisas pareciam muito piores em 1918, 1938 ou 1968. E, afinal de contas, o gênero humano não abandonará a narrativa liberal, porque não tem alternativa. As pessoas podem dar um chute raivoso no estômago do sistema, mas, não tendo para onde ir, voltarão.

As pessoas podem também desistir totalmente de ter uma narrativa global de qualquer tipo e buscar abrigo em lendas nacionalistas e religiosas locais. Os movimentos nacionalistas foram um fator político importantíssimo no século XX, mas careciam de uma visão coerente de futuro para o mundo que não fosse a de apoiar a divisão do globo em Estados-nação independentes. Os nacionalistas indonésios lutaram contra a dominação holandesa, os nacionalistas vietnamitas queriam um Vietnã livre, mas não havia uma narrativa indonésia ou vietnamita para a humanidade como um todo. Quando chegava a hora de explicar como a Indonésia, o Vietnã e todas as outras nações livres deveriam se relacionar umas com as outras, e como os humanos deveriam lidar com problemas globais, como a ameaça de uma guerra nuclear, os nacionalistas invariavelmente se voltavam para ideias liberais ou comunistas.

Porém se tanto o liberalismo quanto o comunismo estão agora desacreditados, não deveriam talvez os humanos abandonar a ideia de uma narrativa global única? Afinal, não foram todas essas histórias globais — até mesmo o comunismo — produto do imperialismo ocidental? Por que deveriam aldeões vietnamitas depositar sua fé em ideias concebidas por um alemão de Trier e um industrial de Manchester? Talvez cada país devesse adotar um caminho idiossincrático, definido por suas próprias tradições ancestrais? Talvez até mesmo os ocidentais devessem dar um descanso a suas tentativas de administrar o mundo e se concentrar em seus próprios assuntos, para variar?

Sem dúvida, é isso que está acontecendo em todo o globo, quando o vácuo deixado pelo colapso do liberalismo está sendo, de forma vacilante, preenchido por fantasias nostálgicas de algum passado local dourado. Donald Trump associou seu chamado para o isolacionismo americano com uma promessa de "Tornar a América grande novamente" — como se os Estados Unidos das décadas de 1980 ou 1950 tivessem sido uma sociedade perfeita que os americanos deveriam de algum modo recriar no século xxi. Os partidários do Brexit sonham em fazer da Inglaterra uma potência independente, como se ainda vivessem na época da rainha Vitória e como se o "isolamento esplêndido" fosse uma política viável na era da internet e do aquecimento global. As elites chinesas redescobriram seus legados imperiais e confucianos nativos, como um suplemento ou mesmo um substituto para a duvidosa ideologia marxista que importaram do Ocidente. Na Rússia, a visão oficial de Putin não é a construção de uma oligarquia corrupta, mas a ressurreição do antigo império tsarista. Um século depois da revolução bolchevique, Putin promete o retorno às glórias do tsarismo, com um governo autocrático mantido pelo nacionalismo russo e pela fé ortodoxa cujo poder se estende do mar Báltico ao Cáucaso.

Sonhos nostálgicos semelhantes, que misturam adesão ao nacionalismo com tradições religiosas, sustentam regimes na Índia, na Polônia, na Turquia e em muitos outros países. Em nenhum lugar essas fantasias são mais extremadas que no Oriente Médio, onde islâmicos querem copiar o sistema estabelecido pelo profeta Maomé na cidade de Medina 1400 anos atrás, enquanto judeus fundamentalistas em Israel superam até mesmo os islâmicos e sonham em retroceder 2500 anos até os tempos bíblicos. Membros da coalizão que governa Israel falam abertamente sobre sua esperança de expandir as fronteiras modernas de Israel para que coincidam com as de Israel da Bíblia, sobre reinstituição da lei bíblica e até mesmo sobre reconstrução do antigo Templo de Iahweh no lugar da mesquita de Al-Aqsa.[10]

As elites liberais olham horrorizadas para esses desenvolvimentos e esperam que a humanidade volte ao caminho liberal a tempo de impedir um desastre. Em seu discurso final nas Nações Unidas, em setembro de 2016, o presidente Obama advertiu seus ouvintes quanto ao retrocesso para "um mundo radicalmente dividido, e acima de tudo em conflito, entre fronteiras ancestrais de nação e tribo e raça e religião". Em vez disso, disse, "os princípios de mercados livres e governança responsável, de democracia e direitos humanos e lei internacional [...] são o fundamento mais firme para o progresso humano neste século".[11]

Obama ressaltou com razão que, a despeito das numerosas deficiências do pacote liberal, ele tem um histórico muito melhor do que quaisquer alternativas. A maioria dos humanos nunca usufruiu de maior paz e prosperidade do que sob a égide da ordem liberal do início do século XXI. Pela primeira vez na história, doenças infecciosas matam menos que idade avançada, fome mata menos que obesidade e violência mata menos que acidentes.

Mas o liberalismo não tem respostas imediatas para os maiores problemas que enfrentamos: o colapso ecológico e a disrupção tecnológica. O liberalismo baseou-se tradicionalmente no crescimento econômico para resolver conflitos sociais e políticos complexos. O liberalismo reconciliou o proletariado com a burguesia, os crentes com os ateus, os nativos com os imigrantes e os europeus com os asiáticos, ao prometer a todos uma fatia maior do bolo. Com um bolo que crescia constantemente, isso era possível. Contudo, o crescimento econômico não vai salvar o ecossistema global — justamente o contrário, ele é a causa da crise ecológica. E o crescimento econômico não vai resolver a questão da disrupção tecnológica — ele pressupõe a invenção de mais e mais tecnologias disruptivas.

A narrativa liberal e a lógica do capitalismo de livre mercado estimulam as pessoas a ter grandes expectativas. Durante a parte final do século XX, cada geração — seja em Houston, Xangai, Istambul ou São Paulo — usufruía de uma educação melhor, serviços de saúde superiores e maior renda do que a que lhe antecedia. Nas décadas por vir, no entanto, devido a uma combinação de disrupção tecnológica e colapso ecológico, a geração mais jovem terá sorte se permanecer nos mesmos patamares.

Consequentemente, nos restou a tarefa de criar uma narrativa atualizada para o mundo. Assim como as convulsões da Revolução Industrial deram origem às novas ideologias do século xx, as próximas revoluções na biotecnologia e na tecnologia da informação exigirão novas visões e conceitos. As próximas décadas serão, portanto, caracterizadas por um intenso exame de consciência e pela formulação de novos modelos sociais e políticos. Será o liberalismo capaz de se reinventar mais uma vez, como na esteira das crises das décadas de 1930 e 1960, e emergir ainda mais atraente? Será que a religião e o nacionalismo tradicionais são capazes de oferecer as respostas que escapam aos liberais, e usar sua antiga sabedoria para moldar uma visão de mundo atualizada? Ou terá chegado o momento de romper totalmente com o passado e criar uma narrativa completamente nova que vá além não só dos antigos deuses e nações, mas até mesmo dos valores modernos centrais de liberdade e igualdade?

Atualmente, o gênero humano está longe de qualquer consenso quanto a essas questões. Ainda estamos no momento niilista de desilusão e raiva, depois da perda da fé nas narrativas antigas, mas antes da aceitação de uma nova. Então, o que vem em seguida? O primeiro passo é baixar o tom das profecias apocalípticas e passar de uma postura de pânico para uma de perplexidade. O pânico é uma forma de prepotência. Deriva da sensação pretensiosa de que eu sei exatamente para onde o mundo está se dirigindo — ladeira abaixo. A perplexidade é mais humilde, portanto mais perspicaz. Se você tem vontade de correr pela rua gritando "O apocalipse está chegando!", tente dizer a si mesmo: "Não,

não é isso. A verdade é que eu não compreendo o que está acontecendo no mundo".

Os capítulos seguintes tentarão esclarecer algumas das atordoantes novas possibilidades que temos pela frente, e como deveríamos proceder a partir daí. Porém, antes de explorar soluções possíveis para os impasses da humanidade, precisamos ter uma melhor noção do desafio que a tecnologia nos coloca. As revoluções na tecnologia da informação e na biotecnologia ainda estão em sua infância, e é discutível em que medida elas realmente são responsáveis pela atual crise do liberalismo. A maior parte das pessoas em Birmingham, Istambul, São Petersburgo e Mumbai só tem uma noção vaga, se é que tem, do surgimento da inteligência artificial e do possível impacto dela em sua vida. É certo, no entanto, que as revoluções tecnológicas vão ganhar impulso nas próximas décadas, e colocarão o gênero humano diante das provações mais difíceis que jamais enfrentamos. Qualquer narrativa que busque ganhar a adesão da humanidade será testada, acima de tudo, em sua capacidade de lidar com as revoluções gêmeas na tecnologia da informação e na biotecnologia. Se o liberalismo, o nacionalismo, o Islã ou algum credo novo quiser modelar o mundo em 2050, terá não só de desvendar a inteligência artificial, os algoritmos de Big Data e a bioengenharia como precisará também incorporá-los numa narrativa nova e significativa.

Para compreender a natureza desse desafio tecnológico, talvez seja melhor começar com o mercado de trabalho. Desde 2015 tenho viajado pelo mundo e conversado com funcionários de governos, empresários, ativistas sociais e estudantes sobre os impasses da humanidade. Quando ficam impacientes ou entediados com essa conversa de inteligência artificial, algoritmos de Big Data ou bioengenharia, basta eu mencionar uma palavra mágica para atrair novamente sua atenção: empregos. A revolução tecnológica pode em breve excluir bilhões de humanos do mercado de trabalho e criar uma nova e enorme classe sem utilidade, levando a convulsões sociais e políticas com as quais nenhuma ideologia existente está preparada para lidar. Essa conversa sobre tecnologia e ideologia pode soar muito abstrata e remota, mas a perspectiva real de desemprego em massa — ou pessoal — não deixa ninguém indiferente.

2. Trabalho
Quando você crescer, talvez não tenha um emprego

Não temos ideia de como será o mercado de trabalho em 2050. Sabemos que o aprendizado de máquina e a robótica vão mudar quase todas as modalidades de trabalho — desde a produção de iogurte até o ensino da ioga. Contudo, há visões conflitantes quanto à natureza dessa mudança e sua iminência. Alguns creem que dentro de uma ou duas décadas bilhões de pessoas serão economicamente redundantes. Outros sustentam que mesmo no longo prazo a automação continuará a gerar novos empregos e maior prosperidade para todos.

Estaríamos à beira de uma convulsão social assustadora, ou essas previsões são mais um exemplo de uma histeria ludista infundada? É difícil dizer. Os temores de que a automação causará desemprego massivo remontam ao século XIX, e até agora nunca se materializaram. Desde o início da Revolução Industrial, para cada emprego perdido para uma máquina pelo menos um novo emprego foi criado, e o padrão de vida médio subiu consideravelmente.[1] Mas há boas razões para pensar que desta vez é diferente, e que o aprendizado de máquina será um fator real que mudará o jogo.

Humanos têm dois tipos de habilidades — física e cognitiva. No passado, as máquinas competiram com humanos principalmente em habilidades físicas, enquanto os humanos se mantiveram à frente das máquinas em capacidade cognitiva. Por isso, quando trabalhos manuais na agricultura e na indústria foram automatizados, surgiram novos trabalhos no setor de serviços que requeriam o tipo de habilidade cognitiva que só os humanos possuíam: aprender, analisar, comunicar e acima de tudo compreender as emoções humanas. No entanto, a IA está começando agora a superar os humanos em um número cada vez maior dessas habilidades, inclusive a de compreender as emoções humanas.[2] Não sabemos de nenhum terceiro campo de atividade — além do físico e do cognitivo — no qual os humanos manterão sempre uma margem segura.

É crucial entender que a revolução da IA não envolve apenas tornar os computadores mais rápidos e mais inteligentes. Ela se abastece de avanços nas ciências da vida e nas ciências sociais também. Quanto mais compreendemos os mecanismos bioquímicos que sustentam as emoções, os desejos e as escolhas humanas, melhores podem se tornar os computadores na análise do comportamento humano, na previsão de decisões humanas, e na substituição de motoristas, profissionais de finanças e advogados humanos.

Nas últimas décadas a pesquisa em áreas como a neurociência e a economia comportamental permitiu que cientistas hackeassem humanos e adquirissem uma compreensão muito melhor de como os humanos tomam decisões. Constatou-se que todas as nossas escolhas, desde comida até parceiros sexuais, resultam não de algum misterioso livre-arbítrio, e sim de bilhões de neurônios que calculam probabilidades numa fração de segundo. A tão propalada "intuição humana" é na realidade a capacidade de reconhecer padrões.[3] Bons motoristas, profissionais de finanças e advogados não têm intuições mágicas sobre trânsito, investimento ou negociação — e sim, ao reconhecer padrões recorrentes, eles localizam e tentam evitar pedestres desatentos, tomadores de empréstimo ineptos e trapaceiros. Também se constatou que os algoritmos bioquímicos do cérebro humano estão longe de ser perfeitos. Eles se baseiam em heurística, atalhos e circuitos ultrapassados, adaptados mais à savana africana do que à selva urbana. Não é de admirar que bons motoristas, profissionais de finanças e advogados às vezes cometam erros bestas.

Isso quer dizer que a IA pode superar o desempenho humano até mesmo em tarefas que supostamente exigem "intuição". Se pensarmos que a IA tem de competir com os pressentimentos místicos da alma humana, pode parecer impossível. Mas como a IA na realidade tem de competir com redes neurais para calcular probabilidades e reconhecer padrões — isso soa muito menos assustador.

Em especial, a IA pode ser melhor em tarefas que demandam intuições *sobre outras pessoas*. Muitas modalidades de trabalho — como dirigir um veículo numa rua cheia de pedestres, emprestar dinheiro a estranhos e negociar um acordo — requerem a capacidade de avaliar corretamente as emoções e os desejos de outra pessoa. Será que aquele garoto vai correr para a estrada? Será que o homem de terno pretende pegar meu dinheiro e sumir? Será que aquele advogado vai cumprir suas ameaças ou só está blefando? Quando se pensava que essas emoções e esses desejos eram gerados por um espírito imaterial, parecia óbvio que os computadores nunca seriam capazes de substituir motoristas, banqueiros e advogados humanos. Pois como poderia um computador compreender o divinamente criado espírito humano? Mas, se essas emoções e esses desejos na realidade não são mais do que algoritmos bioquímicos, não há razão para os computadores não decifrarem esses algoritmos — e até certo ponto, melhor do que qualquer *Homo sapiens*.

O motorista que prevê as intenções de um pedestre, o profissional que avalia a credibilidade de um tomador potencial e o advogado que é sensível ao humor reinante na mesa de negociação não se valem de feitiçaria. Sem que eles saibam, o cérebro deles está reconhecendo padrões bioquímicos ao analisar expressões faciais, tons de voz, movimentos das mãos e até mesmo odores corporais. Uma IA equipada com os sensores certos poderia fazer tudo isso com muito mais precisão e confiabilidade do que um humano.

Por isso a ameaça de perda de emprego não resulta apenas da ascensão da tecnologia da informação, mas de sua confluência com a biotecnologia. O caminho que vai do escâner de ressonância magnética ao mercado de trabalho é longo e tortuoso, mas ainda assim poderá ser percorrido em poucas décadas. O que os neurocientistas estão aprendendo hoje sobre a amígdala e o cerebelo pode permitir que computadores superem psiquiatras e guarda-costas humanos em 2050.

E a IA não só está em posição de hackear humanos e superá-los no que eram, até agora, habilidades exclusivamente humanas. Ela também usufrui de modo exclusivo de habilidades não humanas, o que torna a diferença entre a IA e um trabalhador humano uma questão qualitativa e não apenas quantitativa. Duas habilidades não humanas especialmente importantes da IA são a conectividade e a capacidade de atualização.

Como humanos são seres individuais, é difícil conectar um ao outro e se certificar de que estão todos atualizados. Em contraste, computadores não são indivíduos, e é fácil integrá-los numa rede flexível. Por isso estamos diante não da substituição de milhões de trabalhadores humanos individuais por milhões de robôs e computadores individuais, mas, provavelmente, da substituição de humanos individuais por uma rede integrada. No que diz respeito à automação, portanto, é errado comparar as habilidades de um único motorista humano com as de um único carro autodirigido, ou as de um único médico humano com as de um único médico de IA. Em vez disso, deveríamos comparar as habilidades de uma coleção de indivíduos humanos com as habilidades de uma rede integrada.

Por exemplo, muitos motoristas não estão familiarizados com todas as regras de trânsito e frequentemente as transgridem. Além disso, como cada veículo é uma entidade autônoma, quando dois deles se aproximam do mesmo cruzamento ao mesmo tempo, os motoristas podem comunicar erroneamente suas intenções e colidir. Carros autodirigidos, em contraste, podem ser conectados entre si. Quando dois desses veículos se aproximam do mesmo cruzamento eles não são duas entidades separadas — são parte de um único algoritmo. As probabilidades de que possam se comunicar erroneamente e colidir são, portanto, muito menores. E, se o Ministério dos Transportes decidir mudar qualquer regra de trânsito, todos os veículos autodirigidos podem ser atualizados com facilidade e exatamente no mesmo momento, e, salvo a existência de algum bug no programa, todos seguirão o novo regulamento à risca.[4]

Da mesma forma, se a Organização Mundial de Saúde identificar uma nova doença, ou se um laboratório produzir um novo remédio, é quase impossível atualizar todos os médicos humanos no mundo quanto a esses avanços. Em contraste, mesmo que haja 10 bilhões de médicos de IA no mundo — cada um monitorando a saúde de um único ser humano —, ainda se poderá atualizar todos eles numa fração de segundo, e todos serão capazes de dar uns aos outros feedbacks quanto às novas doenças ou remédios. Essa vantagem potencial de conectividade e capacidade de atualização é tão enorme que ao menos em algumas modalidades de trabalho talvez faça sentido substituir *todos* os humanos por computadores, mesmo que individualmente alguns humanos sejam melhores em seu trabalho do que as máquinas.

Poder-se-ia contrapor que, ao se trocar indivíduos humanos por uma rede de computadores, perderemos as vantagens da individualidade. Por exemplo, se um médico humano fizer um diagnóstico errado, ele não vai matar todos os pacientes do mundo e não vai bloquear o desenvolvimento de todos os novos medicamentos. Em contraste, se todos os médicos são na verdade um único sistema, e se esse sistema comete um erro, os resultados podem ser catastróficos. No entanto, um sistema integrado de computadores pode maximizar as vantagens da conectividade sem perder os benefícios da individualidade. Podem-se rodar muitos algoritmos alternativos na mesma rede, de modo que um paciente numa aldeia remota na selva seja capaz de acessar com seu smartphone não apenas um único médico capacitado, mas cem médicos de IA diferentes, cujos desempenhos relativos são comparados o tempo inteiro. Você não gostou do que o médico da IBM lhe disse? Não tem problema. Mesmo que esteja enfurnado em algum lugar das encostas do Kilimanjaro, você pode contatar facilmente o médico da Baidu para ter uma segunda opinião.

Os benefícios para a sociedade humana provavelmente serão imensos. A IA em medicina poderia prover serviços de saúde muito melhores e mais baratos a bilhões de pessoas, especialmente para as que hoje não têm acesso algum a esses serviços. Graças a algoritmos de aprendizagem e sensores biométricos, um aldeão pobre num país subdesenvolvido poderia usufruir de uma assistência médica muito melhor usando seu smartphone do que a pessoa mais rica do mundo obtém hoje em dia no mais avançado dos hospitais urbanos.[5]

Da mesma forma, veículos autodirigidos poderiam oferecer às pessoas serviços de transporte muito melhores e reduzir a taxa de mortalidade por acidentes de trânsito. Hoje, cerca de 1,25 milhão de pessoas morrem todo ano em acidentes de trânsito (o dobro das mortes causadas por guerra, crime e terrorismo somadas).[6] Mais de 90% desses acidentes são causados por erros humanos: alguém que bebeu e dirigiu, alguém digitando uma mensagem enquanto dirige, alguém que adormeceu ao volante, alguém sonhando acordado em vez de prestar atenção à estrada. A Administração Nacional de Segurança de Trânsito em Estradas dos Estados Unidos estimou que, em 2012, 31% dos acidentes fatais no país envolveram uso abusivo de álcool, 30% envolveram excesso de velocidade e 21% envolveram desatenção do motorista.[7] Veículos autodirigidos nunca farão nada disso. Embora tenham seus próprios problemas e limitações, e embora alguns acidentes sejam inevitáveis, espera-se que a substituição de motoristas humanos por computadores reduza mortes e ferimentos na estrada em cerca de 90%.[8] Em outras palavras, a mudança para veículos autônomos pode poupar a vida de 1 milhão de pessoas por ano.

Por isso seria loucura bloquear a automação em campos como o do transporte e o da saúde só para proteger empregos humanos. Afinal, o que deveríamos proteger são os humanos — não os empregos. Motoristas e médicos obsoletos simplesmente terão de achar outra coisa para fazer.

O MOZART NA MÁQUINA

Ao menos no curto prazo, a IA e a robótica provavelmente não eliminarão por completo setores inteiros da economia. Trabalhos que requeiram especialização numa faixa estreita de atividades padronizadas serão automatizados. Porém será muito mais difícil substituir humanos por máquinas em tarefas menos padronizadas que exijam o uso simultâneo de uma ampla variedade de habilidades, e que envolvam lidar com cenários imprevisíveis. Tomem-se os serviços de saúde, por exemplo. Muitos médicos concentram-se exclusivamente em processar informação: eles absorvem dados médicos, os analisam e fazem um diagnóstico. Enfermeiras, ao contrário, precisam também de boas habilidades motoras e emocionais para ministrar uma injeção dolorosa, trocar um curativo ou conter um paciente violento. Por isso provavelmente teremos um médico de IA em nosso smartphone décadas antes de termos uma enfermeira-robô confiável.[9] É provável que as atividades de cuidado — de enfermos, crianças e idosos — continuem a ser um bastião humano por muito tempo. Realmente, como as pessoas estão vivendo mais e tendo menos filhos, a área de cuidados geriátricos provavelmente será a de crescimento mais rápido no mercado de trabalho humano.

Assim como o cuidado, a criatividade também coloca obstáculos especialmente difíceis para a automação. Não precisamos mais de humanos que nos vendam música — podemos baixá-la da loja da iTunes —, mas compositores, instrumentistas, cantores e DJs ainda são de carne e osso. Nós contamos com sua criatividade não só para produzir música totalmente nova mas também para escolher entre uma desnorteante gama de possibilidades disponíveis.

Entretanto, a longo prazo, nenhuma atividade permanecerá totalmente imune à automação. Até mesmo artistas receberão aviso-prévio. No mundo moderno a arte é comumente associada a emoções humanas. Tendemos a pensar que artistas estão direcionando forças psicológicas internas, e que todo o propósito da arte é conectar-nos com nossas emoções ou inspirar em nós algum sentimento novo. Como consequência, quando avaliamos arte tendemos a julgá-la segundo seu impacto emocional no público. Mas se a arte é definida pelas emoções humanas, o que acontecerá quando algoritmos externos forem capazes de compreender e manipular emoções humanas melhor do que Shakespeare, Frida Kahlo ou Beyoncé?

Afinal, emoções não são um fenômeno místico — são resultado de um processo bioquímico. Daí que num futuro não muito distante um algoritmo de aprendizado de máquina será capaz de analisar dados biométricos de sensores em seu corpo, determinar o tipo de sua personalidade e suas variações de humor e calcular o impacto emocional que uma determinada canção — até mesmo uma certa tonalidade — terá sobre você.[10]

De todas as formas de arte, a música é provavelmente a mais suscetível a uma análise de Big Data, porque tanto seus *inputs* como *outputs* prestam-se a uma descrição matemática precisa. Os *inputs* são padrões matemáticos de ondas sonoras, e os *outputs* são os padrões eletroquímicos de tempestades neurais. Dentro de poucas décadas, um algoritmo capaz de analisar milhões de experiências musicais poderá aprender a prever como determinados *inputs* resultam em determinados *outputs*.[11]

Suponha que você acabou de ter uma briga horrível com seu namorado. O algoritmo encarregado de seu sistema de som imediatamente vai identificar sua agitação interna e, baseado no que conhece de sua personalidade e da psicologia humana em geral, vai tocar canções sob medida para ressoar com sua mágoa e ecoar sua aflição. Essas canções específicas podem não funcionar bem com outras pessoas, mas são perfeitas para seu tipo de personalidade. Depois de ajudá-lo a entrar em contato com sua tristeza mais profunda, o algoritmo vai então tocar a única canção no mundo que provavelmente vai animar você — talvez porque seu subconsciente a conecta com uma lembrança feliz da infância da qual nem mesmo você tem consciência. Nenhum DJ humano poderia jamais esperar equiparar-se aos talentos dessa IA.

Talvez você conteste, dizendo que a IA estaria assim eliminando o acaso e nos encerrando num estreito casulo musical, tecido por nossos gostos e desgostos anteriores. E quanto a explorar novos gostos e estilos musicais? Tudo bem. Você poderia ajustar o algoritmo para que 5% de suas escolhas fossem totalmente aleatórias, jogando em seu colo uma gravação de um conjunto de gamelão indonésio, uma ópera de Rossini ou o último sucesso de K-pop. Com o tempo, monitorando suas reações, a IA poderia até mesmo determinar o nível ideal de aleatoriedade que otimizaria a exploração, ao mesmo tempo que evita o enfado, talvez baixando seu nível de acaso a 3% ou elevando para 8%.

Outra possível objeção seria quanto a não ser claro como o algoritmo estabelece seu objetivo emocional. Se você acabou de brigar com seu namorado, o algoritmo deveria tentar deixá-lo triste ou alegre? Deveria seguir uma escala rígida de emoções "boas" e emoções "ruins"? Talvez haja momentos na vida em que é bom ficar triste? A mesma pergunta poderia, é claro, ser dirigida a músicos e DJs humanos. Mas com um algoritmo há muitas soluções interessantes para esse quebra-cabeça.

Uma opção é deixar isso por conta do cliente. Você pode avaliar suas emoções da maneira que quiser, e o algoritmo seguirá seus ditames. Se você quiser chafurdar na autocomiseração ou dar saltos de alegria, o algoritmo obedecerá a sua orientação. De fato, o algoritmo pode aprender a reconhecer seus desejos mesmo sem que você esteja explicitamente consciente deles.

Ou então, se você não confia em você mesmo, poderá instruir o algoritmo a seguir a recomendação de algum psicólogo no qual você confia. Se seu namorado terminar com você, o algoritmo poderá te conduzir através das cinco etapas oficiais do luto, primeiro te ajudando a negar o que aconteceu tocando "Don't Worry, Be Happy", de Bobby McFerrin, depois incitando sua raiva com "You Oughta Know", de Alanis Morissette, incentivando-o a barganhar com "Ne me quitte pas", de Jacques Brel, e "Come Back and Stay", de Paul Young, deixando-o no fundo do poço da depressão com "Someone Like You", de Adele, e finalmente ajudando você a aceitar a situação com "I Will Survive", de Gloria Gaynor.

O passo seguinte é o algoritmo começar a experimentar com as próprias canções e melodias, mudando-as ligeiramente para que se adaptem a seus caprichos. Talvez você não goste de um determinado trecho de uma canção que, de resto, é excelente. O algoritmo sabe disso porque seu coração pula uma batida e seus níveis de ocitocina caem ligeiramente sempre que você ouve essa parte que o aborrece. O algoritmo poderia reescrever ou editar as notas que incomodam.

No longo prazo, algoritmos podem aprender a compor melodias inteiras, tocando as emoções humanas como se fossem um teclado de piano. Usando seus dados biométricos, os algoritmos poderiam até mesmo produzir melodias personalizadas, que só você, no universo inteiro, saberia apreciar.

Diz-se que as pessoas se conectam com a arte porque se veem nela. Isso pode levar a resultados surpreendentes e um tanto sinistros se e quando, digamos, o Facebook começar a criar arte baseada em tudo o que sabe sobre você. Se seu namorado te der o fora, o Facebook vai te fazer um agrado com uma canção personalizada sobre aquele babaca em particular e não sobre a pessoa desconhecida que partiu o coração de Adele ou de Alanis Morissette. A canção até o fará se lembrar de incidentes reais do relacionamento de vocês, dos quais ninguém mais no mundo tem conhecimento.

É claro que a arte personalizada pode não pegar, porque as pessoas continuarão a preferir sucessos dos quais todo mundo gosta. Como dançar ou cantar com alguém uma música que só você conhece? Mas os algoritmos poderiam se mostrar mais adaptáveis produzindo sucessos globais do que produzindo raridades personalizadas. Ao usar enormes bases de dados biométricas geradas a partir de milhões de pessoas, o algoritmo poderia saber quais botões bioquímicos acionar para produzir um sucesso global que faria todo mundo rebolar como louco nas pistas de dança. Se arte de fato tem a ver com inspirar (ou manipular) emoções humanas, poucos (se é que algum) músicos humanos terão a oportunidade de competir com um algoritmo desses, porque não podem se equiparar a ele na compreensão do principal instrumento que está tocando: o sistema bioquímico humano.

Resultará tudo isso em grandes obras de arte? Depende da definição de arte. Se a beleza está na verdade nos ouvidos de quem ouve, e se o cliente tem sempre razão, então os algoritmos biométricos têm a oportunidade de produzir a melhor arte da história. Se arte tem a ver com algo mais profundo do que emoções e deve expressar uma verdade que fica além de nossas vibrações bioquímicas, pode ser que algoritmos biométricos não sejam bons artistas. Mas a maioria dos humanos tampouco é. Para entrar no mercado de arte e substituir muitos compositores e intérpretes os algoritmos não teriam de começar superando logo Tchaikovsky. Bastaria que fossem melhores que Britney Spears.

NOVOS EMPREGOS?

A perda de muitos trabalhos tradicionais, da arte aos serviços de saúde, será parcialmente compensada pela criação de novos trabalhos humanos. Um clínico geral que diagnostica doenças conhecidas e administra tratamentos de rotina provavelmente será substituído pela IA médica. Mas, justamente por causa disso, haverá muito mais dinheiro para pagar médicos e assistentes de laboratório humanos que façam pesquisas inovadoras e desenvolvam novos medicamentos ou procedimentos cirúrgicos.[12]

A IA poderia ajudar a criar novos empregos humanos de outra maneira. Em vez de os humanos competirem com a IA, poderiam concentrar-se nos serviços à IA e na sua alavancagem. Por exemplo, a substituição de pilotos humanos por drones eliminou alguns empregos, mas criou muitas oportunidades novas em manutenção, controle remoto, análise de dados e segurança cibernética. As Forças Armadas dos Estados Unidos precisam de trinta pessoas para operar cada drone Predator ou Reaper sobrevoando a Síria, enquanto a análise das informações coletadas por ele ocupa pelo menos mais oitenta pessoas. Em 2015 a Força Aérea dos Estados Unidos não contava com uma quantidade suficiente de humanos treinados para preencher todas essas posições, e enfrentava, ironicamente, uma crise para tripular suas aeronaves não tripuladas.[13]

Se for assim, é possível que o mercado de trabalho em 2050 se caracterize pela cooperação, e não pela competição, entre humanos e IA. Em campos que vão do policiamento à atividade bancária, equipes formadas por humanos e IA poderiam superar o desempenho tanto de humanos quanto de computadores. Depois que o programa de jogar xadrez da IBM Deep Blue derrotou Gary Kasparov em 1997, os humanos não pararam de jogar xadrez. Ao contrário, graças a treinadores de IA, mestres do xadrez humanos ficaram ainda melhores, e ao menos por um período equipes formadas por humanos e IA, conhecidas como "centauros", venceram no xadrez tanto humanos como computadores. A IA poderia, da mesma forma, ajudar a formar os melhores detetives, investidores e soldados da história.[14]

O problema com todos esses novos empregos, no entanto, é que eles provavelmente exigirão altos níveis de especialização, e não resolverão, portanto, os problemas dos trabalhadores não qualificados que estão desempregados. A criação de novos empregos humanos pode mostrar-se mais fácil do que retreinar humanos para preencher esses empregos. Em ciclos de automação anteriores, as pessoas podiam passar de um trabalho padronizado de baixa qualificação a outro com facilidade. Em 1920, um trabalhador agrícola dispensado devido à mecanização da agricultura era capaz de achar um novo emprego numa fábrica de tratores. Em 1980, um operário de fábrica desempregado poderia trabalhar como caixa num supermercado. Essas mudanças de ocupação eram possíveis porque a mudança do campo para a fábrica e da fábrica para o supermercado só exigiam um retreinamento limitado.

Em 2050, porém, um caixa ou um operário da indústria têxtil que perder seu emprego para um robô dificilmente estará apto a começar a trabalhar como oncologista, como operador de drone ou como parte de uma equipe humanos-IA num banco. Não terão as habilidades necessárias. Na Primeira Guerra Mundial fazia sentido enviar milhões de recrutas despreparados para carregar metralhadoras e morrer aos milhares. Suas habilidades individuais tinham pouca importância. Hoje, apesar da escassez de operadores de drone e de analistas de dados, a Força Aérea dos Estados Unidos não está disposta a preencher essas lacunas com ex-funcionários do Walmart. Não quer correr o risco de um recruta inexperiente confundir uma festa de casamento no Afeganistão com uma conferência de alto nível do Talibã.

Como consequência, apesar do aparecimento de muitos novos empregos humanos, poderíamos assim mesmo testemunhar o surgimento de uma nova classe de "inúteis". Poderíamos de fato ficar com o que há de pior nos dois mundos, sofrendo ao mesmo tempo de altos níveis de desemprego e de escassez de trabalho especializado. Muita gente poderia compartilhar do destino não dos condutores de carroça do século XIX — que passaram a ser taxistas —, mas dos cavalos do século XIX, que foram progressivamente expulsos do mercado de trabalho.[15]

Além disso, nenhum dos empregos humanos que sobrarem estará livre da ameaça da automação, porque o aprendizado de máquina e a robótica continuarão a se aprimorar. Um caixa do Walmart de quarenta anos de idade desempregado que graças a esforços sobre-humanos consegue se reinventar como piloto de drone poderá ter de se reinventar novamente dez anos depois, quando a pilotagem de drones poderá também ter sido automatizada. Essa volatilidade também dificultará a organização de sindicatos e a garantia de direitos trabalhistas. Se hoje muitos novos empregos em economias avançadas já envolvem trabalho temporário sem proteção, trabalho de freelancer e tarefas isoladas realizadas só uma vez,[16] como sindicalizar uma profissão que prolifera e desaparece em uma década?

Da mesma forma, equipes centauros formadas por humanos e computadores provavelmente serão caracterizadas por um constante cabo de guerra entre humanos e computadores, em vez de se acomodarem numa parceria duradoura. Equipes formadas apenas por humanos — como a de Sherlock Holmes e dr. Watson — normalmente desenvolvem hierarquias e rotinas permanentes que duram décadas. Mas um detetive humano que fizer uma equipe com o sistema Watson de computadores da IBM (que se tornou famoso depois de vencer o programa de perguntas *Jeopardy!*) vai descobrir que toda rotina é um convite à ruptura, e toda hierarquia um convite à revolução. O parceiro de ontem pode se metamorfosear no superintendente de amanhã, e todos os protocolos e manuais terão de ser reescritos a cada ano.[17]

Um olhar mais atento ao mundo do xadrez poderia indicar para onde as coisas estão se dirigindo no longo prazo. É verdade que durante vários anos após a derrota de Kasparov para o Deep Blue a cooperação humano-computador floresceu no xadrez. Mas em anos recentes os computadores ficaram tão bons no xadrez que seus colaboradores humanos perderam o valor, e logo poderão se tornar totalmente irrelevantes.

Em 7 de dezembro de 2017 um marco crucial foi atingido não quando um computador derrotou um humano no xadrez — isso não era novidade —, mas quando o programa AlphaZero, do Google, derrotou o programa Stockfish 8. Stockfish 8 foi o computador campeão mundial de xadrez de 2016. Tinha acesso a séculos de experiência humana acumulada no xadrez, bem como a décadas de experiências de computadores. Era capaz de calcular 70 milhões de posições por segundo. Em contraste, o AlphaZero calculava apenas 80 mil posições por segundo, e seus criadores humanos jamais lhe ensinaram estratégias de xadrez — nem mesmo aberturas ordinárias. Em vez disso, o AlphaZero jogava contra si mesmo, utilizando os mais recentes princípios de autoaprendizado de máquina. Não obstante, em cem partidas contra o Stockfish 8, o AlphaZero venceu 28 e empatou 72. Não perdeu nenhuma. Como o AlphaZero não tinha aprendido nada de qualquer humano, muitos dos movimentos e estratégias vencedores pareciam não convencionais aos olhos humanos. Agora podem ser considerados criativos, se não simplesmente geniais.

Dá para imaginar quanto tempo o AlphaZero levou para aprender xadrez do zero, preparar-se para o jogo contra o Stockfish e desenvolver seus instintos de gênio? Quatro horas. Não é um erro de digitação. Durante séculos, o xadrez foi considerado uma das glórias supremas da inteligência humana. O AlphaZero passou da ignorância total à maestria criativa em quatro horas, sem a ajuda de qualquer orientação humana.[18]

O AlphaZero não é o único software imaginativo que existe. Agora, muitos programas vencem rotineiramente jogadores humanos de xadrez não só em capacidade de cálculo, mas até mesmo em "criatividade". Em torneios de xadrez só para humanos, os juízes estão sempre de olho em jogadores que tentam trapacear com a ajuda de computadores. Um dos modos de pegar essas trapaças é monitorar o nível de originalidade demonstrado pelos jogadores. Se fizerem um movimento muito criativo no tabuleiro, os juízes em geral vão suspeitar de que não pode ser um movimento humano — deve ser um movimento feito por um computador. Pelo menos no xadrez, a criatividade já é marca registrada de computadores, e não de humanos! Se o xadrez é o nosso canário das minas de carvão, estamos devidamente avisados que o canário está morrendo. O que está ocorrendo hoje com equipes de jogadores de xadrez formadas por humanos e IA poderia ocorrer no futuro com equipes humanos-IA em policiamento, medicina e atividade bancária.[19]

Consequentemente, a criação de novos empregos e o retreinamento de pessoas para ocupá-los serão um processo recorrente. A revolução da IA não será um único divisor de águas após o qual o mercado de trabalho vai se acomodar num novo equilíbrio. Será, sim, uma torrente de rupturas cada vez maiores. Já hoje poucos empregados esperam permanecer no mesmo emprego por toda a vida.[20] Em 2050 não apenas a ideia de "um emprego para a vida inteira" mas até mesmo a ideia de "uma profissão para a vida inteira" parecerão antidiluvianas.

Mesmo se fosse possível inventar novos empregos e retreinar a força de trabalho constantemente, cabe a nós perguntar se um humano mediano terá a energia e a resistência necessárias para uma vida de tantas mudanças. Mudanças são sempre estressantes, e o mundo frenético do início do século XXI gerou uma epidemia global de estresse.[21] Será que as pessoas serão capazes de lidar com a volatilidade do mercado de trabalho e das carreiras individuais? Provavelmente vamos precisar de técnicas de redução de estresse ainda mais eficazes — desde medicamentos, passando por psicoterapia e meditação — para evitar que a mente do *Sapiens* entre em colapso. Uma classe "inútil" pode surgir em 2050 devido não apenas à falta absoluta de emprego ou de educação adequada, mas também devido à falta de energia mental.

A maior parte disso é apenas especulação, claro. No momento em que escrevo — início de 2018 —, a automação acabou com muitos setores da economia, mas não resultou em desemprego massivo. Na verdade, em muitos países, como os Estados Unidos, o nível de desemprego é um dos mais baixos da história. Ninguém sabe com certeza qual impacto o aprendizado de máquina e a automação terão em diversas profissões, e é dificílimo estimar o cronograma dos desenvolvimentos mais importantes, em especial quando dependem tanto de decisões políticas e tradições culturais quanto de inovações puramente tecnológicas. Assim, mesmo depois que veículos autodirigidos provarem ser mais seguros e mais baratos do que motoristas humanos, políticos e consumidores poderão impedir essa mudança durante anos, talvez décadas.

Contudo, não podemos ser complacentes. É perigoso simplesmente supor que surgirão novos empregos para compensar quaisquer perdas. O fato de isso ter acontecido em ciclos anteriores de automação não é garantia nenhuma de que vai acontecer de novo nas condições muito diferentes do século XXI. As potenciais rupturas social e política são tão alarmantes que, mesmo que a probabilidade de desemprego sistêmico em massa seja baixa, devemos levá-la a sério.

No século XIX a Revolução Industrial criou novas condições e problemas com os quais nenhum dos modelos sociais, econômicos e políticos existentes era capaz de lidar. O feudalismo, o monarquismo e as religiões tradicionais não estavam adaptados para administrar metrópoles industriais, o êxodo de milhões de trabalhadores ou a natureza instável da economia moderna. Consequentemente, o gênero humano teve de desenvolver modelos totalmente novos — democracias liberais, ditaduras comunistas e regimes fascistas — e foi preciso mais de um século de guerras e revoluções terríveis para pôr esses modelos à prova, separar o joio do trigo e implementar as melhores soluções. O trabalho infantil nas minas de carvão dickensianas, a Primeira Guerra Mundial e a Grande Fome Ucraniana de 1932-3 representam apenas uma pequena parte do tributo pago pelo gênero humano por esse aprendizado.

No século XXI, o desafio apresentado ao gênero humano pela tecnologia da informação e pela biotecnologia é indubitavelmente muito maior do que o desafio que representaram, em época anterior, os motores a vapor, as ferrovias e a eletricidade. E, considerando o imenso poder destrutivo de nossa civilização, não podemos mais nos dar ao luxo de ter mais modelos fracassados, guerras mundiais e revoluções sangrentas. Desta vez, os modelos fracassados podem resultar em guerras nucleares, monstruosidades geradas pela engenharia genética e um colapso completo da biosfera. Portanto, temos de fazer melhor do que fizemos ao enfrentar a Revolução Industrial.

DA EXPLORAÇÃO À IRRELEVÂNCIA

As soluções potenciais cabem em três categorias principais: o que fazer para impedir a perda de empregos; o que fazer para criar empregos novos; e o que fazer se, apesar de nossos melhores esforços, a perda de empregos superar consideravelmente a criação de empregos.

Impedir por completo a perda de empregos é uma estratégia pouco atraente e provavelmente indefensável, porque significa abrir mão do imenso potencial positivo da IA e da robótica. No entanto, os governos podem decidir retardar o ritmo da automação para reduzir seu impacto e dar tempo para reajustes. A tecnologia nunca é determinista, e o fato de que algo pode ser feito não quer dizer que deva ser feito. A legislação pode bloquear com sucesso novas tecnologias mesmo se forem comercialmente viáveis e economicamente lucrativas. Por exemplo, durante muitas décadas tivemos tecnologia para criar um mercado de órgãos humanos completo, com "fazendas de corpos" humanos em países subdesenvolvidos e uma demanda quase insaciável de compradores abastados. Essas fazendas de corpos poderiam valer centenas de bilhões de dólares. Mas a lei proíbe o livre comércio de partes do corpo humano, e, embora exista um mercado negro de órgãos, é muito menor e circunscrito do que se poderia esperar.[22]

Retardar o ritmo das mudanças pode nos dar tempo para a criação de novos empregos capazes de substituir a maior parte das perdas. Porém, como já observado, o empreendedorismo econômico terá de ser acompanhado por uma revolução na educação e na psicologia. Pressupondo que os novos empregos não serão apenas sinecuras públicas, provavelmente exigirão altos níveis de especialização, e, à medida que a IA continua a se aperfeiçoar, os empregados humanos terão de adquirir constantemente novas habilidades e mudar de profissão. Governos terão de intervir, tanto no subsídio a um setor de educação vitalício quanto na garantia de uma rede de proteção para os inevitáveis períodos de transição. Se um ex-piloto de drone de 41 anos de idade leva três anos para se reinventar como designer de mundos virtuais, provavelmente vai precisar de muita ajuda do governo para sustentar a si e a sua família durante esse período. (Esse tipo de esquema está sendo implantado pioneiramente na Escandinávia, cujos governos seguem o lema "proteger trabalhadores, não empregos".)

Porém, mesmo que a ajuda do governo seja suficiente, não sabemos se bilhões de pessoas serão capazes de se reinventar repetidamente sem perder o equilíbrio mental. Portanto, se apesar de todos os nossos esforços um percentual significativo do gênero humano for excluído do mercado de trabalho, teremos de explorar novos modelos de sociedades pós-trabalho, de economias pós-trabalho e de política pós-trabalho. O primeiro passo é reconhecer que os modelos sociais, econômicos e políticos que herdamos do passado são inadequados para lidar com tal desafio.

Tome, por exemplo, o comunismo. Quando a automação ameaça abalar os fundamentos do sistema capitalista, pode-se supor que o comunismo seja capaz de retornar. Mas o comunismo não foi feito para explorar esse tipo de crise. O comunismo do século xx supôs que a classe trabalhadora fosse vital para a economia, e os pensadores comunistas tentaram ensinar ao proletariado como traduzir seu imenso poder econômico em poder político. O plano político comunista conclamava a uma revolução da classe trabalhadora. Que relevância teriam esses ensinamentos se as massas perdessem seu valor econômico e precisassem lutar contra a sua irrelevância, mais do que contra a exploração? Como se começa uma revolução da classe trabalhadora se não há classe trabalhadora?

Alguém poderá alegar que humanos nunca se tornarão economicamente irrelevantes, porque, mesmo que não consigam competir com a IA no mercado de trabalho, sempre serão necessários como consumidores. No entanto, não temos certeza se a economia do futuro vai precisar de nós, mesmo como consumidores. Máquinas e computadores poderiam fazer isso também. Em teoria, pode-se ter uma economia na qual uma corporação de mineração produz e vende ferro para uma corporação de robótica, a corporação de robótica produz e vende robôs para a corporação de mineração, que extrai mais ferro, que é usado para produzir mais robôs, e assim por diante. Essas corporações podem crescer e se expandir até os pontos mais distantes da galáxia e todas precisam de robôs e computadores — não precisam de humanos nem mesmo para comprar seus produtos.

Hoje computadores e algoritmos já são clientes, além de produtores. Na bolsa de valores, por exemplo, algoritmos estão se tornando os mais importantes compradores de títulos, ações e commodities. Da mesma forma, na publicidade, o cliente mais importante de todos é um algoritmo: o mecanismo de busca do Google. Quando as pessoas projetam páginas da internet, frequentemente procuram agradar mais ao algoritmo de busca do Google do que a qualquer ser humano.

Algoritmos obviamente não têm consciência, assim, ao contrário de consumidores humanos, não são capazes de usufruir daquilo que compram, e suas decisões não são modeladas por sensações e emoções. O algoritmo de busca do Google não é capaz de experimentar um sorvete. No entanto, algoritmos selecionam coisas com base em seus cálculos internos e preferências integradas, e essas preferências cada vez mais modelam nosso mundo. O algoritmo de busca do Google tem um gosto muito sofisticado no que concerne a classificar as páginas de vendedores de sorvete na internet, e os vendedores de sorvete mais bem-sucedidos do mundo são aqueles que o algoritmo do Google coloca no topo da lista — não os que produzem o sorvete mais gostoso.

Sei disso por experiência pessoal. Quando publico um livro, os editores pedem-me que escreva uma descrição curta, que usam para publicidade on-line. Mas eles têm um especialista que adapta o que escrevi ao gosto do algoritmo do Google. O especialista lê o meu texto e diz: "Não use esta palavra — use aquela". Sabemos que se conseguirmos atrair a atenção do algoritmo, é certo que atrairemos a dos humanos.

Assim, se humanos não são necessários nem como produtores nem como consumidores, o que vai salvaguardar sua sobrevivência física e seu bem-estar psicológico? Não podemos esperar que a crise irrompa com toda a força antes de começarmos a buscar as respostas. Será tarde demais. Para lidar com as rupturas tecnológicas e econômicas inéditas do século xxi, precisamos desenvolver novos modelos sociais e econômicos o quanto antes. Esses modelos deveriam ser orientados pelo princípio de que é preciso proteger os humanos e não os empregos. Muitos empregos são uma faina pouco recompensadora, que não vale a pena salvar. Ser caixa não é o sonho de vida de ninguém. Deveríamos nos focar em prover as necessidades básicas das pessoas e em proteger seu status social e sua autoestima.

Um modelo novo que atrai cada vez mais atenção é o da renda básica universal (RBU). A RBU propõe que os governos tributem os bilionários e as corporações que controlam os algoritmos e robôs, e usem o dinheiro para prover cada pessoa com um generoso estipêndio que cubra suas necessidades básicas. Isso protegerá os pobres da perda de emprego e da exclusão econômica, enquanto protege os ricos da ira populista.[23]

Uma ideia relacionada a isso propõe ampliar o âmbito de atividades humanas consideradas "empregos". Atualmente, bilhões de mães e pais cuidam de seus filhos, vizinhos cuidam uns dos outros e cidadãos organizam comunidades sem que qualquer dessas valiosas atividades seja reconhecida como emprego. Talvez precisemos mudar uma chave em nossa mente, e nos dar conta de que cuidar de uma criança é sem dúvida o emprego mais importante e desafiador do mundo. Assim, não haverá escassez de trabalho mesmo que computadores e robôs substituam todos os motoristas, gerentes de banco e advogados. A questão, é claro, é quem vai avaliar e pagar por esses empregos recém-reconhecidos? Supondo que bebês de seis meses não pagarão salários a suas mães, o governo provavelmente terá de se responsabilizar por isso. Supondo também que vamos querer que esses salários cubram as necessidades básicas de uma família, o resultado final será algo não muito diferente da renda básica universal.

Uma outra opção é o subsídio público de *serviços* básicos universais, no lugar da renda. Em vez de dar dinheiro às pessoas, que então poderiam comprar o que quisessem, o governo poderia subsidiar educação, saúde e transporte gratuitos, entre outros serviços. Essa é, na verdade, a visão utópica do comunismo. O plano comunista de promover a revolução proletária talvez esteja obsoleto, mas quem sabe ainda deveríamos visar a realizar o objetivo comunista por outros meios?

Pode-se discutir se é melhor fornecer às pessoas uma renda

básica universal (o paraíso capitalista) ou serviços básicos universais (o paraíso comunista). Ambas as opções têm vantagens e desvantagens. Mas não importa qual paraíso você escolha, o problema real está em definir o que "universal" e "básico" realmente significam.

O QUE É UNIVERSAL?

Quando as pessoas falam de um auxílio básico universal — em forma de renda ou de serviços —, em geral estão se referindo a um auxílio básico *nacional*. Até agora, todas as iniciativas de RBU têm sido estritamente nacionais ou municipais. Em janeiro de 2017, a Finlândia começou uma experiência de dois anos, provendo 560 euros por mês a 2 mil finlandeses desempregados, independentemente de encontrarem ou não emprego. Experiências semelhantes estão em curso na província canadense de Ontário, na cidade italiana de Livorno e em diversas cidades holandesas.[24] (Em 2016 a Suíça realizou um referendo sobre a criação de um programa de renda básica nacional, mas os votantes rejeitaram a ideia.)[25]

No entanto, o problema com tais programas nacionais e municipais é que as principais vítimas da automação provavelmente não vivem na Finlândia, em Ontário, em Livorno ou em Amsterdam. A globalização fez as pessoas num país dependerem totalmente dos mercados de outros países, mas a automação poderia desfazer grande parte dessa rede global de comércio, com consequências desastrosas para as conexões mais fracas. No século XX, países em desenvolvimento carentes de recursos naturais progrediram economicamente sobretudo com os salários baixos de seus trabalhadores não qualificados. Hoje em dia, milhões de bengaleses ganham a vida produzindo camisas e as vendendo a clientes nos Estados Unidos, enquanto o ganha-pão de outras pessoas em Bangalore é lidar com as reclamações dos clientes americanos em centrais de teleatendimento.[26]

Mas com a ascensão da IA, de robôs e impressoras 3-D, o trabalho não qualificado e barato torna-se muito menos importante. Em vez de fabricar uma camisa em Dacca e despachá-la para os longínquos Estados Unidos, pode-se comprar o código on-line da camisa na Amazon e imprimi-la em Nova York. As lojas da Zara e da Prada na Quinta Avenida poderiam ser substituídas por centros de impressão em 3-D no Brooklyn, e algumas pessoas talvez queiram ter uma impressora em casa. Depois, em vez de ligar para serviços de atendimento ao consumidor em Bangalore para reclamar de sua impressora, você poderia conversar com um representante de IA na nuvem do Google (cujo sotaque e tom de voz podem se modelados segundo sua preferência). Os operários e operadores de SAC recém-desempregados em Dacca e em Bangalore não têm a instrução necessária para virarem estilistas ou programadores — então como vão sobreviver?

Se a IA e as impressoras 3-D realmente substituírem esses bengaleses e bangalorianos, a renda que antes fluía para o sul da Ásia agora encherá os cofres de uns poucos gigantes tecnológicos na Califórnia. Em vez de um crescimento econômico que melhore as condições em todo o mundo, veremos uma nova e imensa riqueza criada em nichos de alta tecnologia, como o Vale do Silício, enquanto muitos países em desenvolvimento vão à ruína.

É claro que algumas economias emergentes — inclusive Índia e Bangladesh — poderiam avançar rápido o bastante e se juntar ao time vencedor. Se tiverem tempo suficiente, os filhos e netos de trabalhadores da indústria têxtil e de operadores de centrais de teleatendimento poderiam tornar-se engenheiros e empreendedores que constroem e possuem computadores e impressoras 3-D. Mas o tempo dessa transição está se esgotando. No passado, o trabalho barato e não qualificado serviu como ponte segura para atravessar a divisão econômica global, e, mesmo que o avanço de um país fosse lento, ele poderia esperar um dia chegar ao outro lado. Adotar as medidas corretas era mais importante do que progredir rapidamente. Mas agora a ponte está balançando, e pode desabar. Os que já a atravessaram — e foram promovidos do trabalho barato para as indústrias de alta especialização — provavelmente ficarão bem. Mas os que ficarem para trás poderão se ver encalhados no lado errado do abismo, sem meios para atravessá-lo. O que você fará quando ninguém precisar de sua mão de obra barata não qualificada, e você não tiver os recursos para criar um bom sistema de educação e retreiná-la?[27]

Qual será o destino dos retardatários? É possível que os eleitores americanos aceitem que os impostos pagos pela Amazon e pelo Google por seus negócios nos Estados Unidos sejam usados para oferecer estipêndios ou serviços gratuitos a mineiros desempregados na Pensilvânia e a taxistas sem trabalho em Nova York. No entanto, os eleitores americanos aceitariam que esses impostos fossem enviados para sustentar pessoas desempregadas em lugares que o presidente Trump definiu como "países de merda"?[28] Se você acredita nisso, deve acreditar também que Papai Noel e o coelhinho da Páscoa resolverão o problema.

O QUE É BÁSICO?

O objetivo do auxílio básico universal é o atendimento às necessidades humanas básicas, mas não existe uma definição aceita para isso. Do ponto de vista puramente biológico, um *Sapiens* precisa de 1,5 mil a 2,5 mil calorias por dia para sobreviver. Tudo o que exceder isso é luxo. Mas, além e acima dessa linha de pobreza biológica, toda cultura na história definiu necessidades adicionais como sendo "básicas". Na Europa medieval, o acesso a serviços religiosos na igreja era considerado mais importante que o alimento, porque cuidava da alma eterna, e não do corpo efêmero. Na Europa atual, serviços de educação e de saúde decentes são considerados necessidades humanas básicas, e há quem alegue que até mesmo o acesso à internet hoje é essencial a todo homem, mulher e criança. Se em 2050 o Governo Mundial Unido concordar em taxar Google, Amazon, Baidu e Tencent para oferecer ajuda básica a todo ser humano na Terra — tanto em Dacca como em Detroit —, o que será considerado "básico"?

Por exemplo, o que uma educação básica deve incluir: ler e escrever apenas, ou também programar computadores e tocar violino? Seis anos de ensino fundamental, ou até o doutorado? E quanto à saúde? Se em 2050 os avanços da medicina possibilitarem retardar os processos de envelhecimento e estender significativamente a duração da vida humana, os novos tratamentos estarão disponíveis para 10 bilhões de humanos no planeta, ou só para uns poucos bilionários? Se a biotecnologia habilitar os pais a aprimorar seus filhos, isso será considerado uma necessidade humana básica, ou veremos o gênero humano dividir-se em diferentes castas biológicas, com super-humanos ricos desfrutando de capacidades que superam as de *Homo sapiens* pobres?

Não importa como definamos "necessidades humanas básicas", se todos desfrutarem delas gratuitamente, elas deixarão de ser um problema, e então as ferrenhas competições e lutas políticas estarão focadas em luxos não básicos — sejam elegantes carros autodirigidos, acesso a parques de realidade virtual ou corpos incrementados pela bioengenharia. Mas, se as massas de desempregados não dispuserem de ativos econômicos, é difícil ver como poderiam algum dia esperar obter tais luxos. Consequentemente, a brecha entre os ricos (diretores da Tencent e acionistas do Google) e os pobres (os que dependem da renda básica universal) poderia se tornar não apenas maior, mas intransponível.

Daí que mesmo que um programa de auxílio universal garanta às pessoas pobres, em 2050, serviços de saúde e educação muito melhores que os de hoje, elas ainda poderão estar extremamente raivosas com a desigualdade global e a falta de mobilidade social. As pessoas sentirão que o sistema está contra elas, que o governo só atende aos super-ricos e que o futuro será ainda pior para eles e seus filhos.[29]

O *Homo sapiens* simplesmente não é programado para se satisfazer. A felicidade humana depende menos de condições objetivas e mais de nossas próprias expectativas, daquilo que esperamos obter. As expectativas, contudo, tendem a se adaptar às condições, inclusive à condição de *outras pessoas*. Quando as coisas melhoram, as expectativas inflam, e consequentemente até mesmo uma melhora dramática das condições podem nos deixar tão insatisfeitos quanto antes. Se o auxílio básico universal visa a melhorar as condições objetivas de uma pessoa mediana em 2050, ele tem uma boa probabilidade de sucesso. Porém, se visa a fazer as pessoas ficarem subjetivamente mais satisfeitas com seu quinhão e evitar o descontentamento social, é provável que fracasse.

Para atingir seus objetivos de fato, o auxílio básico universal terá de ser suplementado por ocupações dotadas de sentido, dos esportes à religião. O experimento sobre como viver uma vida plena num mundo de pós-trabalho realizado em Israel talvez seja o mais bem-sucedido até hoje. Cerca de 50% dos homens judeus ultraortodoxos daquele país não trabalham. Dedicam a vida a estudar as escrituras sagradas e a realizar ritos religiosos. Eles e suas famílias não morrem de fome em parte porque as mulheres costumam trabalhar, e em parte porque o governo os provê de generosos subsídios e serviços gratuitos, assegurando que não lhes faltem as necessidades básicas da vida. É o auxílio básico universal avant la lettre.[30]

Embora sejam pobres e desempregados, esses homens judeus ultraortodoxos manifestam altos níveis de satisfação, pesquisa após pesquisa. Isso se deve à força de seus laços comunitários, assim como ao profundo significado que atribuem ao estudo das escrituras e aos ritos religiosos. Um quarto pequeno cheio de homens judeus discutindo o Talmude é capaz de gerar mais alegria, envolvimento e insight do que um enorme estabelecimento têxtil cheio de operários que trabalham duro em más condições e por baixos salários. Em pesquisas globais de satisfação com a vida, Israel em geral está perto do topo, graças em parte à contribuição dessas pessoas pobres e sem emprego.[31]

Israelenses seculares reclamam bastante de que os ultraortodoxos não contribuem o bastante para a sociedade e vivem do trabalho duro de outras pessoas. Eles tendem também a alegar que o modo de vida ultraortodoxo é insustentável, sobretudo porque as famílias ultraortodoxas têm em média sete filhos.[32] Cedo ou tarde, o Estado não será capaz de sustentar tantas pessoas desempregadas, e os ultraortodoxos terão de trabalhar. Mas pode ser exatamente o contrário. À medida que a IA e robôs puserem os humanos fora do mercado de trabalho, os judeus ultraortodoxos podem passar a ser vistos como o modelo do futuro, e não como um fóssil do passado. Não quer dizer que todos se tornarão judeus ortodoxos e irão para as *ieshivas* estudar o Talmude. Mas na vida de todas as pessoas a busca por um significado e uma comunidade pode suplantar a busca por emprego.

Se conseguirmos combinar uma rede de segurança econômica universal com comunidades fortes e ocupações dotadas de sentido, perder nossos empregos para os algoritmos pode na verdade mostrar-se uma bênção. No entanto, a perda do controle sobre nossa vida é um cenário muito mais assustador. Não obstante o perigo de desemprego em massa, o que deveria nos preocupar ainda mais é a transferência da autoridade de humanos para algoritmos, o que poderia destruir qualquer fé remanescente na narrativa liberal e abrir o caminho para o surgimento de ditaduras digitais.

3. Liberdade
Big Data está vigiando você

A narrativa liberal preza a liberdade humana como seu valor número um. Alega que toda autoridade, em última análise, tem origem no livre-arbítrio de indivíduos humanos, conforme expresso em seus sentimentos, desejos e escolhas. Na política, o liberalismo acredita que o eleitor sabe o que é melhor. Por isso apoia eleições democráticas. Na economia, o liberalismo afirma que o cliente sempre tem razão. Por isso aclama os princípios do livre mercado. No aspecto pessoal, o liberalismo incentiva as pessoas a ouvirem a si mesmas, serem verdadeiras consigo mesmas e seguirem seu coração — desde que não infrinjam as liberdades dos outros. Essa liberdade pessoal está consagrada nos direitos humanos.

No discurso político ocidental hoje, o termo "liberal" é às vezes empregado num sentido muito mais estreito e partidário para denotar aqueles que apoiam causas específicas, como o casamento gay, o controle de armas e o aborto. Porém a maioria dos assim chamados conservadores também abraçam a ampla visão de mundo liberal. Especialmente nos Estados Unidos, há ocasiões em que tanto republicanos como democratas fazem uma pausa em suas acaloradas discussões para se lembrarem de que todos eles concordam em coisas fundamentais como eleições livres, um Judiciário independente e direitos humanos.

É vital lembrar que heróis da direita, como Ronald Reagan e Margaret Thatcher, foram grandes paladinos não só de liberdades econômicas como também de liberdades individuais. Numa famosa entrevista de 1987, Thatcher disse: "Não existe essa coisa chamada sociedade. Há [uma] trama viva feita de homens e mulheres... e a qualidade de nossa vida dependerá de quanto cada um de nós está preparado para assumir a responsabilidade por si mesmo".[1]

Os herdeiros de Thatcher no Partido Conservador concordam totalmente com o Partido Trabalhista em que a autoridade política vem dos sentimentos, das escolhas e do livre-arbítrio de eleitores individuais. Assim, quando a Inglaterra precisou decidir se saía ou não da União Europeia, o primeiro-ministro David Cameron não pediu à rainha Elizabeth II, nem ao arcebispo de Cantuária, nem aos catedráticos de Oxford e Cambridge que resolvessem a questão. Não perguntou nem mesmo aos membros do Parlamento. Em vez disso, realizou um referendo no qual se perguntou a cada britânico: "O que você *sente* quanto a isso?".

Poder-se-ia contestar que a pergunta deveria ser "O que você pensa?" e não "O que você sente?", mas esse é um erro de percepção comum. Referendos e eleições sempre dizem respeito a *sentimentos humanos*, não à racionalidade humana. Se a democracia fosse questão de tomadas de decisão racionais, não haveria nenhum motivo para dar a todas as pessoas direitos iguais em seus votos — ou talvez nem sequer o direito de votar. Existe ampla evidência de que algumas pessoas são muito mais informadas e racionais que outras, principalmente quando se trata de questões econômicas e políticas específicas.[2] Na esteira da votação do Brexit, o eminente biólogo Richard Dawkins protestou dizendo que nunca se deveria pedir à grande maioria do público britânico — inclusive ele mesmo — que votasse no referendo, porque lhe faltava a formação necessária em economia e ciência política. "É o mesmo que convocar um plebiscito nacional para decidir se a álgebra de Einstein estava correta, ou deixar os passageiros votarem para decidir em que pista o piloto deve pousar."[3]

No entanto, para o bem ou para o mal, eleições e referendos não têm a ver com o que pensamos. Têm a ver com o que sentimos. E, quando se trata de sentimentos, Einstein e Dawkins não são melhores que ninguém. A democracia supõe que sentimentos humanos refletem um misterioso e profundo "livre-arbítrio", que este "livre-arbítrio" é a fonte definitiva da autoridade e que, apesar de algumas pessoas serem mais inteligentes do que outras, todos os humanos são igualmente livres. Assim como Einstein e Dawkins, uma trabalhadora doméstica sem instrução também tem livre-arbítrio, e por isso no dia de eleições seus sentimentos — representados por seu voto — contam tanto quanto os de qualquer outra pessoa.

Os sentimentos orientam não apenas os eleitores mas também os líderes. No referendo do Brexit, em 2016, a campanha a favor da saída da Grã-Bretanha da União Europeia — apelidada *Leave* — foi liderada por Boris Johnson e Michael Gove. Após a renúncia de David Cameron, Gove inicialmente apoiou Johnson como candidato a primeiro-ministro, mas no último minuto Gove declarou que Johnson não estava preparado para a posição e anunciou a própria intenção de se candidatar ao cargo. Essa ação de Gove, que destruiu as probabilidades de Johnson, foi descrita como um assassinato político maquiavélico.[4] Mas Gove defendeu sua conduta apelando para os sentimentos: "Em cada passo de minha vida política eu me fazia a mesma pergunta: 'Qual é a coisa certa a fazer? O que lhe diz seu coração?'".[5] Foi por isso, segundo Gove, que ele batalhou tão duramente a favor do Brexit, e foi por isso que foi compelido a apunhalar pelas costas seu então aliado Boris Johnson, e oferecer-se para o cargo — porque seu coração lhe dissera que o fizesse.

Essa lealdade ao próprio coração pode acabar sendo o calcanhar de aquiles da democracia liberal. Pois se alguém (seja em Pequim ou em San Francisco) adquirir capacidade tecnológica para hackear e manipular o coração humano, a política democrática vai se tornar um espetáculo de fantoches emocional.

ESCUTE O ALGORITMO

A crença liberal nos sentimentos e nas escolhas livres dos indivíduos não é natural, nem muito antiga. Durante milhares de anos as pessoas acreditaram que a autoridade provinha de leis divinas e não do coração humano, e que devíamos, portanto, santificar a palavra de Deus e não a liberdade humana. Foi só nos séculos mais recentes que a fonte da autoridade passou das entidades celestiais para humanos de carne e osso.

Em breve a autoridade pode mudar novamente — dos humanos para os algoritmos. Assim como a autoridade divina foi legitimada por mitologias religiosas, e a autoridade humana foi justificada pela narrativa liberal, a futura revolução tecnológica poderia estabelecer a autoridade dos algoritmos de Big Data, ao mesmo tempo que solapa a simples ideia da liberdade individual.

Como mencionamos no capítulo anterior, ideias científicas sobre o funcionamento de nosso corpo e cérebro sugerem que nossos sentimentos não são uma qualidade espiritual exclusivamente humana, e não refletem nenhum tipo de "livre-arbítrio". Na verdade, sentimentos são mecanismos bioquímicos que todos os mamíferos e todas as aves usam para calcular probabilidades de sobrevivência e reprodução. Sentimentos não se baseiam em intuição, inspiração ou liberdade — baseiam-se em cálculos.

Quando um macaco, um camundongo ou um humano veem uma cobra, o medo surge porque milhões de neurônios no cérebro calculam rapidamente os dados relevantes e concluem que a probabilidade de morrer é alta. Sentimentos de atração sexual surgem quando outros algoritmos bioquímicos calculam que um indivíduo próximo oferece alta probabilidade de acasalamento bem-sucedido, ligação social ou algum outro objetivo almejado. Sentimentos morais como indignação, culpa ou perdão derivam de mecanismos neurais que evoluíram para permitir cooperação grupal. Todos esses algoritmos bioquímicos foram aprimorados durante milhões de anos de evolução. Se os sentimentos de algum antigo ancestral cometeram um erro, os genes que configuram esses sentimentos não foram passados à geração seguinte. Assim, sentimentos não são o contrário de racionalidade — eles incorporam uma racionalidade evolutiva.

Normalmente não nos damos conta de que os sentimentos são na verdade cálculos, porque o intenso processo de cálculo ocorre abaixo do nível da consciência. Não sentimos os milhões de neurônios no cérebro computando probabilidades de sobrevivência e reprodução, e assim acreditamos, erroneamente, que nosso medo de cobras, nossa escolha de parceiros ou parceiras sexuais ou nossas opiniões sobre a União Europeia são o resultado de algum misterioso "livre-arbítrio".

No entanto, embora o liberalismo esteja errado ao julgar que nossos sentimentos refletem o livre-arbítrio, até hoje confiar nos sentimentos faz sentido, na prática. Pois embora não houvesse nada mágico ou livre no que concerne a nossos sentimentos, eles eram o melhor método em todo o universo para decidir o que estudar, com quem casar e em que partido votar. E nenhum sistema externo pode compreender meus sentimentos melhor do que eu. Mesmo se a Inquisição espanhola ou a KGB me espionassem todo dia a toda hora, elas não teriam o conhecimento biológico e a capacidade computacional necessários para hackear os processos bioquímicos que formam meus desejos e minhas escolhas. Era razoável alegar, na prática, que disponho de livre-arbítrio, porque minha vontade foi formada principalmente pela interação entre forças interiores, que ninguém no exterior seria capaz de ver. Eu poderia desfrutar da ilusão de que controlo minha arena interior secreta, enquanto quem está de fora nunca seria capaz de compreender o que de fato está acontecendo dentro de mim e como tomo decisões.

Da mesma forma, o liberalismo estava certo ao aconselhar às pessoas que seguissem o coração e não os ditames de algum sacerdote ou militante partidário. No entanto, em breve algoritmos de computador poderão nos aconselhar melhor do que sentimentos humanos. Enquanto a Inquisição espanhola e a KGB dão lugar ao Google e à Baidu, o "livre-arbítrio" provavelmente será desmascarado como um mito, e o liberalismo pode perder suas vantagens práticas.

Pois estamos agora na confluência de duas imensas revoluções. Por um lado, biólogos estão decifrando os mistérios do corpo humano, particularmente do cérebro e dos sentimentos. Ao mesmo tempo cientistas da computação estão nos dando um poder de processamento de dados sem precedente. Quando a revolução na biotecnologia se fundir com a revolução na tecnologia da informação, ela produzirá algoritmos de Big Data capazes de monitorar e compreender meus sentimentos muito melhor do que eu, e então a autoridade provavelmente passará dos humanos para os computadores. Minha ilusão de livre-arbítrio provavelmente vai se desintegrar à medida que eu me deparar, diariamente, com instituições, corporações e agências do governo que compreendem e manipulam o que era, até então, meu inacessível reino interior.

Isso já está acontecendo no campo da medicina. As decisões médicas mais importantes de nossa vida se baseiam não na sensação de estarmos doentes ou saudáveis, nem mesmo nos prognósticos informados de nosso médico — mas nos cálculos de computadores que entendem de nosso corpo muito melhor do que nós. Dentro de poucas décadas, os algoritmos de Big Data, alimentados por um fluxo constante de dados biométricos, poderão monitorar nossa saúde 24 horas por dia, sete dias por semana. Serão capazes de detectar, logo em seu início, a gripe, o câncer ou o mal de Alzheimer, muito antes de sentirmos que há algo errado conosco. Poderão então recomendar tratamentos adequados, dietas e regimes diários, sob medida para nossa compleição física, nosso DNA e nossa personalidade, que são únicos.

As pessoas usufruirão dos melhores serviços de saúde da história, mas justamente por isso estarão doentes o tempo todo. Existe sempre algo errado em algum lugar do corpo. No passado, você se sentia perfeitamente saudável enquanto não sentia dor ou apresentava uma deficiência aparente, como, por exemplo, mancar. Porém em 2050, graças a sensores biométricos e algoritmos de Big Data, as doenças poderão ser diagnosticadas e tratadas muito antes de causarem dor ou debilidade. Como resultado, você vai se ver sempre sofrendo de algum "mal de saúde" e seguindo a recomendação deste ou daquele algoritmo. Se recusar, talvez seu seguro-saúde seja cancelado, ou seu chefe o demita — por que deveriam pagar o preço por sua teimosia?

Uma coisa é continuar fumando apesar das estatísticas que ligam o fumo ao câncer de pulmão. Outra é continuar fumando apesar da advertência concreta de um sensor biométrico que acabou de detectar dezessete células cancerosas na parte superior de seu pulmão esquerdo. E, se você quiser desafiar o sensor, o que vai fazer quando o sensor repassar a advertência a sua companhia de seguros, seu gerente e sua mãe?

Quem terá tempo e energia para lidar com essas doenças? Provavelmente, poderemos ensinar nosso algoritmo de saúde a lidar com a maior parte desses problemas como achar melhor. No máximo, ele vai enviar aos nossos smartphones atualizações periódicas, informando-nos que "dezessete células cancerosas foram detectadas e destruídas". Os hipocondríacos obedientemente leriam essas atualizações, mas a maioria de nós vai ignorá-las assim como ignoramos as mensagens chatas do antivírus em nossos computadores.

O DRAMA DA TOMADA DE DECISÃO

O que já está começando a acontecer na medicina provavelmente ocorrerá em outros campos. A invenção decisiva é a do sensor biométrico, que as pessoas podem usar nos seus corpos ou dentro deles, e que converte processos biológicos em informação eletrônica que computadores podem armazenar e analisar. Se tiverem dados biométricos e capacidade computacional suficientes, sistemas de processamento de dados externos poderão intervir em todos os seus desejos, todas as suas decisões e opiniões. Poderão saber exatamente quem é você.

A maioria das pessoas não se conhece muito bem. Quando eu tinha 21 anos, finalmente constatei que era gay, após viver vários anos em negação. É difícil dizer que é um caso excepcional. Muitos homens gays passam toda a adolescência inseguros quanto à sua sexualidade. Agora imagine como será essa situação em 2050, quando um algoritmo for capaz de dizer a todo adolescente exatamente onde ele está no espectro gay/hétero (e até mesmo quão maleável é essa posição). Talvez o algoritmo lhe mostre fotos ou vídeos de homens e mulheres atraentes, rastreie o movimento de seus olhos, sua pressão sanguínea e a atividade de seu cérebro, e em cinco minutos mostre um número na escala Kinsey.[6] Isso poderia ter me livrado de anos de frustração. Pode ser que, pessoalmente, você não queira fazer esse teste; mas talvez um belo dia, com um grupo de amigos numa festa de aniversário tediosa, alguém sugira que todos se revezem nesse sensacional algoritmo novo (com todo mundo em volta acompanhando e comentando os resultados). Você simplesmente iria embora?

Mesmo se você for, e continuar a se esconder de si mesmo e de seus colegas de turma, não conseguirá se esconder da Amazon, do Alibaba e da polícia secreta. Quando estiver navegando na internet, assistindo a vídeos no YouTube ou lendo mensagens nas suas redes sociais, os algoritmos vão discretamente monitorá-lo, analisá-lo e dizer à Coca-Cola que, se ela quiser lhe vender alguma bebida, melhor seria usar o anúncio com o sujeito sem camisa, e não o da garota sem camisa. Você nem vai saber. Mas eles saberão, e essa informação valerá bilhões.

De novo, talvez tudo isso se faça abertamente, e as pessoas compartilharão com prazer suas informações para poder contar com as melhores recomendações, e para poder fazer o algoritmo tomar decisões por elas. Começa com coisas simples, como decidir a que filme assistir. Quando você se senta com um grupo de amigos para passar uma noite diante da televisão, primeiro tem de escolher ao que vai assistir. Cinquenta anos atrás você não teria escolha, mas hoje — com o surgimento dos serviços sob demanda — há milhares de títulos disponíveis. Talvez seja bem difícil chegar a um consenso, porque enquanto você prefere filmes de ficção científica, Jack prefere comédias românticas e Jill vota por filmes de arte franceses. Talvez acabem tendo de concordar com um meio-termo, um filme B medíocre que vai desapontar a todos.

Um algoritmo poderia ajudar. Pode-se informá-lo de quais filmes vistos anteriormente cada um de vocês gostou, e com base nessa imensa base de dados estatísticos o algoritmo pode encontrar o filme perfeito para o grupo. Infelizmente, um algoritmo tão objetivo é bastante sujeito a erro, principalmente porque a informação dada voluntariamente é um parâmetro pouco confiável das verdadeiras preferências das pessoas. Quando ouvimos muitas pessoas dizendo que um filme é uma obra-prima, tendemos a concordar, mesmo que tenhamos dormido no meio.[7]

No entanto, esses problemas podem ser resolvidos se deixarmos que o algoritmo recolha de nós dados em tempo real, enquanto estamos efetivamente assistindo aos filmes, em vez de se basear em nossos próprios e duvidosos relatos pessoais. Para os iniciantes, o algoritmo pode monitorar quais filmes vimos até o fim, e quais deixamos de assistir no meio. Mesmo se dissermos ao mundo inteiro que ...*E o vento levou* é o melhor filme já produzido, o algoritmo saberá que nunca fomos além da primeira meia hora, e que na verdade nunca vimos Atlanta em chamas.

Porém o algoritmo pode ir muito mais fundo que isso. Engenheiros estão desenvolvendo um software que detecta emoções humanas com base nos movimentos dos olhos e dos músculos faciais.[8] Acrescente uma boa câmera ao aparelho de televisão, e esse software saberá quais cenas nos fizeram rir, quais cenas nos deixaram tristes e quais cenas nos entediaram. Em seguida, conecte o algoritmo a sensores biométricos, e ele saberá como cada fotograma influenciou nosso ritmo cardíaco, nossa pressão sanguínea e nossa atividade cerebral. Enquanto assistimos a, digamos, *Pulp Fiction*, de Tarantino, o algoritmo pode registrar que a cena do estupro nos causou um quase imperceptível matiz de excitação sexual, que quando Vincent acidentalmente dá um tiro no rosto de Marvin isso nos fez rir cheios de culpa, e que não achamos graça no Big Kahuna Burger — mas rimos assim mesmo, para não parecermos idiotas. Quando você ri um riso forçado, está usando circuitos cerebrais e músculos diferentes dos que usa quando ri de verdade. Normalmente humanos não são capazes de detectar a diferença. Mas um sensor biométrico seria.[9]

A palavra "televisão" vem do grego *tele*, que significa "longe" e do latim *visio*, "visão". A televisão foi concebida originalmente como um dispositivo que nos permite ver de longe. Mas logo nos permitirá *sermos vistos* de longe. Como previu George Orwell em *1984*, a televisão nos verá enquanto a estamos vendo. Depois de assistir a toda a filmografia de Tarantino talvez tenhamos esquecido a maior parte. Mas Netflix, ou Amazon, ou quem quer que possua o algoritmo de televisão, conhecerá nosso tipo de personalidade e como manipular nossas emoções. Esses dados poderiam permitir à Netflix e à Amazon escolher filmes para nós com misteriosa precisão, mas também lhes possibilitariam tomar por nós as decisões mais importantes na vida — como o que estudar, onde trabalhar ou com quem casar.

É claro que a Amazon não vai acertar sempre. Isso é impossível. Algoritmos vão cometer erros repetidamente por falta de dados, falhas no programa, confusão nas definições de objetivos e devido à própria natureza caótica da vida.[10] Mas a Amazon não precisará ser perfeita. Precisará apenas ser, em média, melhor que nós humanos. E isso não é difícil, porque a maioria das pessoas não conhece a si mesma muito bem, e porque a maioria das pessoas frequentemente comete erros terríveis nas decisões mais importantes da vida. Até mais que os algoritmos, humanos padecem de falta de dados, de programas falhos (genéticos e culturais), de definições confusas e do caos da vida.

É possível listar muitos problemas que acometem os algoritmos e concluir que as pessoas nunca confiarão neles. Mas isso é como catalogar todos os inconvenientes da democracia e concluir que uma pessoa sã jamais optaria por apoiar esse sistema. Segundo a famosa frase de Winston Churchill, a democracia é o pior sistema político do mundo, com exceção de todos os outros. As pessoas talvez cheguem à mesma conclusão no que concerne aos algoritmos de Big Data: eles têm muitos problemas, mas não temos alternativa melhor.

À medida que cientistas chegam a uma compreensão mais profunda de como humanos tomam decisões, a tentação de se basear em algoritmos provavelmente vai aumentar. Hackear a tomada de decisão por humanos não só fará os algoritmos de Big Data serem mais confiáveis; ao mesmo tempo, fará com que os sentimentos humanos sejam *menos* confiáveis. À medida que governos e corporações obtêm sucesso ao hackear o sistema operacional humano, ficaremos expostos a uma enxurrada de manipulações guiadas com precisão. Pode ficar tão fácil manipular nossas opiniões e emoções que seremos obrigados a nos basear em algoritmos do mesmo modo que um piloto, ao sofrer um ataque de tontura, tem de ignorar o que seus sentidos estão lhe dizendo e depositar toda a sua confiança nos aparelhos.

Em alguns países e em algumas situações, as pessoas podem ficar sem escolha, e serão obrigadas a obedecer às decisões dos algoritmos de Big Data. Porém, mesmo em sociedades supostamente livres, algoritmos podem ganhar autoridade, porque aprenderemos, por experiência, a confiar a eles cada vez mais tarefas, e aos poucos perdermos nossa aptidão para tomar decisões por nós mesmos. Pense em como, no decorrer de apenas duas décadas, bilhões de pessoas passaram a confiar no algoritmo de busca do Google em uma das tarefas mais importantes: buscar informação relevante e confiável. Já não buscamos mais informação. Em vez disso, nós googlamos. E, quanto mais confiamos no Google para obter respostas, tanto mais diminui nossa aptidão para buscar informação por nós mesmos. Já hoje em dia, a "verdade" é definida pelos resultados principais da busca do Google.[11]

Isso tem acontecido também com habilidades físicas, como a de se orientar no tráfego. As pessoas pedem ao Google que as guie em seus deslocamentos. Quando chegam num cruzamento, seu instinto pode lhes dizer "vire à esquerda", mas o Google Maps diz "vire à direita". Primeiro elas ouvem a intuição, viram à esquerda, ficam encalhadas num engarrafamento e perdem uma reunião importante. Na próxima vez ouvem o Google, dobram à direita e chegam a tempo. Aprendem, por experiência, a confiar no Google. Em um ano ou dois se baseiam cegamente no que o Google Maps lhes diz, e se o smartphone falhar ficam completamente sem pistas. Em março de 2012 três turistas japoneses na Austrália decidiram viajar para uma pequena ilha ao largo da costa e caíram com o carro direto no oceano Pacífico. O motorista, Yuzu Noda, de 21 anos, disse depois que só tinha seguido as instruções do GPS, e que "ele me disse que podíamos ir naquela direção. Continuou dizendo que nos levaria para uma estrada. Ficamos encalhados".[12] Em diversos incidentes semelhantes pessoas foram parar num lago ou caíram de uma ponte demolida, aparentemente por terem seguido instruções de GPS.[13] A aptidão para navegar é como um músculo — use-o ou perca-o.[14] Isso também vale para a habilidade para escolher esposas ou profissões.

Todo ano, milhões de jovens precisam decidir o que estudar na universidade. Essa é uma decisão muito importante e muito difícil. Você está sob a pressão de seus pais, de seus amigos e de seus professores, que têm diferentes interesses e opiniões. Você também tem de lidar com seus próprios temores e fantasias. Seu julgamento está obnubilado e manipulado por sucessos de Hollywood, romances baratos e sofisticadas campanhas de publicidade. Tomar uma decisão sensata é particularmente difícil porque na verdade você não sabe o que é preciso para ter sucesso em diferentes profissões, e não tem consciência de suas próprias forças e fraquezas. O que é preciso para ter sucesso como advogado? Como é que me saio quando estou sob pressão? Sou bom em trabalhar em equipe?

Um estudante talvez comece a estudar direito porque tem uma imagem imprecisa de suas habilidades, e uma visão ainda mais distorcida do que é realmente ser advogado (não se fazem discursos dramáticos nem se grita "Protesto, meritíssimo!" todo dia). Enquanto isso, uma amiga decide realizar um sonho de infância e estudar balé profissional, mesmo não tendo nem a disciplina nem a estrutura óssea necessárias. Anos mais tarde, ambos se arrependem profundamente de suas escolhas. No futuro poderíamos confiar no Google para que tome essas decisões por nós. O Google poderia me dizer que eu desperdiçaria meu tempo na faculdade de direito ou na escola de balé — mas que eu daria um excelente (e muito feliz) psicólogo ou encanador.[15]

Uma vez que a IA toma decisões melhor do que nós sobre carreiras e até mesmo relacionamentos, nosso conceito de humanidade e de vida terá de mudar. Humanos costumam pensar sobre a vida como um drama de tomadas de decisão. A democracia liberal e o capitalismo de livre mercado veem o indivíduo como um agente autônomo que está constantemente fazendo escolhas no que tange ao mundo. Obras de arte — sejam peças de Shakespeare, romances de Jane Austen ou comédias bregas de Hollywood — quase sempre giram em torno de uma situação na qual o herói tem de tomar uma decisão crucial. Ser ou não ser? Ouvir o que minha mulher está dizendo e matar o rei Duncan ou ouvir minha consciência e poupá-lo? Casar com Mr. Collins ou Mr. Darcy? As teologias cristã e muçulmana também se concentram no drama da tomada de decisões, alegando que a salvação ou a danação eterna dependem de se fazer ou não a escolha certa.

O que acontecerá com essa visão de vida, se cada vez mais nos baseamos na IA para tomar decisões por nós? Atualmente confiamos na Netflix para escolher filmes, e no Google Maps para decidir se viramos à direita ou à esquerda. Mas, uma vez que comecemos a contar com a IA para decidir o que estudar, onde trabalhar e com quem casar, a vida humana deixará de ser um drama de tomada de decisão. Eleições democráticas e livres mercados não farão muito sentido. Assim como a maior parte das religiões e obras de arte. Imagine Anna Kariênina pegando seu smartphone e perguntando ao algoritmo do Facebook se deveria continuar casada com Kariênin ou fugir com o galante conde Vrónski. Ou imagine sua peça favorita de Shakespeare com todas as decisões cruciais sendo tomadas pelo algoritmo do Google. Hamlet e Macbeth terão vidas muito mais confortáveis, mas que tipo de vida será exatamente? Temos modelos que sirvam para dar sentido a essa vida?

Quando a autoridade passa de humanos para algoritmos, não podemos mais ver o mundo como o campo de ação de indivíduos autônomos esforçando-se por fazer as escolhas certas. Em vez disso, vamos perceber o universo inteiro como um fluxo de dados, considerar organismos pouco mais que algoritmos bioquímicos e acreditar que a vocação cósmica da humanidade é criar um sistema universal de processamento de dados — e depois fundir-se a ele. Já estamos nos tornando, hoje em dia, minúsculos chips dentro de um gigantesco sistema de processamento de dados que ninguém compreende a fundo. Todo dia eu absorvo incontáveis bits de dados através de e-mails, tuítes e artigos. Na verdade, não sei onde me encaixo nesse grande esquema de coisas, e como meus bits de dados se conectam com os bits produzidos por bilhões de outros humanos e computadores. Não tenho tempo para descobrir, porque eu também estou ocupado, respondendo a e-mails.

O CARRO FILOSÓFICO

Pode-se dizer que algoritmos jamais poderão tomar decisões importantes por nós, porque decisões importantes normalmente envolvem uma dimensão ética, e algoritmos não entendem de ética. No entanto, não há razão para supor que os algoritmos não serão capazes de superar o ser humano médio mesmo na ética. Já hoje em dia, à medida que dispositivos como smartphones e veículos autônomos tomam decisões que costumavam ser monopólio humano, eles começam a se deparar com o mesmo tipo de problemas éticos que têm perturbado os humanos por milênios.

Por exemplo, suponha que dois garotos correndo atrás de uma bola vejam-se bem em frente a um carro autodirigido. Com base em seus cálculos instantâneos, o algoritmo que dirige o carro conclui que a única maneira de evitar atingir os dois garotos é desviar para a pista oposta, e arriscar colidir com um caminhão que vem em sentido contrário. O algoritmo calcula que num caso assim há 70% de probabilidades de que o dono do carro — que dorme no banco traseiro — morra. O que o algoritmo deveria fazer?[16]

Filósofos têm debatido o "dilema do bonde" por milênios (é chamado "dilema do bonde" porque os exemplos didáticos dos debates filosóficos modernos fazem referência a um bonde desgovernado, e não a carros autodirigidos).[17] Até agora esses debates, lamentavelmente, têm tido pouco impacto no comportamento efetivo, porque em tempos de crise os humanos, com demasiada frequência, esquecem suas opiniões filosóficas e seguem suas emoções e seus instintos.

Um dos experimentos mais sórdidos da história das ciências sociais foi realizado em dezembro de 1970 com um grupo de estudantes do Seminário Teológico de Princeton aspirantes a ministros da Igreja presbiteriana. Pedia-se a cada estudante que corresse para uma sala de aula distante para falar sobre a parábola do Bom Samaritano, que conta como um judeu que viajava de Jerusalém para Jericó foi roubado e espancado por criminosos, que o deixaram para morrer, à beira da estrada. Passado algum tempo um sacerdote e um levita passaram por lá, mas ignoraram o homem. Em contraste, um samaritano — membro de uma seita muito desprezada pelos judeus — parou quando viu a vítima, cuidou dela, e salvou sua vida. A moral da parábola é que o mérito pessoal deveria ser julgado pelo comportamento, e não por afiliação religiosa e opiniões filosóficas.

Os jovens seminaristas, entusiasmados, corriam para a sala de aula pensando em como melhor explicar a moral da parábola do bom samaritano. Mas os responsáveis pelo experimento haviam posto em seu caminho uma pessoa maltrapilha, meio caída e encostada numa porta com a cabeça baixa e os olhos fechados. Quando cada seminarista, sem suspeitar de nada, passava apressado por ela, a "vítima" tossia e gemia lamentosamente. A maioria dos seminaristas nem sequer parou para perguntar o que havia de errado com o homem, muito menos para oferecer ajuda. O estresse emocional causado pela necessidade de se apressar para a sala de aula tinha triunfado sobre a obrigação moral de ajudar estranhos em apuros.[18]

As emoções humanas triunfam sobre teorias filosóficas em inúmeras outras situações. Isso torna a história ética e filosófica do mundo uma narrativa deprimente de ideais maravilhosos e comportamentos menos que ideais. Quantos cristãos oferecem a outra face, quantos budistas superam obsessões egoístas, e quantos judeus realmente amam seu próximo como a si mesmos? É a maneira como a seleção natural moldou o *Homo sapiens*. Como todos os mamíferos, o *Homo sapiens* usa emoções para tomar rapidamente decisões de vida ou morte. Herdamos nossa raiva, nosso medo e nossa paixão de milhões de ancestrais, que passaram pelos mais rigorosos testes de qualidade da seleção natural.

Infelizmente, o que era bom para a sobrevivência e a reprodução na savana africana 1 milhão de anos atrás não será necessariamente um comportamento responsável nas rodovias do século XXI. Motoristas humanos distraídos, nervosos e ansiosos matam mais de 1 milhão de pessoas em acidentes de trânsito todo ano. Podemos enviar todos os nossos filósofos, profetas e sacerdotes para pregar ética para esses motoristas — na estrada, emoções de mamíferos e instintos da savana ainda prevalecem. Consequentemente, seminaristas apressados vão ignorar pessoas em apuros, e motoristas em crise vão atropelar os infelizes pedestres.

A disjunção entre o seminário e a rua é um dos maiores problemas práticos da ética. Immanuel Kant, John Stuart Mill e John Rawls podem passar dias discutindo problemas teóricos de ética numa acolhedora sala da universidade — mas seriam suas conclusões efetivamente implementadas por motoristas estressados em meio a uma emergência? Talvez Michael Schumacher — o campeão da Fórmula 1 aclamado como melhor piloto da história — tivesse a capacidade de pensar sobre filosofia enquanto dirigia; mas a maioria de nós não é Schumacher.

Os algoritmos de computação, no entanto, não foram moldados pela seleção natural, e não têm emoções nem instintos viscerais. Daí que em momentos de crise eles poderiam seguir diretrizes éticas muito melhor que os humanos — contanto que encontremos uma maneira de codificar a ética em números e estatísticas precisos. Se ensinarmos Kant, Mill e Rawls a escrever um programa, eles poderão programar cuidadosamente um carro autodirigido em seus acolhedores laboratórios, e ter a certeza de que o carro seguirá seus comandos na rua. Com efeito, todo carro será dirigido por Michael Schumacher e Immanuel Kant combinados numa só pessoa.

Assim, se você programar um carro autodirigido para que pare e ajude estranhos em apuros, ele fará isso aconteça o que acontecer (a menos, é claro, que você insira uma cláusula de exceção para determinados cenários). Da mesma forma, se seu carro autodirigido estiver programado para desviar para a pista oposta a fim de salvar os dois garotos que estão em seu caminho, pode apostar sua vida que é exatamente isso que ele fará. O que significa que, ao projetar seus carros autodirigidos, a Toyota ou a Tesla vão transformar um problema teórico de filosofia da ética num problema prático de engenharia.

Com certeza, os algoritmos filosóficos nunca serão perfeitos. Erros ainda vão acontecer, resultando em ferimentos, mortes e processos judiciais extremamente complicados. (Pela primeira vez na história, você poderá processar um filósofo pelos infelizes resultados de suas teorias, porque pela primeira vez na história você poderá provar que há uma ligação causal direta entre ideias filosóficas e eventos da vida real.) Contudo, para poder assumir o papel de motoristas humanos, os algoritmos terão de ser perfeitos. Terão de ser melhores que os humanos. Considerando que motoristas humanos matam mais de 1 milhão de pessoas todo ano, não será tão difícil assim. Tudo isso dito e feito, você ia preferir que o carro atrás do seu estivesse sendo dirigido por um adolescente bêbado ou pela equipe Schumacher-Kant?[19]

A mesma lógica vale não só para a direção de automóveis, mas para muitas outras situações. Veja, por exemplo, o caso de candidatos a emprego. No século XXI, a decisão de contratar alguém para um emprego será cada vez mais tomada por algoritmos. Não podemos confiar na máquina para estabelecer os padrões éticos relevantes — os humanos sempre terão de fazer isso. Mas, uma vez que decidamos por um padrão ético no mercado de trabalho — por exemplo, que é errado discriminar mulheres, ou pessoas negras —, poderemos confiar em máquinas para implementar e manter esse padrão melhor que os humanos.[20]

Um gerente humano pode saber e concordar que é antiético discriminar pessoas negras e mulheres, mas, quando uma mulher negra se candidata a um emprego, o gerente subconscientemente a discrimina e decide não contratá-la. Se permitirmos que um computador avalie os pedidos de emprego, e programarmos o computador para ignorar completamente raça e gênero, podemos ter certeza de que o computador vai ignorar esses fatores, porque computadores não têm subconsciência. Claro, não será fácil escrever o programa de avaliação de pedidos de emprego, sempre haverá o perigo de que engenheiros, de algum modo, incluam seus próprios vieses subconscientes no software.[21] Mas, uma vez descobertos esses erros, provavelmente será muito mais fácil corrigir o software do que livrar humanos de seus vieses racistas ou misóginos.

Vimos que o surgimento da inteligência artificial pode expulsar muitos humanos do mercado de trabalho — inclusive motoristas e guardas de trânsito (quando humanos arruaceiros forem substituídos por algoritmos, guardas de trânsito serão supérfluos). No entanto, poderá haver algumas novas aberturas para os filósofos, haverá subitamente grande demanda por suas qualificações — até agora destituídas de quase todo valor de mercado. Assim, se você quer estudar algo que lhe assegure um bom emprego no futuro, talvez a filosofia não seja uma aposta tão ruim.

É claro que filósofos raramente concordam em qual é a linha correta de ação. Poucos "dilemas do bonde" têm sido resolvidos de modo a satisfazer todos os filósofos, e pensadores consequencialistas como John Stuart Mill (que julga a ação pelas suas consequências) têm opiniões bem diferentes das dos deontologistas como Immanuel Kant (que julga as ações segundo regras absolutas). Será que a Tesla tem de tomar posição quanto a questões tão complicadas para fabricar carros?

Bem, talvez a Tesla deixe isso a cargo do mercado. A montadora vai fabricar dois modelos de carro autodirigido: o Tesla Altruísta e o Tesla Egoísta. Numa emergência, o Altruísta sacrifica seu dono pelo bem maior, enquanto o Egoísta faz tudo o que pode para salvar seu dono, mesmo que isso signifique matar os dois garotos. Os clientes poderão então comprar o carro que melhor se encaixe em sua visão filosófica. Se mais pessoas comprarem o Tesla Egoísta a culpa não será da Tesla. Afinal, o cliente sempre tem razão.

Isso não é uma brincadeira. Num estudo pioneiro, em 2015, apresentou-se a pessoas um cenário hipotético de um carro autodirigido na iminência de atropelar vários pedestres. A maioria disse que nesse caso o carro deveria salvar os pedestres mesmo que custasse a vida de seu proprietário. Quando lhes perguntaram se eles comprariam um carro programado para sacrificar seu proprietário pelo bem maior, a maioria respondeu que não. Para eles mesmos, iam preferir o Tesla Egoísta.[22]

Imagine a situação: você comprou um carro novo, mas antes de começar a usá-lo tem de abrir o menu de configurações e escolher cada uma das diversas opções. Em caso de acidente, quer que o carro sacrifique sua vida — ou que mate a família no outro veículo? Essa é uma escolha que você quer mesmo fazer? Pense nas discussões que vai ter com seu marido sobre qual opção escolher.

Assim, talvez o Estado devesse intervir para regular o mercado, e instituir um código ético a ser obedecido por todos os carros autodirigidos? Sem dúvida alguns legisladores ficarão emocionados com a oportunidade de finalmente fazer leis que serão *sempre* seguidas à risca. Outros talvez fiquem alarmados com essa responsabilidade sem precedentes e totalitária. Afinal, no decorrer da história as limitações da aplicação da lei proporcionaram um controle bem-vindo dos vieses, erros e excessos dos legisladores. Foi uma grande sorte o fato de as leis contra a homossexualidade e a blasfêmia só terem sido parcialmente aplicadas. Será que queremos mesmo um sistema no qual as decisões de políticos se tornem tão inexoráveis quanto a gravidade?

DITADURAS DIGITAIS

As pessoas temem a IA porque não confiam na obediência da IA. Já assistimos a muitos filmes de ficção científica sobre robôs que se rebelam contra seus senhores humanos e correm desenfreados pelas ruas trucidando todo mundo. Mas o problema real com robôs é exatamente o oposto. Devemos ter medo deles porque sempre obedecerão a seus senhores e nunca se rebelarão.

Não há nada de errado com a obediência cega, é claro, enquanto os robôs servirem a senhores benignos. Mesmo numa guerra, a dependência de robôs matadores poderia garantir que, pela primeira vez na história, as regras da guerra seriam realmente obedecidas no campo de batalha. Soldados humanos são às vezes levados por suas emoções a assassinar, saquear e estuprar, violando as leis da guerra. Normalmente associamos emoções a compaixão, amor e empatia, mas em tempos de guerra as emoções que assumem o controle são muito frequentemente o medo, o ódio e a crueldade. Como robôs não têm emoções, poder-se-ia confiar que eles sempre seguiriam rigorosamente o código militar, e nunca seriam levados por temores e ódios pessoais.[23]

Em 16 de março de 1968, uma companhia de soldados americanos ficou ensandecida na aldeia vietnamita de My Lai e massacrou cerca de quatrocentos civis. Esse crime de guerra resultou da iniciativa local de homens que tinham estado envolvidos numa guerrilha na selva durante vários meses. Não tinha nenhum objetivo estratégico, e transgredia tanto o código de conduta quanto a política militar dos Estados Unidos. Foi por culpa das emoções humanas.[24] Se os Estados Unidos tivessem colocado robôs assassinos no Vietnã, o massacre de My Lai jamais teria ocorrido.

Entretanto, antes de sairmos correndo para desenvolver e pôr em ação robôs assassinos, precisamos lembrar que robôs sempre refletem e ampliam as qualidades de sua programação. Se o programa é contido e benigno — os robôs provavelmente representarão uma imensa melhora em relação ao soldado humano médio. Mas se o programa for implacável e cruel — os resultados serão catastróficos. O verdadeiro problema com robôs não está em sua inteligência artificial, mas na estupidez e crueldade naturais de seus senhores humanos.

Em julho de 1995, tropas sérvias da Bósnia massacraram mais de 8 mil muçulmanos bósnios no entorno da cidade de Srebrenica. Diferentemente do massacre aleatório de My Lai, a matança em Srebrenica foi uma ação prolongada e bem organizada que refletiu a política sérvia que visava a uma Bósnia "etnicamente purificada" de muçulmanos.[25] Se os sérvios da Bósnia tivessem robôs assassinos em 1995, isso provavelmente teria feito a atrocidade ser pior, e não melhor. Nenhum robô hesitaria um só momento no cumprimento de quaisquer ordens que recebesse, e não teria poupado a vida de uma única criança muçulmana por sentimentos de compaixão, repulsa ou mera letargia.

Um ditador cruel armado com robôs assassinos não precisaria ter medo de que seus soldados se voltassem contra ele, não importa quão perversas e loucas fossem suas ordens. Um exército de robôs provavelmente teria sufocado a Revolução Francesa em seu berço em 1789, e se em 2011 Hosni Mubarak dispusesse de um contingente de robôs assassinos ele poderia lançá-los sobre a população sem medo de deserções. Da mesma forma, um governo imperialista que contasse com um exército de robôs poderia travar guerras impopulares sem nenhuma preocupação de que seus robôs perdessem a motivação, ou que suas famílias protestassem. Se os Estados Unidos tivessem robôs assassinos na Guerra do Vietnã, o massacre de My Lai poderia ter sido evitado, mas a guerra em si mesma poderia ter se arrastado por muitos anos, porque o governo americano teria menos preocupações com soldados desmoralizados, com protestos em massa contra a guerra, ou com um movimento de "robôs veteranos contra a guerra" (alguns cidadãos americanos ainda poderiam se opor à guerra, mas sem o medo de serem eles mesmos convocados, sem a memória de terem pessoalmente cometido atrocidades, ou da perda dolorosa de um parente querido, os manifestantes provavelmente seriam menos numerosos e menos envolvidos).[26]

Problemas como esses são muito menos relevantes no que concerne a veículos autônomos civis porque nenhum fabricante de automóveis vai programar maliciosamente seus carros para matar pessoas. Sistemas de armas autônomos, no entanto, são uma catástrofe iminente, porque a maioria dos governos são eticamente corruptos, se não explicitamente malignos.

O perigo não se restringe a máquinas de matar. Sistemas de vigilância podem ser igualmente arriscados. Nas mãos de um governo benigno, algoritmos poderosos de vigilância podem ser a melhor coisa que já aconteceu ao gênero humano. Mas os mesmos algoritmos de Big Data podem também dar poder a um futuro Grande Irmão, e podemos acabar em um regime de vigilância orwelliano, no qual todo mundo é monitorado o tempo todo.[27]

O resultado pode ser algo que nem mesmo Orwell foi capaz de imaginar: um regime de vigilância total que não apenas acompanha nossas atividades e pronunciamentos externos como é capaz até mesmo de penetrar nossa pele e observar nossas experiências interiores. Considere por exemplo o que o regime de Kim, na Coreia do Norte, poderia fazer com a nova tecnologia. No futuro, poder-se-ia requerer de cada cidadão norte-coreano que usasse um bracelete biométrico que monitora tudo o que se faz ou se diz — assim como a pressão sanguínea e a atividade cerebral. Usando nossa crescente compreensão do cérebro humano, e os imensos poderes do aprendizado de máquina, o regime norte-coreano poderia desenvolver a capacidade de, pela primeira vez na história, avaliar o que todo e cada cidadão está pensando em todo e cada momento. Se você olhar para um retrato de Kim Jong-un e os sensores biométricos detectarem sinais indicadores de raiva (elevação da pressão sanguínea, aumento de atividade na amígdala cerebral) —, amanhã de manhã você estará no gulag.

Com certeza, devido a seu isolamento, o regime norte-coreano poderá ter dificuldade para desenvolver sozinho a tecnologia necessária. No entanto, a tecnologia poderia ser introduzida pioneiramente em nações de tecnologia mais avançada e copiada ou comprada pelos norte-coreanos e outras ditaduras retrógradas. A China e a Rússia estão constantemente aperfeiçoando suas ferramentas de vigilância, assim como vários países democráticos, desde os Estados Unidos até Israel, onde vivo. Apelidada de "nação das empresas start-up", Israel tem um setor de alta tecnologia extremamente vigoroso, e uma indústria de segurança cibernética de ponta. Ao mesmo tempo também está encerrado num conflito mortal com os palestinos, e pelo menos alguns de seus líderes, generais e cidadãos gostariam muito de criar um regime de vigilância total na Cisjordânia assim que dispuserem da tecnologia necessária.

Hoje, quando palestinos fazem uma ligação telefônica, postam alguma coisa no Facebook ou viajam de uma cidade para outra, é possível que estejam sendo monitorados por microfones, câmeras, drones ou softwares espiões israelenses. Os dados reunidos são depois analisados com a ajuda de algoritmos de Big Data. Isso ajuda as forças de segurança de Israel a identificar e neutralizar ameaças potenciais sem o uso de tropas no local. Os palestinos podem administrar algumas cidades e aldeias na Cisjordânia, mas os israelenses controlam o céu, as ondas de rádio e o ciberespaço. Por isso é surpreendentemente pequeno o número de soldados israelenses que controlam cerca de 2,5 milhões de palestinos na Cisjordânia.[28]

Num incidente tragicômico em outubro de 2017, um trabalhador palestino postou em sua conta privada no Facebook uma foto sua no trabalho, ao lado de uma escavadeira. Junto à imagem ele escreveu "Bom dia!". Um algoritmo automático cometeu um pequeno erro ao transliterar as letras árabes. Em vez de "*Ysa-*

bechhum!" ("bom dia"), o algoritmo identificou as letras como escrevendo "*Ydbachhum*" ("mate-os"). Suspeitando que o homem pudesse ser um terrorista que tencionava usar uma escavadeira para atropelar pessoas, as forças de segurança de Israel rapidamente o prenderam. Foi libertado depois que constataram que o algoritmo havia cometido um erro. Mas assim mesmo o post ofensivo no Facebook foi retirado. Cuidado nunca é demais.[29] O que os palestinos estão experimentando hoje na Cisjordânia pode ser uma previsão inicial do que bilhões experimentarão em todo o planeta no futuro.

No final do século XX as democracias no geral superaram as ditaduras porque são melhores no processamento de dados. A democracia difunde o poder para processar informação e as decisões são tomadas por muitas pessoas e instituições, enquanto a ditadura concentra informação e poder num só lugar. Dada a tecnologia do século XX, seria ineficiente concentrar informação e poder demais num só lugar. Ninguém tinha capacidade para processar toda a informação com rapidez suficiente para tomar decisões corretas. Essa é em parte a razão de a União Soviética ter tomado decisões muito piores que as dos Estados Unidos, e de a economia soviética ter ficado bem atrás da economia americana.

Entretanto, em breve a IA poderá fazer o pêndulo oscilar para a direção oposta. A IA possibilita o processamento de enormes quantidades de informação centralizada. Na verdade, a IA pode fazer com que sistemas centralizados sejam muito mais eficientes do que sistemas difusos, porque o aprendizado de máquina funciona melhor quanto mais informação for capaz de analisar. Se você concentrar toda a informação relativa a 1 bilhão de pessoas numa única base de dados, desconsiderando qualquer preocupação com privacidade, será capaz de instruir muito mais algoritmos do que se respeitasse a privacidade individual e tivesse em sua base de dados apenas informações parciais sobre 1 milhão de pessoas. Por exemplo, se um governo autoritário ordenar a todos os seus cidadãos que tenham seu DNA escaneado e que compartilhem todos os seus dados médicos com alguma autoridade central, ele terá uma enorme vantagem em pesquisa genética e médica em relação a sociedades nas quais os dados médicos são estritamente privados. A principal desvantagem dos regimes autoritários do século XX — a tentativa de concentrar toda a informação num só lugar — pode se tornar a vantagem decisiva no século XXI.

Quando os algoritmos passarem a nos conhecer tão bem, governos autoritários poderiam obter o controle absoluto de seus cidadãos, ainda mais do que na Alemanha nazista, e a resistência a esses regimes poderá ser totalmente impossível. Não só o regime saberá o que você sente — ele poderia fazer você sentir o que ele quiser. O ditador poderia não ser capaz de prover o cidadão de serviços de saúde ou igualdade, mas seria capaz de fazer com que ele o amasse e odiasse seus adversários. A democracia em seu formato atual não será capaz de sobreviver à fusão da biotecnologia com a tecnologia da informação. Ou a democracia se reinventa com sucesso numa forma radicalmente nova, ou os humanos acabarão vivendo em "ditaduras digitais".

Não será um retorno à época de Hitler e Stálin. As ditaduras digitais serão tão diferentes da Alemanha nazista quanto a Alemanha nazista foi diferente do Antigo Regime na França. Luís XIV era um autocrata centralizador, mas não tinha tecnologia para construir um Estado totalitário moderno. Não teve oposição a seu governo, mas na ausência de rádios, telefones e trens, tinha pouco controle sobre a vida cotidiana de camponeses em aldeias remotas da Bretanha, ou mesmo de citadinos no coração de Paris. Tampouco tinha vontade ou capacidade de estabelecer um partido popular, um movimento de jovens em todo o país, ou um sistema nacional de educação.[30] Foram as novas tecnologias do século XX que deram a Hitler tanto a motivação quanto o poder de fazer coisas desse tipo. Não podemos prever quais serão as motivações e poderes das ditaduras digitais em 2084, mas é muito pouco provável que só copiem Hitler e Stálin. Os que se dispuserem a lutar novamente as mesmas batalhas da década de 1930 poderão ser surpreendidos, indefesos, por um ataque provindo de uma direção totalmente diferente.

Mesmo que a democracia consiga se adaptar e sobreviver, as pessoas podem tornar-se as vítimas de novos tipos de opressão e discriminação. Já hoje em dia, cada vez mais bancos, corporações e instituições estão usando algoritmos para analisar dados e tomar decisões a nosso respeito. Quando você pede um empréstimo a seu banco, é provável que seu pedido seja processado por um algoritmo e não por um humano. O algoritmo analisa grande quantidade de dados sobre você e estatísticas sobre milhões de outras pessoas, e decide se você é confiável o bastante para receber um empréstimo. Frequentemente, o algoritmo faz o trabalho melhor do que faria um gerente. Mas o problema é que se o algoritmo discriminar injustamente certas pessoas, será difícil saber. Se o banco se recusar a lhe dar um empréstimo e você perguntar por quê, o banco responderá: "O algoritmo disse que não". Você pergunta: "Por que o algoritmo disse não? O que há de errado comigo?", e o banco responde: "Não sabemos. Nenhum humano entende esse algoritmo, porque é baseado num aprendizado de máquina avançado. Mas confiamos em nosso algoritmo, por isso não lhe daremos um empréstimo".[31]

Quando se discriminam grupos inteiros, como mulheres ou negros, esses grupos podem se organizar e protestar contra a discriminação coletiva. Mas agora um algoritmo seria capaz de discriminar você individualmente, sem que você saiba por quê. Talvez o algoritmo tenha encontrado alguma coisa da qual não gostou em seu DNA, em sua história pessoal ou em sua conta no Facebook. O algoritmo teria discriminado você não porque é mulher ou negro — mas porque você é você. Há algo específico em você de que o algoritmo não gosta. Você não sabe o que é, e mesmo se soubesse não poderia organizar um protesto com outras pessoas, porque não há outras pessoas que sejam alvo do mesmo preconceito. É só você. Em vez de só discriminação coletiva, no século XXI talvez deparemos com um crescente problema de discriminação individual.[32]

Nos níveis mais altos da autoridade provavelmente ainda teremos figurantes humanos, que nos darão a ilusão de que os algoritmos são apenas conselheiros, e que a autoridade final ainda está em mãos humanas. Não vamos nomear uma IA chanceler da Alemanha ou CEO do Google. No entanto, as decisões tomadas pelo chanceler da Alemanha ou pelo CEO do Google serão formuladas pela IA. O chanceler ainda poderia escolher entre várias opções diferentes, mas todas seriam resultado da análise feita por Big Data, e refletirão mais como a IA vê o mundo do que como os humanos o veem.

Para citar um exemplo análogo, hoje políticos de todo o mundo podem escolher entre várias políticas econômicas diferentes, mas em quase todos os casos as várias políticas em oferta refletem uma perspectiva capitalista da economia. Os políticos têm uma ilusão de escolha, mas as decisões realmente importantes já terão sido tomadas antes pelos economistas, banqueiros e homens de negócio, que formataram as diferentes opções no menu. Dentro de algumas décadas, os políticos estarão escolhendo opções de um menu escrito pela IA.

INTELIGÊNCIA ARTIFICIAL E ESTUPIDEZ NATURAL

Uma boa notícia é que pelo menos nas próximas poucas décadas não teremos de lidar com esse absoluto pesadelo de ficção científica em que a IA adquire consciência e decide escravizar ou aniquilar a humanidade. Cada vez mais vamos confiar nos algoritmos para que tomem decisões por nós, mas não é provável que os algoritmos comecem conscientemente a nos manipular. Eles não terão consciência.

A ficção científica tende a confundir inteligência com consciência, e supõe que para se equipar ou suplantar a inteligência humana os computadores terão de desenvolver consciência. O enredo básico de quase todos os filmes e livros sobre IA gira em torno do momento mágico no qual um computador ou robô ganha consciência. Tendo acontecido isso, ou o herói humano se apaixona pelo robô, ou o robô tenta matar todos os humanos, ou ambas as coisas acontecem simultaneamente.

Porém na realidade não há motivo para supor que a inteligência artificial vá desenvolver consciência, porque inteligência e consciência são coisas muito diferentes. Inteligência é a aptidão para resolver problemas. Consciência é a aptidão para sentir coisas como dor, alegria, amor e raiva. Tendemos a confundir os dois porque nos humanos e nos outros mamíferos a inteligência anda de mãos dadas com a consciência. Mamíferos resolvem a maioria dos problemas sentindo coisas. Computadores, no entanto, resolvem problemas de maneira muito diversa.

Há vários caminhos diferentes que levam a uma grande inteligência, e apenas alguns desses caminhos envolvem a tomada de consciência. Assim como os aviões voam mais rápido que aves sem jamais desenvolver penas, também os computadores podem resolver problemas muito melhor do que mamíferos sem jamais desenvolver sentimentos. É verdade que a IA terá de analisar sentimentos humanos com muita precisão para ser capaz de tratar doenças humanas, identificar terroristas humanos, recomendar parceiros humanos e percorrer uma rua cheia de pedestres humanos. Mas poderia fazer isso sem ter sentimentos próprios. Um algoritmo não precisa sentir alegria, raiva ou medo para reconhecer os diferentes padrões bioquímicos de macacos alegres, irados ou assustados.

Claro, não é de todo impossível que a IA desenvolva seus próprios sentimentos. Ainda não sabemos o bastante sobre a consciência para ter certeza. Em geral, há três possibilidades que precisamos levar em consideração:

1. A consciência está, de alguma forma, ligada à bioquímica orgânica de tal modo que nunca será possível criar consciência em sistemas não orgânicos.
2. A consciência não está ligada à bioquímica orgânica, mas está ligada à inteligência de tal modo que os computadores poderiam desenvolver consciência, e computadores *terão de* desenvolver consciência se ultrapassarem um certo limiar da inteligência.
3. Não há ligações essenciais entre consciência e bioquímica orgânica nem entre consciência e alta inteligência. Daí que os computadores poderiam desenvolver consciência — mas não necessariamente. Poderiam tornar-se superinteligentes mesmo tendo consciência zero.

No estágio atual de conhecimento, não podemos descartar nenhuma dessas opções. Mas, precisamente porque sabemos tão pouco sobre a consciência, parece improvável que possamos programar computadores conscientes em algum momento próximo. Por isso, apesar do imenso poder da inteligência artificial, num futuro previsível seu uso continuará a depender em alguma medida da consciência humana.

O perigo é que se investirmos demais no desenvolvimento da IA e de menos no desenvolvimento da consciência humana, a simples inteligência artificial sofisticada dos computadores poderia servir apenas para dar poder à estupidez natural dos humanos. É improvável que enfrentemos uma rebelião de robôs nas próximas décadas, mas poderíamos ter de lidar com hordas de *bots* que sabem, melhor do que nossas mães, como manipular nossas emoções e usar essa misteriosa habilidade para tentar nos vender alguma coisa — seja um carro, um político ou toda uma ideologia. Os robôs poderiam identificar nossos temores, ódios e desejos mais profundos, e usar essas alavancas interiores contra nós. Já tivemos uma amostra disso em eleições e referendos recentes por todo o mundo, quando hackers aprenderam como manipular eleitores individuais analisando dados sobre eles e explorando seus preconceitos.[33] Enquanto os filmes de ficção científica terminam em apocalipses dramáticos com fogo e fumaça, na realidade podemos estar a um clique de um apocalipse banal.

Para evitar tais resultados, para cada dólar e cada minuto que investimos no desenvolvimento de inteligência artificial, seria sensato investir um dólar e um minuto em avançar a consciência humana. Infelizmente, não estamos fazendo muita coisa para pesquisar e desenvolver a consciência humana. Estamos pesquisando e desenvolvendo habilidades humanas principalmente em função das necessidades imediatas do sistema econômico e político, e não de acordo com nossas necessidades de longo prazo como seres conscientes. Meu chefe quer que eu responda aos e-mails o mais rápido possível, mas tem pouco interesse em minha capacidade de saborear e apreciar a comida que estou comendo. Consequentemente, eu verifico meus e-mails durante as refeições, enquanto vou perdendo a capacidade de prestar atenção a minhas próprias sensações. O sistema econômico me pressiona a expandir e diversificar minha carteira de investimentos, mas me dá zero incentivo para expandir e diversificar minha compaixão. Assim, eu me esforço cada vez mais para entender os mistérios da bolsa de valores, e cada vez menos para compreender as causas profundas do sofrimento.

Nisso, os humanos são semelhantes a outros animais domésticos. Temos criado vacas dóceis que produzem enormes quantidades de leite, mas que de resto são muito inferiores a seus ancestrais selvagens. São menos ágeis, menos curiosas e menos dotadas de recursos.[34] Estamos criando agora homens domesticados que produzem enormes quantidades de dados e funcionam como chips muito eficientes num enorme mecanismo de processamento de dados, mas essas vacas de dados estão longe de atingir seu potencial máximo. Na verdade, não temos ideia de qual seja ele, porque sabemos muito pouco sobre nossa mente e, em vez de investir na sua exploração, nos concentramos em aumentar a velocidade de nossas conexões à internet e a eficiência de nossos algoritmos de Big Data. Se não formos cuidadosos, vamos acabar tendo humanos degradados fazendo mau uso de computadores sofisticados para causar estragos em si mesmos e no mundo.

Ditaduras digitais não são o único perigo que nos aguarda. Juntamente com a liberdade, a ordem liberal também dá grande valor à igualdade. O liberalismo sempre zelou pela liberdade política, e gradualmente veio a se dar conta de que a igualdade econômica é quase tão importante. Pois sem uma rede de segurança social e um mínimo de igualdade econômica, a liberdade não tem sentido. Mas, assim como os algoritmos de Big Data poderiam extinguir a liberdade, eles poderiam simultaneamente criar a sociedade mais desigual que já existiu. Toda a riqueza e todo o poder do mundo poderiam se concentrar nas mãos de uma minúscula elite, enquanto a maior parte do povo sofreria, não de exploração, mas de algo muito pior — irrelevância.

4. Igualdade
Os donos dos dados são os donos do futuro

Nas últimas décadas foi dito às pessoas em todo o mundo que o gênero humano está no caminho da igualdade, e que a globalização e as novas tecnologias nos ajudarão a chegar lá mais cedo. Na verdade, o século XXI poderia criar a sociedade mais desigual na história. Embora a globalização e a internet representem pontes sobre as lacunas que existem entre os países, elas ameaçam aumentar a brecha entre as classes, e, bem quando o gênero humano parece prestes a alcançar unificação global, a espécie em si mesma pode se dividir em diferentes castas biológicas.

A desigualdade remonta à Idade da Pedra. Trinta mil anos atrás, grupos de caçadores-coletores enterravam alguns de seus membros em sepulturas suntuosas repletas de contas, braceletes, joias e objetos de arte, enquanto outros membros tinham de se contentar com uma cova simples. Não obstante, os antigos grupos de caçadores-coletores ainda eram mais igualitários do que qualquer sociedade humana subsequente, porque tinham poucas propriedades. A propriedade é um pré-requisito para uma desigualdade de longo prazo.

Depois da revolução agrícola, a propriedade multiplicou-se, e com ela a desigualdade. Quando humanos obtiveram propriedade de terra, animais, plantas e ferramentas, surgiram rígidas sociedades hierárquicas, nas quais pequenas elites monopolizavam a maior parte da riqueza e do poder, geração após geração. Os humanos aceitaram esse arranjo como sendo natural e até mesmo proveniente de ordem divina. A hierarquia não era apenas a norma, mas também o ideal. Como poderia haver ordem sem uma hierarquia clara entre aristocratas e pessoas comuns, entre homens e mulheres, entre pais e filhos? Sacerdotes, filósofos e poetas em todo o mundo explicavam pacientemente que, assim como no corpo humano seus membros não são iguais — os pés têm de obedecer à cabeça —, também na sociedade humana a igualdade só traz o caos.

Na modernidade tardia, no entanto, a igualdade tornou-se um ideal em quase todas as sociedades humanas. Isso se deve em parte ao surgimento das novas ideologias do comunismo e do liberalismo. Mas também à Revolução Industrial, que deu às massas uma importância nunca antes vista. A economia industrial dependia de massas de trabalhadores comuns, enquanto exércitos industriais dependiam de massas de soldados comuns. Tanto em ditaduras quanto em democracias, governos investem pesadamente na saúde, educação e bem-estar social das massas, porque precisam de milhões de trabalhadores saudáveis para operar as linhas de produção e de milhões de soldados leais para lutar nas trincheiras.

Consequentemente, a história do século XX girou em grande medida em torno da redução da desigualdade entre classes, raças e gêneros. Embora o mundo no ano 2000 ainda tenha seu quinhão de hierarquias, ele é assim mesmo um lugar muito mais igualitário do que o mundo em 1900. Nos primeiros anos do século XXI esperava-se que o processo igualitário continuasse e até mesmo se acelerasse. Esperava-se que a globalização disseminasse a prosperidade econômica pelo mundo, e que como resultado pessoas na Índia e no Egito usufruiriam das mesmas oportunidades e privilégios de pessoas na Finlândia e no Canadá. Uma geração inteira cresceu sob essa promessa.

Agora parece que a promessa talvez não seja cumprida. Certamente a globalização beneficiou grandes segmentos da humanidade, mas há sinais de uma crescente desigualdade, entre e dentro das sociedades. Alguns grupos monopolizam cada vez mais os frutos da globalização, enquanto bilhões são deixados para trás. Hoje, o 1% mais rico é dono de metade da riqueza do mundo. Ainda mais alarmante, as cem pessoas mais ricas possuem juntas mais do que as 4 bilhões mais pobres.[1]

E é provável que fique muito pior. Como explicado nos capítulos anteriores, o surgimento da IA pode extinguir o valor econômico e a força política da maioria dos humanos. Ao mesmo tempo, aprimoramentos em biotecnologia poderiam possibilitar que a desigualdade econômica se traduza em desigualdade biológica. Os super-ricos teriam finalmente algo que vale a pena fazer com sua estupenda riqueza. Enquanto até agora só podiam comprar pouco mais que símbolos de status, logo poderão ser capazes de comprar a própria vida. Se os novos tratamentos para prolongar a vida e aprimorar habilidades físicas e cognitivas forem dispendiosos, o gênero humano poderia se dividir em castas biológicas.

No decorrer da história, os ricos e a aristocracia sempre imaginaram que tinham qualificações superiores às de todos os outros, e que por isso estavam no controle. Até onde podemos afirmar, isso não era verdade. Um duque mediano não era mais talentoso do que um camponês mediano — sua superioridade era devida apenas a uma discriminação legal e econômica injusta. No entanto, em 2100 os ricos poderiam realmente ser mais talentosos, mais criativos e mais inteligentes do que os moradores de favelas. Uma vez aberto um fosso entre habilidades de ricos e pobres, será quase impossível fechá-lo. Se os ricos utilizarem suas competências superiores para enriquecer ainda mais, e se dinheiro a mais pode comprar para eles corpos e cérebros incrementados, com o tempo a brecha vai só aumentar. Em 2100, o 1% mais rico poderia possuir não apenas a maior parte da riqueza do mundo mas também a maior parte da beleza, da criatividade e da saúde.

Os dois processos juntos — a bioengenharia associada à ascensão da IA — poderiam, portanto, resultar na divisão da humanidade em uma pequena classe de super-humanos e uma massiva subclasse de *Homo sapiens* inúteis. Para piorar ainda mais uma situação que já é nefasta, à medida que as massas perdem importância econômica e poder político, o Estado poderia perder pelo menos parte do incentivo para investir em sua saúde, sua educação e seu bem-estar social. É perigoso ser obsoleto. O futuro das massas dependerá então da boa vontade de uma pequena elite. Talvez haja boa vontade durante umas poucas décadas. Mas em tempos de crise — como uma catástrofe climática — seria muito tentador e fácil descartar as pessoas supérfluas.

Em países como a França e a Nova Zelândia, com longa tradição de convicções liberais e práticas de Estado de bem-estar social, talvez a elite continue a cuidar das massas mesmo quando não precisar delas. No entanto, nos Estados Unidos, mais capitalistas, a elite poderia aproveitar a primeira oportunidade para desmantelar o que restava do Estado de bem-estar social. Um problema ainda maior ocorre em grandes países em desenvolvimento, como a Índia, a China, a África do Sul e o Brasil. Lá, se as pessoas comuns perderem seu valor econômico, a desigualdade poderia disparar.

Consequentemente, em vez de a globalização resultar em prosperidade global, ela poderia na verdade resultar em "especiação": a divisão do gênero humano em diferentes castas biológicas, ou até mesmo espécies diferentes. A globalização unirá o mundo horizontalmente, apagando fronteiras nacionais, mas ao mesmo tempo vai dividir a humanidade verticalmente. As oligarquias no poder em países tão diversos como Estados Unidos e Rússia podem unir-se contra a massa de *Sapiens* comuns. Dessa perspectiva, o atual ressentimento popular em relação "às elites" é bem fundamentado. Se não tivermos cuidado, os netos dos magnatas do Vale do Silício e dos bilionários de Moscou podem se tornar uma espécie superior à dos netos de lenhadores dos Apalaches e dos vilarejos da Sibéria.

No longo prazo, esse cenário poderia até mesmo desglobalizar o mundo, pois a classe superior se congrega numa autoproclamada "civilização" e constrói muros e fossos para isolá-la das hordas de "bárbaros" no lado de fora. No século xx, a civilização industrial depende dos "bárbaros" para ter mão de obra barata, matéria-prima e mercados. Por isso ela os conquistou e absorveu. Mas no século xxi, uma civilização pós-industrial baseada em IA, bioengenharia e nanotecnologia poderia ser muito mais autocontida e autossustentada. Não apenas classes, mas países e continentes inteiros poderiam tornar-se irrelevantes. Fortificações guardadas por drones e robôs poderiam separar a zona autoproclamada civilizada, onde ciborgues lutam entre si em código, das terras bárbaras onde humanos selvagens lutam entre si com machetes e Kaláshnikovs.

Ao longo deste livro usei frequentemente a primeira pessoa do plural para falar sobre o futuro do gênero humano. Falo sobre o que "nós" precisamos fazer quanto aos "nossos" problemas. Porém talvez não haja "nós". Talvez um dos "nossos" maiores problemas seja o de que diferentes grupos humanos têm futuros completamente diferentes. Talvez em algumas partes do mundo você deva ensinar seus filhos a escrever programas de computador, enquanto em outras seria melhor ensiná-los a atirar com precisão.

QUEM É DONO DOS DADOS?

Se quisermos evitar a concentração de toda a riqueza e de todo o poder nas mãos de uma pequena elite, a chave é regulamentar a propriedade dos dados. Antigamente a terra era o ativo mais importante no mundo, a política era o esforço por controlar a terra, e se muitas terras acabassem se concentrando em poucas mãos — a sociedade se dividia em aristocratas e pessoas comuns. Na era moderna, máquinas e fábricas tornaram-se mais importantes que a terra, e os esforços políticos focam-se no controle desses meios de produção. Se um número excessivo de fábricas se concentrasse em poucas mãos — a sociedade se dividiria entre capitalistas e proletários. Contudo, no século XXI, os dados vão suplantar tanto a terra quanto a maquinaria como o ativo mais importante, e a política será o esforço por controlar o fluxo de dados. Se os dados se concentrarem em muito poucas mãos — o gênero humano se dividirá em espécies diferentes.

A corrida para obter dados já começou, liderada por gigantes como Google, Facebook e Tencent. Até agora, muitos deles parecem ter adotado o modelo de negócios dos "mercadores da atenção".[2] Eles capturam nossa atenção fornecendo-nos gratuitamente informação, serviços e entretenimento, e depois revendem nossa atenção aos anunciantes. Mas provavelmente visam a muito mais do que qualquer mercador de atenção anterior. Seu verdadeiro negócio não é vender anúncios. E sim, ao captar nossa atenção, eles conseguem acumular imensa quantidade de dados sobre nós, o que vale mais do que qualquer receita de publicidade. Nós não somos seus clientes — somos seu produto.

A médio prazo, esse acúmulo de dados abre caminho para um modelo de negócio inédito, cuja primeira vítima será a própria indústria da publicidade. O novo modelo baseia-se na transferência da autoridade de humanos para algoritmos, inclusive a autoridade para escolher e comprar coisas. Quando algoritmos escolherem e comprarem coisas para nós, a indústria da publicidade tradicional irá à falência. Considere o Google. O Google quer chegar a um ponto no qual poderemos perguntar-lhe *qualquer coisa* e obter a melhor resposta do mundo. O que vai acontecer quando pudermos perguntar ao Google: "Oi, Google, com base em tudo o que você sabe sobre carros e com base em tudo o que você sabe sobre mim (inclusive minhas necessidades, meus hábitos, minhas opiniões sobre o aquecimento global, e até mesmo minhas ideias sobre a política no Oriente Médio), qual é o melhor carro para mim?". Se o Google for capaz de dar uma boa resposta, e se aprendermos com a experiência a confiar no bom senso do Google em vez de em nossos sentimentos facilmente manipuláveis, qual será a utilidade das propagandas de carro?[3]

No longo prazo, ao reunir informação e força computacional em quantidade suficiente, os gigantes dos dados poderão penetrar nos mais profundos segredos da vida, e depois usar esse conhecimento não só para fazer escolhas por nós ou nos manipular mas também na reengenharia da vida orgânica e na criação de formas de vida inorgânicas. Vender anúncios pode ser necessário para sustentar os gigantes no curto prazo, mas eles frequentemente avaliam aplicativos, produtos e companhias em função dos dados que colhem deles, e não do dinheiro que eles geram. Um aplicativo popular pode não ter um bom modelo de negócios e até mesmo perder dinheiro no curto prazo, mas na medida em que absorver dados pode valer bilhões.[4] Mesmo que não se saiba como fazer dinheiro com os dados hoje em dia, vale a pena tê-los porque eles podem ser a chave para controlar e modelar a vida no futuro. Não tenho certeza de que os gigantes dos dados pensam explicitamente nesses termos, mas suas ações indicam que dão mais valor aos dados acumulados do que a meros dólares e centavos.

Humanos comuns vão descobrir que é muito difícil resistir a

esse processo. No presente, as pessoas ficam contentes de ceder seu ativo mais valioso — seus dados pessoais — em troca de serviços de e-mail e vídeos de gatinhos fofos gratuitos. É um pouco como as tribos africanas e nativas americanas que inadvertidamente venderam países inteiros a imperialistas europeus em troca de contas coloridas e bugigangas baratas. Se, mais tarde, pessoas comuns decidirem tentar bloquear o fluxo de dados, podem descobrir que isso é cada vez mais difícil, especialmente se tiverem chegado a ponto de depender da rede para todas as suas decisões, até mesmo para sua saúde e sua sobrevivência física.

Humanos e máquinas poderão se fundir tão completamente que os humanos não serão capazes de sobreviver se estiverem desconectados da rede. Estarão conectados desde o útero, e, se em algum momento da vida você optar por se desconectar, as companhias de seguro talvez se recusem a lhe fazer um seguro de vida, empregadores talvez se recusem a empregá-lo, e serviços de saúde talvez se recusem a cuidar de você. Na grande batalha entre saúde e privacidade, a saúde provavelmente vencerá sem muito esforço.

À medida que, através de sensores biométricos, cada vez mais dados fluírem de seu corpo e seu cérebro para máquinas inteligentes, será fácil para corporações e agências do governo conhecer você, manipular você e tomar decisões por você. Mais importante ainda, eles serão capazes de decifrar os mecanismos profundos de todos os corpos e cérebros, e com isso adquirir o poder de fazer a engenharia da vida. Se quisermos evitar que uma pequena elite monopolize esses poderes, que parecem divinos, e se quisermos impedir que a humanidade se fragmente em castas biológicas, a questão-chave é: quem é dono dos dados? Os dados de meu DNA, meu cérebro e minha vida pertencem a mim, ao governo, a uma corporação ou ao coletivo humano?

Obrigar os governos a nacionalizar os dados provavelmente ia restringir o poder das grandes corporações, mas também pode resultar em assustadoras ditaduras digitais. Os políticos são um pouco como músicos, e o instrumento que eles tocam é o sistema emocional e bioquímico humano. Eles fazem um discurso — e há uma onda de medo no país. Eles escrevem uma mensagem no Twitter, e há uma explosão de ódio. Não acho que deveríamos dar a esses músicos um instrumento mais sofisticado para eles tocarem. Quando políticos forem capazes de manipular nossas emoções, provocando, segundo sua vontade, ansiedade, ódio, alegria e tédio, a política se tornará um mero circo emocional. Por mais que devamos temer o poder das grandes corporações, a história sugere que não estaríamos necessariamente melhor nas mãos de governos superpoderosos. Neste momento, em março de 2018, eu prefiro dar meus dados a Mark Zuckerberg a dá-los a Vladimir Putin (apesar de o escândalo da Cambridge Analytica ter revelado que dados confiados a Zuckerberg podem acabar nas mãos de Putin).

A propriedade privada de seus próprios dados soa mais atraente do que qualquer dessas opções, mas não está claro o que isso quer dizer. Tivemos milhares de anos de experiência de regulação da propriedade de terra. Sabemos construir uma cerca em torno de um campo, pôr um guarda no portão e controlar quem pode entrar. Nos dois séculos passados nos tornamos extremamente sofisticados em regular a propriedade da indústria — hoje posso comprar ações e ser dono de um pedaço da General Motors e um pedacinho da Toyota. Mas não temos muita experiência em regular a propriedade de dados, que é inerentemente uma tarefa muito mais difícil, porque, ao contrário da terra e de máquinas, os dados estão em toda parte e em parte alguma ao mesmo tempo, podem movimentar-se à velocidade da luz, e podem ser indefinidamente copiados.

Assim, faríamos melhor em invocar juristas, políticos, filósofos e mesmo poetas para que voltem sua atenção para essa charada: como regular a propriedade de dados? Essa talvez seja a questão política mais importante de nossa era. Se não formos capazes de responder a essa pergunta logo, nosso sistema sociopolítico pode entrar em colapso. As pessoas já estão sentindo a chegada do cataclismo. Talvez seja por isso que cidadãos do mundo inteiro estão perdendo a fé na narrativa liberal, que apenas uma década atrás parecia irresistível.

Como, então, avançar a partir daqui, e como lidar com os imensos desafios das revoluções da biotecnologia e da tecnologia da informação? Talvez os mesmos cientistas e empresários responsáveis pelas disrupções do mundo contemporâneo consigam montar alguma solução tecnológica? Por exemplo, será que algoritmos em rede poderão fornecer as estruturas de uma comunidade humana global que poderia ser, coletivamente, dona de todos os dados e supervisionar o futuro desenvolvimento da vida? Quando a desigualdade global só faz crescer e aumentam as tensões em todo o mundo, quem sabe Mark Zuckerberg poderia convocar seus 2 bilhões de amigos para reunir forças e fazer alguma coisa juntos?

PARTE II

O desafio político

A fusão da tecnologia da informação com a biotecnologia ameaça os valores modernos centrais de liberdade e igualdade. Toda solução para o desafio tecnológico deve envolver cooperação global.

Porém o nacionalismo, a religião e a cultura dividem o gênero humano em campos hostis e fazem com que seja muito difícil cooperar no nível global.

5. Comunidade
Os humanos têm corpos

A Califórnia está acostumada com terremotos, mas assim mesmo o tremor político das eleições americanas de 2016 chegou como um choque violento ao Vale do Silício. Ao constatar que eles poderiam ser parte do problema, os magos da computação reagiram fazendo o que os engenheiros fazem melhor: buscaram uma solução técnica. Em nenhum outro lugar a reação foi mais contundente do que na sede do Facebook, em Menlo Park. Isso é compreensível. Como o negócio do Facebook é a rede social, é ele que está mais sintonizado com perturbações sociais.

Após três meses de exame de consciência, em 16 de fevereiro de 2017 Mark Zuckerberg publicou um audacioso manifesto sobre a necessidade de construir uma comunidade global, e sobre o papel do Facebook nesse projeto.[1] Num discurso que pronunciou em seguida, na inauguração da Cúpula de Comunidades, em 2 de junho de 2017, Zuckerberg explicou que as convulsões políticas de nossa época — do desenfreado crescimento do vício em drogas a regimes totalitários sangrentos — resultam em grande medida da desintegração das comunidades humanas. Lamentou o fato de que "durante décadas a participação em todo tipo de grupos tinha diminuído em uma quarta parte. Há muitas pessoas que agora precisam encontrar propósito e apoio em outro lugar".[2] Prometeu que o Facebook iria assumir a liderança na reconstrução dessas comunidades e que seus engenheiros assumiriam o fardo que fora descartado por líderes locais. "Vamos começar a lançar algumas ferramentas", ele disse, "para facilitar a construção de comunidades."

Explicou também que "Demos início a um projeto para ver se melhoramos nossa capacidade de sugerir grupos que serão significativos para vocês. Para isso, começamos a construir inteligência artificial. E funciona. Nos primeiros seis meses, ajudamos um número 50% maior de pessoas a se juntarem a comunidades significativas... Se conseguirmos, isso vai não só reverter todo o declínio na participação em comunidades que estamos vendo há décadas como começar a fortalecer nosso tecido social e fazer o mundo ficar unido". Esse é um objetivo tão importante que Zuckerberg jurou "mudar toda a missão do Facebook para poder assumir esta".[3] Zuckerberg tem razão ao lamentar a desagregação de comunidades humanas. Porém vários meses após ter feito essa promessa, e exatamente quando este livro estava no prelo, o escândalo da Cambridge Analytica revelou que dados que foram confiados ao Facebook tinham sido colhidos por terceiros e usados para manipular eleições em todo o mundo. Isso pôs no ridículo as sublimes promessas de Zuckerberg, e destruiu a confiança do público no Facebook. Só se pode esperar que, antes de empreender a construção de novas comunidades humanas, o Facebook comprometa-se primeiro a proteger a privacidade e a segurança das comunidades existentes.

Entretanto, vale a pena considerar em profundidade a visão comunitária do Facebook, e examinar se, uma vez reforçada a segurança, as redes sociais on-line serão capazes de construir uma comunidade humana global. Mesmo que no século XXI os humanos possam ser elevados à categoria de deuses, em 2018 ainda somos animais da Idade da Pedra. Para podermos florescer precisamos nos basear em comunidades íntimas. Durante milhões de anos, os humanos adaptaram-se a viver em pequenos bandos de não mais de algumas dezenas de pessoas. Mesmo hoje em dia, para a maioria de nós é impossível conhecer de fato mais de 150 indivíduos, não importa quantos amigos no Facebook alardeamos ter.[4] Sem esses grupos, os humanos sentem-se solitários e alienados.

Infelizmente, nos dois séculos passados as comunidades íntimas se desintegraram. A tentativa de substituir grupos pequenos de pessoas que efetivamente se conhecem pelas comunidades imaginárias das nações e dos partidos políticos nunca poderia ter sucesso total. Seus milhões de irmãos na família nacional e seus milhões de camaradas no Partido Comunista não são capazes de lhe dar a cálida intimidade que lhe dão um único irmão de verdade ou um amigo. Consequentemente, as pessoas vivem vidas cada vez mais solitárias num planeta cada vez mais conectado. Muitas das rupturas sociais e políticas de nossa época podem ser atribuídas a esse mal-estar.[5]

A visão de Zuckerberg de reconectar humanos uns com outros é portanto oportuna. Mas palavras custam menos que ações, e para poder implementar essa visão o Facebook pode ter de mudar todo o seu modelo de negócios. É difícil construir uma comunidade global quando você ganha seu dinheiro capturando a atenção das pessoas e a vendendo a anunciantes. Apesar disso, só a disposição de Zuckerberg para formular essa visão já merece elogios. A maior parte das corporações acredita que devia focar-se em ganhar dinheiro, que o governo devia fazer o menos possível, e o gênero humano devia deixar as forças do mercado tomarem por nós as decisões realmente importantes.[6] Daí que, se o Facebook tenciona ter um real compromisso ideológico de construir comunidades humanas, os que temem seu poder não deveriam empurrá-lo de volta para seu casulo corporativo sob gritos de "Grande Irmão!". Em vez disso, deveríamos instar outras corporações, instituições e governos a competir com o Facebook assumindo seus próprios compromissos ideológicos.

É claro que não faltam organizações que lamentam a desagregação das comunidades humanas e esforçam-se por recompô-las. Todo mundo, desde ativistas feministas até fundamentalistas islâmicos, está no negócio da construção de comunidades, e examinaremos alguns desses esforços em capítulos posteriores. O que faz da iniciativa do Facebook única é seu escopo global, seu respaldo corporativo e sua profunda fé na tecnologia. Zuckerberg parece estar convencido de que a nova IA do Facebook é capaz não só de identificar "comunidades significativas" como também de "fortalecer nosso tecido social e fazer o mundo ficar unido". Isso é muito mais ambicioso do que usar a IA para dirigir um carro ou diagnosticar o câncer.

A visão de comunidade do Facebook talvez seja a primeira tentativa explícita de usar IA para engenharia social com planejamento centralizado mas em escala global. Consiste, portanto, num teste importantíssimo. Se tiver sucesso, é provável que vejamos muito mais dessas tentativas, e os algoritmos serão reconhecidos como os novos senhores das redes sociais humanas. Se fracassar, vai revelar as limitações das novas tecnologias — algoritmos podem ser bons para navegação de veículos e para curar doenças, mas, quando se trata de resolver problemas sociais, deveríamos ainda confiar em políticos e sacerdotes.

ON-LINE *VERSUS* OFF-LINE

Em anos recentes o Facebook tem tido espantoso sucesso, e hoje tem mais de 2 bilhões de usuários ativos on-line. Para poder implementar essa nova visão, ele terá de cobrir o abismo que existe entre on-line e off-line. Uma comunidade pode começar como um agrupamento on-line, mas para poder realmente florescer terá de deitar raízes no mundo off-line também. Se um dia algum ditador banir o Facebook de seu país, ou desconectar totalmente o plugue da internet, será que as comunidades vão evaporar, ou se reagruparão para reagir? Serão capazes de organizar uma demonstração sem terem uma comunicação on-line?

Zuckerberg explicou em seu manifesto de fevereiro de 2017 que as comunidades on-line ajudam a fomentar comunidades off-line. Isso às vezes é verdade. Mas em muitos casos o on-line acontece às expensas do off-line, e há uma diferença fundamental entre os dois. Comunidades físicas têm uma profundidade que comunidades virtuais não são capazes de atingir, ao menos não no futuro próximo. Se eu estiver doente de cama em casa, em Israel, meus amigos on-line na Califórnia podem falar comigo, mas não poderão trazer-me sopa ou uma xícara de chá.

Humanos têm corpos. Durante o século passado a tecnologia nos distanciou de nossos corpos. Perdemos a capacidade de dar atenção ao que tem cheiro e gosto. Em vez disso, ficamos absorvidos com nossos smartphones e computadores. Estamos mais interessados no que está acontecendo no ciberespaço do que no que está acontecendo lá embaixo na rua. Está mais fácil do que nunca falar com meu primo na Suíça, mas está mais difícil falar com meu marido no café da manhã, porque ele está constantemente olhando para seu smartphone e não para mim.[7]

No passado, humanos não podiam se dar ao luxo de tal displicência. Nossos ancestrais coletores estavam sempre alertas e atentos. Percorrendo a floresta em busca de cogumelos, observavam o solo buscando qualquer protuberância reveladora. Prestavam atenção ao movimento no capim para saber se não havia uma cobra de tocaia. Quando encontravam um cogumelo comestível, o provavam com a maior atenção para distingui-lo de seus primos venenosos. Os membros das atuais sociedades afluentes não precisam dessa atenção tão apurada. Podemos caminhar pelos corredores de um supermercado enquanto digitamos mensagens, e podemos comprar qualquer um de mil itens de alimentação, todos supervisionados pelas autoridades sanitárias. Porém, o que quer que escolhamos, acabamos comendo diante de uma tela, verificando e-mails ou vendo TV, mal prestando atenção ao gosto.

Zuckerberg diz que o Facebook está comprometido a "continuar aperfeiçoando nossas ferramentas para dar a você o poder de compartilhar suas experiências com os outros".[8] Mas talvez as pessoas precisem mesmo é de ferramentas para se conectarem com suas próprias experiências. Em nome do "compartilhamento de experiências" as pessoas são incentivadas a entender o que está acontecendo com elas em termos de como os outros as veem. Se acontece algo excitante, o instinto dos usuários do Facebook é pegar seus smartphones, tirar uma foto, postá-la on-line e esperar pelas curtidas. No processo, mal percebem o que eles mesmos estão sentindo. Na verdade, o que sentem é cada vez mais determinado pelas reações on-line.

Pessoas separadas de seus corpos, sentidos e entorno físico sentem-se alienadas e desorientadas. Especialistas costumam pôr a culpa por esse sentimento de alienação no declínio de ligações religiosas e nacionais, mas a perda de contato com seu corpo provavelmente seja mais importante. Humanos viveram milhões de anos sem religiões e sem nações — e são capazes de viver felizes sem elas no século XXI também. Mas não são capazes de viver felizes se estiverem desconectados de seus corpos. Se você não se sente em casa dentro de seu corpo, nunca se sentirá em casa dentro do mundo.

Até agora, o modelo de negócio do Facebook estimulou pessoas a passarem cada vez mais tempo on-line mesmo que isso significasse ter menos tempo e energia para dedicar a atividades off-line. Será que é capaz de adotar um novo modelo que estimule as pessoas a ficar on-line apenas quando for realmente necessário, e a dedicar mais atenção a seu entorno físico, a seus próprios corpos e sentidos? O que os acionistas achariam desse modelo? (Um esquema desse modelo alternativo foi sugerido recentemente por Tristan Harris, ex-executivo do Google e filósofo da tecnologia que apresentou uma nova métrica de "tempo bem utilizado".)[9]

As limitações dos relacionamentos on-line também solapam a solução de Zuckerberg para a polarização social. Ele ressalta, com razão, que só conectar pessoas e expô-las a diferentes opiniões não vai ser uma ponte para unir divisões sociais, porque "mostrar a pessoas um artigo com um ponto de vista contrário na verdade aprofunda a polarização, ao enquadrar outros pontos de vista como estranhos". Em vez disso, Zuckerberg sugere que "as melhores soluções para melhorar o discurso podem vir de cada um conhecer o outro como uma pessoa inteira e não só como opiniões — algo para o qual o Facebook talvez seja o único [instrumento] adequado. Se nos conectarmos com pessoas com base no que temos em comum — equipes esportivas, programas de televisão, interesses —, será mais fácil dialogar sobre aquilo de que discordamos".[10]

Porém é dificílimo conhecer o outro como uma pessoa "inteira". Isso leva muito tempo, e exige interação física direta. Como disse antes, o *Homo sapiens* mediano é incapaz de conhecer intimamente mais de 150 indivíduos. No mundo ideal, a construção de comunidades não deveria ser um jogo de soma zero. Humanos podem ser leais a diferentes grupos ao mesmo tempo. Infelizmente, relações íntimas provavelmente são um jogo de soma zero. Passando de um certo ponto, o tempo e a energia que você despende para travar conhecimento com seus amigos on-line do

Irã ou da Nigéria será às expensas de sua disponibilidade para conhecer seus vizinhos de porta.

O teste crucial do Facebook virá quando um engenheiro inventar uma nova ferramenta que fizer as pessoas passarem menos tempo comprando coisas on-line e mais tempo em atividades off-line interessantes com amigos. O Facebook vai adotar ou suprimir uma ferramenta assim? Será que o Facebook vai arriscar mudar sua convicção e privilegiar preocupações sociais em detrimento de interesses financeiros? Se fizer isso — e conseguir evitar a falência — será uma transformação marcante.

Dedicar mais atenção ao mundo off-line do que a seus balanços trimestrais terá consequências também na política do Facebook quanto a impostos. Como Amazon, Google, Apple e vários outros gigantes de tecnologia, o Facebook tem sido acusado de sonegação fiscal.[11] As dificuldades inerentes à taxação de atividades on-line fazem com que seja fácil para essas corporações globais praticar todo tipo de contabilidade criativa. Se você achar que as pessoas vivem principalmente on-line, e que você lhes fornece todas a ferramentas necessárias para sua existência on-line, você pode se considerar um serviço social benéfico, mesmo se evitar pagar impostos para governos off-line. Mas, quando lembrar que os humanos têm corpos, e que portanto precisam de estradas, hospitais e sistemas de esgoto, ficará muito mais difícil justificar a sonegação fiscal. Como exaltar as virtudes da comunidade e ao mesmo tempo recusar-se a dar apoio financeiro aos mais importantes serviços da comunidade?

Só podemos esperar que o Facebook seja capaz de mudar seu modelo de negócio, adotar uma política fiscal mais voltada para o off-line, ajudar a unificar o mundo — e ainda continuar lucrativo. Mas não devemos cultivar expectativas irreais quanto à sua capacidade para concretizar essa visão de uma comunidade global. Historicamente, corporações não foram o veículo ideal para liderar revoluções sociais e políticas. Uma verdadeira revolução cedo ou tarde exigirá sacrifícios que corporações, seus empregados e seus acionistas não querem fazer. É por isso que revolucionários estabelecem igrejas, partidos políticos e exércitos. As assim chamadas revoluções do Facebook e do Twitter no mundo árabe começaram em esperançosas comunidades on-line, mas, quando emergiram no confuso mundo off-line, foram sequestradas por fanáticos religiosos e juntas militares. Se o Facebook tem agora como objetivo instigar uma revolução global, terá de fazer um trabalho muito melhor na criação de uma ponte que atravesse a brecha existente entre o on-line e o off-line. Ele e os outros gigantes on-line tendem a ver os humanos como animais audiovisuais — um par de olhos e um par de orelhas conectados a dez dedos, uma tela e um cartão de crédito. Um passo crucial para a unificação do gênero humano é considerar que humanos têm corpos.

É claro que essa consideração tem desvantagens. A constatação das limitações dos algoritmos on-line pode só instigar os gigantes de tecnologia a estender ainda mais seu alcance. Dispositivos como o Google Glass e jogos como Pokémon Go são projetados para eliminar a distinção entre on-line e off-line, fundindo-os numa única realidade aumentada. Num nível ainda mais profundo, sensores biométricos e interfaces cérebro-computador diretas visam a erodir a fronteira entre máquinas eletrônicas e corpos orgânicos e, literalmente, entrar debaixo de nossa pele. Quando os gigantes de tecnologia adquirirem compreensão completa do corpo humano, poderão acabar manipulando todo o nosso corpo da mesma maneira que manipulam nossos olhos, dedos e cartões de crédito. Talvez venhamos a ter saudade dos bons e velhos tempos em que o on-line era separado do off-line.

6. Civilização
Só existe uma civilização no mundo

Enquanto Mark Zuckerberg sonha em unificar o gênero humano on-line, eventos recentes no mundo off-line parecem dar vida nova à tese do "choque de civilizações". Muitos especialistas, políticos e cidadãos comuns acreditam que a guerra civil na Síria, o surgimento do Estado Islâmico, a confusão do Brexit e a instabilidade da União Europeia resultaram de um choque entre a "Civilização Ocidental" e a "Civilização Islâmica". Tentativas do Ocidente para impor democracia e direitos humanos em nações muçulmanas resultaram numa violenta reação islâmica, e uma onda de imigração muçulmana juntamente com ataques terroristas islâmicos fizeram com que eleitores europeus abandonassem sonhos multiculturais em favor de identidades xenofóbicas locais.

Segundo essa tese, o gênero humano sempre esteve dividido em diversas civilizações cujos membros viam o mundo de maneiras irreconciliáveis. Essas visões de mundo incompatíveis tornam inevitáveis os conflitos entre civilizações. Assim como na natureza espécies diferentes lutam pela sobrevivência de acordo com as impiedosas leis da seleção natural, ao longo da história civilizações têm entrado em choque repetidamente, e apenas a mais bem preparada sobrevivia. Os que ignoram esse triste fato — sejam políticos liberais ou engenheiros com a cabeça nas nuvens — o fazem por sua conta e risco.[1]

A tese do "choque de civilizações" tem implicações políticas profundas. Os que a apoiam argumentam que toda tentativa de reconciliar "o Ocidente" com o "mundo muçulmano" está condenada ao fracasso. Os países muçulmanos nunca adotarão valores ocidentais, e os países ocidentais nunca seriam capazes de absorver com sucesso minorias muçulmanas. De acordo com isso, os Estados Unidos não deveriam admitir imigrantes da Síria ou do Iraque e a União Europeia deveria renunciar a sua falácia multicultural em benefício de uma identidade ocidental desavergonhada. No longo prazo, somente uma civilização é capaz de sobreviver aos implacáveis testes da seleção natural, e, se os burocratas em Bruxelas se recusarem a salvar o Ocidente do perigo islâmico, melhor que a Inglaterra, a Dinamarca ou a França façam isso sozinhas.

Embora muito defendida, essa tese é enganosa. O fundamentalismo islâmico pode de fato representar um desafio radical, porém a "civilização" que ele desafia é uma civilização global e não um fenômeno unicamente ocidental. Não à toa o Estado Islâmico conseguiu se unir contra o Irã e os Estados Unidos. E até mesmo fundamentalistas islâmicos, apesar de suas fantasias medievais, estão calcados na cultura contemporânea global muito mais do que na Arábia do século VII. Eles contribuem para os medos e as esperanças da juventude moderna alienada e não dos camponeses e mercadores medievais. Como alegaram convincentemente Pankaj Mishra e Christopher de Bellaigue, islâmicos radicais têm sido influenciados tanto por Marx e Foucault quanto por Maomé, e herdaram o legado de anarquistas europeus do século XIX tanto quanto o dos califas omíadas e abássidas.[2] É portanto mais correto considerar até mesmo o Estado Islâmico um desdobramento erradio da cultura global que todos compartilhamos, e não um ramo de uma misteriosa árvore alienígena.

Mais importante, a analogia entre história e biologia que sustenta a tese do "choque de civilizações" é falsa. Grupos humanos — desde pequenas tribos até imensas civilizações — são fundamentalmente diferentes de espécies animais, e conflitos históricos diferem em muito de processos de seleção natural. Espécies animais têm identidades objetivas que duram milhares e milhares de gerações. O fato de você ser um chimpanzé ou um gorila depende de seus genes e não de suas crenças, e genes diferentes determinam comportamentos sociais distintos. Chimpanzés vivem em grupos mistos de machos e fêmeas. Eles competem pelo poder formando coalizões de apoiadores de ambos os sexos. Entre os gorilas, em contraste, um único macho dominante estabelece um harém de fêmeas, e comumente expulsa todo macho adulto que possa desafiar sua posição. Chimpanzés não são capazes de adotar a estrutura social dos gorilas; gorilas não são capazes de se organizar como chimpanzés; e até onde sabemos chimpanzés e gorilas têm vivido nos mesmos sistemas sociais não somente em décadas recentes, mas por centenas de milhares de anos.

Não há nada parecido com isso entre humanos. Sim, grupos humanos têm sistemas sociais distintos, mas eles não são determinados geneticamente, e quase nunca duram mais que alguns séculos. Pense nos alemães do século xx, por exemplo. Em menos de cem anos eles se organizaram em seis sistemas diferentes: o Império Hohenzollern, a República de Weimar, o Terceiro Reich, a República Democrática Alemã (também conhecida como Alemanha Oriental, comunista), A República Federal da Alemanha (também conhecida como Alemanha Ocidental), e finalmente a Alemanha reunificada, democrática. É claro que os alemães mantiveram sua língua e seu amor por cerveja e salsicha. Mas existirá alguma essência alemã única que os distingue de todas as outras nações e que se manteve inalterada de Guilherme II até Angela Merkel? E se existir, será que também estava lá mil ou 5 mil anos atrás?

O Preâmbulo da Constituição Europeia (não ratificado) começa declarando que se inspira "na herança cultural, religiosa e humanista da Europa, da qual desenvolveram-se os valores universais dos invioláveis e inalienáveis direitos da pessoa humana, da democracia, da igualdade, da liberdade do estado de direito".[3] Isso poderia dar a impressão de que a civilização europeia é definida pelos valores dos direitos humanos, da democracia, da igualdade e da liberdade. Incontáveis discursos e documentos traçam uma linha direta da antiga democracia ateniense até a atual União Europeia, celebrando 2,5 mil anos de liberdade e democracia europeias. Isso faz lembrar a parábola do homem cego que apalpa a cauda de um elefante e chega à conclusão de que o elefante é uma espécie de pincel. Sim, ideias democráticas têm sido parte da cultura Europeia durante séculos, mas nunca constituíram o todo. Apesar de toda sua glória e influência, a democracia ateniense foi um experimento ambíguo que mal sobreviveu duzentos anos num pequeno canto dos Bálcãs. Se o que definiu a civilização europeia nos últimos 25 anos foi a democracia e os direitos humanos, onde entram Esparta e Júlio César, os cruzados e os conquistadores, a Inquisição e o comércio de escravos, Luís XIV e Napoleão, Hitler e Stálin? Foram todos intrusos de alguma civilização estrangeira?

Na verdade, a civilização europeia é tudo aquilo que os europeus fizeram dela, assim como o cristianismo é tudo o que os cristãos fizeram dele, o Islã é tudo o que os muçulmanos fizeram dele, e o judaísmo é tudo o que os judeus fizeram dele. E eles fizeram disso coisas notavelmente diferentes ao longo de séculos. Grupos humanos se definem mais pelas mudanças por que passam do que pela continuidade, mas ainda assim eles conseguem criar para si mesmos identidades antigas graças a seu talento para contar histórias. Não importa quais revoluções experimentem, normalmente são capazes de tecer o antigo e o novo numa trama única.

Até mesmo um indivíduo pode entretecer mudanças pessoais radicais numa narrativa de vida coerente e poderosa: "Eu sou aquela pessoa que já foi socialista, mas depois se tornou capitalista; nasci na França e agora vivo nos Estados Unidos; eu era casado e depois me divorciei; eu tive câncer, e depois me curei". Da mesma forma, um grupo humano, como os alemães, pode vir a se definir pelas grandes mudanças pelas quais passou: "Fomos nazistas, mas aprendemos nossa lição e agora somos democratas pacifistas". Não precisamos procurar alguma essência alemã única que se tenha manifestado primeiro em Guilherme II, depois em Hitler, e finalmente em Merkel. Essas transformações radicais são exatamente o que define a identidade alemã. Ser alemão em 2018 quer dizer estar vinculado ao difícil legado do nazismo e defender valores liberais e democráticos. Ninguém sabe o que significará em 2050.

As pessoas com frequência se recusam a ver essas mudanças, principalmente quando isso atinge valores políticos e religiosos centrais. Insistimos em que nossos valores são um precioso legado de antigos ancestrais. A única coisa que nos permite dizer isso é o fato de nossos ancestrais estarem mortos há muito tempo e não poderem falar por si mesmos. Considere-se, por exemplo, as atitudes judaicas em relação às mulheres. Atualmente judeus ultraortodoxos banem imagens de mulheres da esfera pública. Outdoors e anúncios dirigidos a judeus ultraortodoxos exibem apenas homens e meninos — nunca mulheres e meninas.[4]

Em 2011 um escândalo irrompeu quando um jornal ultraortodoxo do Brooklyn, *Di Tzeitung*, publicou uma foto de membros do governo norte-americano assistindo à operação de captura de Osama bin Laden — mas apagou digitalmente todas as mulheres da foto, incluindo a secretária de Estado Hillary Clinton. O jornal explicou que fora obrigado a fazer isso devido às "leis de recato" judaicas. Escândalo semelhante aconteceu quando o jornal *HaMevasser* removeu Angela Merkel da fotografia de uma manifestação contra o massacre do jornal francês *Charlie Hebdo*, para que sua imagem não despertasse quaisquer pensamentos libidinosos nas mentes de leitores religiosos. O editor de um terceiro jornal ultraortodoxo, *Hamodia*, defendeu essa política explicando: "Estamos fundamentados em milhares de anos de tradição judaica".[5]

Em nenhum lugar a proibição de olhar para mulheres é mais rigorosa do que numa sinagoga. Nas sinagogas ortodoxas as mulheres são cuidadosamente segregadas dos homens, e têm de se ocultar atrás de uma cortina, de modo que nenhum homem veja acidentalmente o vulto de uma mulher enquanto ele pronuncia suas preces ou lê as escrituras. Embora isso se baseie em milhares de anos de tradição judaica e em leis divinas imutáveis, como explicar o fato de que quando arqueólogos escavaram em Israel sinagogas antigas do tempo da Mishná e do Talmude não encontraram sinal de segregação de gênero, e em vez disso descobriram belos chãos de mosaico e pinturas em paredes que retratam mulheres, algumas delas bem pouco vestidas? Os sábios que escreveram a Mishná e o Talmude oravam e estudavam regularmente nessas sinagogas, porém os atuais judeus ortodoxos as considerariam blasfemas profanações de antigas tradições.[6]

Distorções semelhantes caracterizam todas as religiões. O Estado Islâmico vangloria-se de ter se revertido à versão pura e original do Islã, porém escolhem muito discretamente quais textos citar e quais ignorar, e como interpretá-los. Na verdade, sua atitude faça-você-mesmo na interpretação de textos sagrados é em si mesma muito moderna. Segundo a tradição, a interpretação era monopólio dos *ulama* — eruditos que estudavam a lei e a teologia muçulmanas em instituições respeitáveis, como Al-Azhar, no Cairo. Poucos líderes do Estado Islâmico apresentam tais credenciais, e os mais respeitados *ulama* consideram Abu Bakr al-Baghdadi e os de sua laia criminosos e ignorantes.[7]

Isso não quer dizer que o Estado Islâmico seja "não islâmico" ou "anti-islâmico", como alegam algumas pessoas. É particularmente irônico que líderes cristãos como Barack Obama tenham a temeridade de dizer a muçulmanos autoproclamados, como Abu Bakr al-Baghdadi, o que significa ser muçulmano.[8] A acalorada discussão sobre a verdadeira essência do Islã é simplesmente irrelevante. O Islã não tem um DNA fixo. O Islã é aquilo que os muçulmanos fizerem dele.[9]

ALEMÃES E GORILAS

Há uma diferença ainda mais profunda que distingue grupos humanos de espécies animais. Espécies frequentemente se dividem, mas nunca se fundem. Chimpanzés e gorilas têm ancestrais comuns, que remontam a 7 milhões de anos atrás. Essa única espécie ancestral dividiu-se em duas populações que depois seguiram seus caminhos evolutivos separados. Uma vez que isso aconteceu, não havia caminho de volta. Como indivíduos que pertencem a espécies diferentes não são capazes de produzir juntos uma descendência fértil, espécies nunca se fundem. Gorilas não podem se fundir com chimpanzés, girafas não podem se fundir com elefantes, e cães não podem se fundir com gatos.

Tribos humanas, em contraste, tendem a se aglutinar com o tempo em grupos cada vez maiores. Os alemães modernos surgiram da fusão de saxões, prussianos, suábios e bávaros, que não faz muito tempo não tinham muito amor uns pelos outros. Diz-se que Otto von Bismarck observou (depois de ler *A origem das es-*

pécies, de Darwin) que os bávaros são o elo perdido entre o austríaco e o humano.[10] Os franceses surgiram da fusão de francos, normandos, bretões, gascões e provençais. Enquanto isso, no outro lado do canal, ingleses, escoceses, galeses e irlandeses aos poucos foram se agregando (voluntariamente ou não) para formar os britânicos. Num futuro não muito distante, alemães, franceses e britânicos ainda poderiam se fundir em europeus.

Fusões nem sempre duram, como atualmente sabem muito bem as pessoas em Londres, Edimburgo e Bruxelas. O Brexit pode muito bem dar início ao desmantelamento simultâneo do Reino Unido e da União Europeia. Mas, no longo prazo, a direção da história está definida. Dez mil anos atrás o gênero humano estava dividido em incontáveis tribos isoladas. A cada milênio que passava, elas se fundiam em grupos cada vez maiores, criando cada vez menos civilizações distintas. Nas gerações recentes as poucas civilizações remanescentes têm se mesclado numa única civilização global. As divisões políticas, étnicas, culturais e econômicas persistem, mas elas não minam a unidade fundamental. Na verdade, algumas divisões só se tornam possíveis devido a uma estrutura comum que prevalece sobre tudo. Na economia, por exemplo, a divisão do trabalho não pode ter êxito a menos que todos compartilhem um mercado único. Um país não pode se especializar na produção de carros ou petróleo a menos que possa comprar alimentos de outros países produtores de trigo e arroz.

O processo de unificação humana tem assumido duas formas: o estabelecimento de ligações entre grupos distintos e a homogeneização de práticas em todos os grupos. Podem-se formar ligações até mesmo entre grupos que continuam a se comportar de modos muitos diferentes. Na verdade, podem-se formar ligações até entre inimigos jurados. A própria guerra pode gerar algumas das mais fortes de todas as ligações humanas. Historiadores alegam frequentemente que a globalização atingiu um primeiro pico em 1913, depois entrou em longo declínio durante a época das guerras mundiais e da Guerra Fria, e só se recuperou após 1989.[11] Isso pode valer para a globalização econômica, porém ignora a dinâmica de globalização militar, igualmente importante. A guerra difunde ideias, tecnologias e pessoas muito mais rápido que o comércio. Em 1918 os Estados Unidos estavam mais estreitamente ligados à Europa do que em 1913, se afastaram nos anos entre guerras, e tiveram seus destinos entrelaçados inextricavelmente pela Segunda Guerra Mundial e pela Guerra Fria.

A guerra também faz as pessoas ficarem muito mais interessadas umas nas outras. Os Estados Unidos nunca tinham estado em contato tão próximo com a Rússia como durante a Guerra Fria, quando cada tosse num corredor de Moscou causava pânico em Washington. As pessoas se importam muito mais com seus inimigos do que com parceiros comerciais. Para cada filme americano sobre Taiwan, provavelmente há cinquenta sobre o Vietnã.

OS JOGOS OLÍMPICOS MEDIEVAIS

O mundo do início do século XXI foi muito longe na formação de ligações entre diferentes grupos. Pessoas em todo o mundo não só estão em contato umas com as outras como compartilham cada vez mais crenças e práticas idênticas. Mil anos atrás, a Terra era terreno fértil para dezenas de modelos políticos diferentes. Na Europa era possível encontrar principados feudais competindo com cidades-Estados independentes e minúsculas teocracias. O mundo muçulmano tinha seu califado, que reivindicava soberania universal, mas também fez experiências com reinos, sultanatos e emirados. Os impérios chineses acreditavam ser a única entidade política legítima, enquanto as confederações tribais a norte e oeste lutavam entre si jubilosamente. A Índia e o sudeste da Ásia continham um caleidoscópio de regimes, enquanto os regimes políticos na América, África e Australásia iam desde pequenos bandos de caçadores-coletores até extensos impérios. Não é de admirar que mesmo grupos humanos vizinhos tinham dificuldade em concordar quanto a procedimentos diplomáticos comuns, muito menos quanto a leis internacionais. Cada sociedade tinha seu próprio paradigma político, e achava difícil compreender e respeitar conceitos políticos estrangeiros.

Hoje, em contraste, um único paradigma político é aceito em toda parte. O planeta está dividido em cerca de duzentos Estados soberanos, que geralmente concordam com os mesmos protocolos diplomáticos e leis internacionais comuns. A Suécia, a Nigéria, a Tailândia e o Brasil aparecem em nosso atlas com a mesma cor; são todos membros da ONU; e malgrado miríades de diferenças todos são reconhecidos como Estados soberanos que desfrutam de direitos e privilégios semelhantes. De fato, eles compartilham muitas ideias e práticas políticas, inclusive pelo menos a crença simbólica em corpos representativos, partidos políticos, sufrágio universal e direitos humanos. Há parlamentos em Teerã, Moscou, Cidade do Cabo e Nova Delhi, bem como em Londres e Paris. Enquanto israelenses e palestinos, russos e ucranianos, curdos e turcos competem pelos favores da opinião pública global, todos usam o mesmo discurso de direitos humanos, soberania de Estado e lei internacional.

O mundo pode estar salpicado de vários tipos de "Estados falidos", mas só conhece um paradigma para um Estado bem-sucedido. A política global segue assim o princípio de Anna Kariênina: Estados bem-sucedidos são todos parecidos, mas cada Estado falido entra em falência a seu próprio modo, ao lhe faltar este ou aquele ingrediente do pacote político dominante. O Estado Islâmico destacou-se recentemente pela rejeição total desse pacote, e em sua tentativa de estabelecer um tipo diferente de entidade política — um califado universal. Mas justamente por esse motivo fracassou. Numerosas forças de guerrilha e organizações terroristas conseguiram estabelecer novos países ou conquistar países existentes. Mas sempre fizeram isso aceitando os princípios fundamentais da ordem política global. Até mesmo o Talibã buscou reconhecimento internacional como o governo legítimo do país soberano do Afeganistão. Até agora, nenhum grupo que rejeita os princípios da política global obteve controle duradouro de qualquer território significativo.

A força do paradigma político global pode talvez ser melhor apreciada considerando-se não as questões políticas centrais da guerra e da diplomacia, e sim algo como os Jogos Olímpicos de 2016 no Rio. Reflita por um momento no modo como os Jogos foram organizados. Os 11 mil atletas estavam agrupados em delegações por nacionalidade e não por religião, classe ou língua. Não havia uma delegação budista, uma delegação proletária ou uma delegação da língua inglesa. Exceto em alguns poucos casos — mais notavelmente Taiwan e Palestina —, a determinação da nacionalidade dos atletas era uma questão simples.

Na cerimônia de abertura, em 5 de agosto de 2016, os atletas marcharam em grupos, cada grupo portando sua bandeira nacional. Sempre que Michael Phelps ganhava mais uma medalha de ouro, a bandeira americana era erguida ao som do hino nacional americano. Quando Emilie Andéol ganhou a medalha de ouro no judô, a bandeira tricolor francesa foi hasteada e tocou-se *A Marselhesa*.

Muito convenientemente, cada país no mundo tem um hino que segue o mesmo modelo universal. Quase todos os hinos são peças orquestrais com alguns minutos de duração, e não uma cantoria de vinte minutos que só pode ser interpretada por uma casta hereditária especial de sacerdotes. Até mesmo países como Arábia Saudita, Paquistão e Congo adotaram convenções musicais ocidentais em seus hinos. A maioria deles soa como algo composto por um Beethoven pouco inspirado. (Você poderia passar uma noite com amigos ouvindo os vários hinos no YouTube e tentando adivinhar de que país é cada um.) Mesmo as letras são quase as mesmas no mundo todo, indicando conceitos comuns quanto a política e lealdade de grupo. Por exemplo, a que nação você acha que pertence o hino seguinte (só troquei o nome do país pelo genérico "Meu país"):

Meu país, minha pátria
A terra em que derramei meu sangue,
É lá que me posto
Para ser o guardião de minha pátria.
Meu país, minha nação,
Meu povo e minha pátria,
Proclamemos
"Una-se meu país!"
Vida longa a minha terra, vida longa a meu Estado,
Minha nação, minha pátria, em sua inteireza.
Construa sua alma, desperte seu corpo,
De meu grande país!
Meu grande país, independente e livre
Meu lar e meu país que eu amo.
Meu grande país, independente e livre,
Longa vida a meu grande país!

A resposta é Indonésia. Mas você ficaria surpreso se eu lhe dissesse que a resposta era na verdade Polônia, Nigéria ou Peru?

Bandeiras nacionais exibem a mesma enfadonha conformidade. Com uma única exceção, todas as bandeiras são peças retangulares de pano e apresentam um repertório extremamente limitado de cores, listras e formas geométricas. O Nepal é a estranha exceção, com uma bandeira que consiste em dois triângulos. (Mas nunca obteve uma medalha olímpica.) A bandeira indonésia consiste numa faixa vermelha acima de uma faixa branca. A bandeira polonesa exibe uma faixa branca acima de uma faixa vermelha. A bandeira de Mônaco é idêntica à da Indonésia. Uma pessoa daltônica dificilmente seria capaz de dizer qual é a diferença entre as bandeiras da Bélgica, do Chade, da Costa do Marfim, França, Guiné, Irlanda, Itália, do Mali e da Romênia — todas têm três faixas verticais de várias cores.

Alguns desses países estiveram envolvidos em guerras cruéis uns com os outros, mas durante o tumultuado século xx apenas três Jogos Olímpicos foram cancelados devido a guerras (em 1916, 1940 e 1944). Em 1980 os Estados Unidos e alguns de seus aliados boicotaram os Jogos Olímpicos de Moscou, em 1984 o bloco soviético boicotou os Jogos de Los Angeles, e em diversas outras ocasiões os Jogos estiveram no centro de uma tempestade política (mais notavelmente em 1936, quando a Berlim nazista sediou os Jogos, e em 1972, quando terroristas palestinos massacraram a delegação israelense nas Olimpíadas de Munique). Porém, no todo, controvérsias políticas não fizeram o projeto olímpico descarrilar.

Recuemos agora mil anos. Suponha que você quisesse realizar os Jogos Olímpicos Medievais no Rio, em 1016. Esqueça o fato de que então o Rio era uma pequena aldeia de índios tupis,[12] e que asiáticos, africanos e europeus nem sequer tinham conhecimento da existência da América. Esqueça os problemas logísticos de trazer todos os melhores atletas do mundo para o Rio quando não havia aviões. Esqueça também que eram poucos os esportes praticados em todo o mundo, e, mesmo que todos os humanos fossem capazes de correr, nem todos seriam capazes de concordar com as mesmas regras para uma corrida. Apenas se pergunte como agrupar as delegações de competidores. Atualmente o Comitê

Olímpico Internacional passa incontáveis horas discutindo as questões de Taiwan e da Palestina. Multiplique isso por 10 mil para fazer uma estimativa do número de horas que teria de dedicar à política nas Olimpíadas Medievais.

Para começar, em 1016 o Império Song chinês não reconhecia nenhuma entidade política na Terra como sua igual. Seria portanto uma humilhação impensável dar à sua delegação olímpica o mesmo status atribuído às delegações do reino coreano de Korio ou do reino vietnamita do Dai Co Viet — sem falar das delegações de bárbaros primitivos de além-mar.

O califa em Bagdá também reivindicava soberania universal, e a maioria dos muçulmanos sunitas o reconhecia como líder supremo. Em termos práticos, no entanto, o califa mal governava a cidade de Bagdá. Assim, será que todos os atletas sunitas fariam parte de uma única delegação do califado, ou se dividiriam em dezenas de delegações dos numerosos emirados e sultanatos do mundo sunita? Mas por que ficar nos emirados e sultanatos? O deserto da Arábia estava cheio de tribos beduínas livres, que não reconheciam um soberano além de Alá. Estaria cada uma autorizada a enviar uma delegação independente para competir em tiro com arco ou corrida de camelos? A Europa lhe daria um bom número de dores de cabeça. Será que um atleta da cidade de normanda de Ivry competiria sob a bandeira do condado local de Ivry, de seu senhor o duque da Normandia, ou talvez do débil rei de França?

Muitas dessas entidades políticas apareceram e desapareceram numa questão de anos. Enquanto você estivesse preparando os Jogos Olímpicos de 1016, não poderia saber antecipadamente quais delegações iriam se apresentar, porque ninguém podia ter certeza de quais entidades políticas ainda existiriam no ano seguinte. Se o reino da Inglaterra tivesse enviado uma delegação aos Jogos de 1016, quando os atletas voltassem para casa com suas medalhas descobririam que os dinamarqueses tinham acabado de capturar Londres, e que a Inglaterra estava sendo absorvida pelo Império do rei Canuto, o Grande, no mar do Norte, junto com a Dinamarca, a Noruega e partes da Suécia. Dentro de mais vinte anos, esse império se desintegrou, mas trinta anos depois a Inglaterra foi novamente conquistada, pelo duque da Normandia.

Não é necessário lembrar que a vasta maioria dessas efêmeras entidades políticas não tinha um hino para tocar nem uma bandeira para hastear. Símbolos políticos eram de grande importância, é claro, mas a linguagem simbólica da política europeia era diferente das linguagens simbólicas da política indonésia, chinesa ou tupi. Chegar a um acordo quanto a um protocolo comum para assinalar uma vitória teria sido praticamente impossível.

Assim, quando você assistir aos Jogos de Tóquio, em 2020, lembre-se de que o que parece ser uma competição entre nações é na verdade um acordo global impressionante. Com todo o orgulho nacional que as pessoas sentem quando sua delegação ganha uma medalha de ouro e sua bandeira é alçada, existe motivo ainda maior para sentir orgulho de a humanidade ser capaz de organizar um evento assim.

UM DÓLAR PARA GOVERNAR A TODOS

Em tempos pré-modernos os humanos experimentaram não somente diversos sistemas políticos, mas também uma espantosa variedade de modelos econômicos. Boiardos russos, marajás indianos, mandarins chineses e caciques de tribos ameríndias tinham ideias muito diferentes sobre dinheiro, comércio, impostos e emprego. Hoje em dia, em contraste, quase todo mundo acredita em pequenas variações sobre o mesmo tema capitalista, e somos engrenagens de uma única linha de produção global. Quer você viva no Congo ou na Mongólia, na Nova Zelândia ou na Bolívia, suas rotinas diárias e fortunas econômicas dependem das mesmas teorias econômicas, das mesmas corporações e dos mesmos bancos, e das mesmas correntes de capital. Se os ministros da Fazenda de Israel e do Irã se encontrassem num almoço, eles teriam uma linguagem econômica comum e poderiam facilmente compartilhar suas agruras.

Quando o Estado Islâmico conquistou grande parte da Síria e do Iraque, assassinou dezenas de milhares de pessoas, demoliu sítios arqueológicos, derrubou estátuas e destruiu sistematicamente os símbolos dos regimes anteriores e da influência cultural do Ocidente.[13] Mas quando seus combatentes entraram nos bancos locais e encontraram esconderijos com dólares americanos com rostos de presidentes americanos e frases em inglês louvando ideais políticos e religiosos americanos, não queimaram esses símbolos do imperialismo americano. Pois a cédula de dólar é universalmente venerada por todos os segmentos políticos e religiosos. Embora não tenha um valor intrínseco — não se pode comer ou beber uma nota de dólar —, a confiança no dólar e na sensatez do Federal Reserve é tão firme que é compartilhada até mesmo por fundamentalistas islâmicos, traficantes mexicanos e tiranos norte-coreanos.

Porém a homogeneidade contemporânea é mais evidente quando se trata de nossa maneira de ver o mundo natural e do corpo humano. Se você ficasse doente mil anos atrás, importava muito o lugar onde vivia. Na Europa, o sacerdote local provavelmente lhe diria que você tinha irritado Deus, e que para recobrar a saúde deveria fazer um donativo à Igreja, uma peregrinação a um lugar sagrado e rezar fervorosamente por perdão. Ou então a bruxa da aldeia poderia explicar que você estava sob a possessão de um demônio e que ela poderia expulsar o demônio por meio de uma canção, uma dança e o sangue de um galo preto.

No Oriente Médio, médicos formados nas tradições clássicas poderiam explicar que seus quatro humores corporais estavam desequilibrados, e você deveria harmonizá-los com uma dieta adequada e poções fedidas. Na Índia, especialistas aiurvédicos apresentariam suas próprias teorias sobre os três elementos corporais conhecidos como *doshas* e recomendariam um tratamento de ervas, massagens e posições de ioga. Médicos chineses, xamãs siberianos, médicos feiticeiros africanos, curandeiros ameríndios — todo império, reino e tribo tinha suas próprias tradições e seus especialistas, cada um adotando uma visão diferente do corpo humano e da natureza da doença, cada um oferecendo seu próprio manancial de rituais, preparados e curas. Alguns deles trabalhavam surpreendentemente bem, enquanto outros eram quase uma sentença de morte. A única coisa que unia práticas médicas europeias, chinesas, africanas ou americanas era que em toda parte no mínimo um terço das crianças morriam antes de se tornarem adultas, e a expectativa de vida média era bem abaixo dos cinquenta anos.[14]

Hoje, se você adoecer, faz muito menos diferença o lugar onde vive. Em Toronto, Tóquio, Teerã ou Tel Aviv, será levado a hospitais parecidos, onde vai encontrar médicos com aventais brancos que aprenderam as mesmas teorias científicas nas mesmas faculdades de medicina. Seguirão protocolos idênticos e farão exames idênticos para chegar a diagnósticos muito semelhantes. Esses médicos vão prescrever os mesmos remédios produzidos pelas mesmas companhias farmacêuticas internacionais. Ainda há pequenas diferenças culturais, mas os médicos canadenses, japoneses, iranianos e israelenses têm quase os mesmos conceitos sobre o corpo humano e as doenças. Quando o Estado Islâmico capturou Raqqa e Mossul, não destruiu os hospitais locais. Ao contrário, lançou um apelo a médicos e enfermeiras muçulmanos em todo o mundo para irem prestar serviço como voluntários.[15]

Ao que tudo indica, até mesmo médicos e enfermeiras islâmicos acreditam que o corpo é formado por células, que doenças são causadas por patógenos e que antibióticos matam bactérias.

E de que são feitas essas células e bactérias? Na verdade, de que é feito o mundo? Mil anos atrás toda cultura tinha sua própria narrativa sobre o universo, e sobre os ingredientes fundamentais da sopa cósmica. Hoje, pessoas instruídas em todo o mundo acreditam nas mesmas coisas quanto a matéria, energia, tempo e espaço. Tome, por exemplo, os programas nucleares iraniano e norte-coreano. O problema é que os iranianos e os norte-coreanos têm exatamente a mesma visão da física que têm os israelenses e os americanos. Se iranianos e norte-coreanos acreditassem que $E = mc^4$, Israel e Estados Unidos não precisariam se incomodar nem um pouco com seus programas nucleares.

As pessoas ainda têm religiões e identidades nacionais diferentes. Mas quando se trata de coisas práticas — como construir um Estado, uma economia, um hospital ou uma bomba — quase todos nós pertencemos à mesma civilização. Há discórdia, sem dúvida, mas todas as civilizações têm suas disputas internas. Na verdade, elas são definidas por essas disputas. Ao tentar resumir sua identidade, frequentemente as pessoas fazem uma espécie de lista de traços comuns. É um erro. Estariam mais bem servidas se fizessem uma lista de conflitos e dilemas comuns. Por exemplo, em 1618 a Europa não tinha uma única identidade religiosa — era definida por conflito religioso. Ser um europeu em 1618 significava estar obcecado por pequenas diferenças doutrinárias entre católicos e protestantes, ou entre calvinistas e luteranos, e estar disposto a matar e ser morto por causa dessas diferenças. Se um ser humano em 1618 não se incomodasse com conflitos religiosos, essa pessoa talvez fosse turca ou hindu, mas certamente não era europeia.

Da mesma forma, em 1940 a Inglaterra e a Alemanha tinham valores políticos muito diferentes, mas ambas eram parte da "civilização europeia". Hitler não era menos europeu que Churchill. Ao contrário, a luta entre eles definia o que significava ser europeu naquela conjuntura particular na história. Em contraste, um caçador-coletor !kung em 1940 não era europeu porque o embate interno na Europa sobre raça e império faria pouco sentido para ele.

As pessoas com quem brigamos mais frequentemente são membros de nossa própria família. A identidade é definida mais por conflitos e dilemas do que por concordâncias. O que significa ser europeu em 2018? Não significa ter pele branca, acreditar em Jesus Cristo ou preservar a liberdade, e sim discutir veementemente sobre imigração, sobre a União Europeia e sobre os limites do capitalismo. Significa também perguntar a si mesmo obsessivamente "o que define minha identidade?" e preocupar-se com uma população cada vez mais idosa, o consumismo galopante e o aquecimento global. Em seus conflitos e dilemas, os europeus do século XXI são diferentes de seus ancestrais de 1618 e 1940, mas cada vez mais semelhantes a seus parceiros comerciais chineses e indianos.

Sejam quais forem as mudanças que nos esperam no futuro, elas provavelmente envolverão uma luta fraternal dentro de uma única civilização e não um embate entre civilizações estranhas. Os grandes desafios do século XXI serão de natureza global. O que acontecerá quando a mudança climática provocar catástrofes ecológicas? O que acontecerá quando computadores sobrepujarem os humanos em uma quantidade cada vez maior de tarefas, e os substituírem em um número cada vez maior de empregos? O que vai acontecer quando a biotecnologia nos permitir aprimorar os humanos e estender a duração da vida? Sem dúvida teremos enormes discussões e conflitos amargos quanto a essas questões. Mas não é provável que essas discussões e esses conflitos nos isolem uns dos outros. Exatamente o contrário. Eles nos tornarão mais interdependentes. Embora o gênero humano esteja longe de constituir uma comunidade harmoniosa, somos todos membros de uma única e conflituosa civilização global.

Como explicar, então, a onda nacionalista que varre a maior parte do mundo? Talvez em nosso entusiasmo pela globalização tenhamos sido apressados demais ao desconsiderar as boas e velhas nações? Poderia a volta ao nacionalismo tradicional ser a solução para nossa desesperada crise global? Se a globalização traz com ela tantos problemas — por que não simplesmente abandoná-la?

7. Nacionalismo
Problemas globais exigem respostas globais

Dado que o gênero humano constitui agora uma única civilização, todos os povos compartilhando desafios e oportunidades comuns, por que britânicos, americanos, russos e diversos outros grupos voltam-se para o isolamento nacionalista? Será que o retorno ao nacionalismo oferece soluções reais para os problemas inéditos de nosso mundo global, ou é uma indulgência escapista que pode condenar o gênero humano e a biosfera à catástrofe?

Para responder a essa pergunta devemos primeiro dissipar um mito muito difundido. Ao contrário do que diz o senso comum, o nacionalismo não é inato à psique humana e não tem raízes biológicas. É verdade que os humanos são animais integralmente sociais, e a lealdade ao grupo está impressa em seus genes. No entanto, por centenas de milhares de anos o *Homo sapiens* e seus ancestrais hominídeos viveram em comunidades pequenas e íntimas, com não mais que algumas dezenas de pessoas. Humanos desenvolvem facilmente lealdade a grupos pequenos e íntimos como a tribo, um batalhão de infantaria ou um negócio familiar, mas a lealdade a milhões de pessoas totalmente estranhas não é natural para humanos. Essas lealdades em massa só apareceram nos últimos poucos milhares de anos — em termos evolutivos, ontem de manhã — e exigem imensos esforços de construção social.

As pessoas se deram ao trabalho de construir coletividades nacionais porque se confrontavam com desafios que não podiam ser resolvidos por uma única tribo. Tomem-se, por exemplo, as antigas tribos que viviam ao longo do rio Nilo milhares de anos atrás. O rio era sua força vital. Ele irrigava os campos e transportava o comércio. Mas era um aliado imprevisível. Se havia pouca chuva, as pessoas morriam de fome; se havia chuva demais, o rio transbordava e destruía aldeias inteiras. Nenhuma tribo poderia resolver sozinha seus problemas, porque cada tribo só dominava uma pequena seção do rio e não poderia mobilizar mais do que poucas centenas de trabalhadores. Somente um esforço comum para construir enormes barragens e cavar centenas de quilômetros de canais poderia conter e controlar o poderoso rio. Esse foi um dos motivos pelos quais as tribos aos poucos coalesceram numa única nação que teve o poder de construir barragens e canais, regular o fluxo do rio, construir reservatórios de grãos para os anos magros e estabelecer um sistema de transporte e comunicação abrangendo todo o país.

Apesar dessas vantagens, transformar tribos e clãs em uma única nação nunca foi fácil, em tempos passados ou hoje em dia. Para se dar conta de como é difícil identificar-se com essa nação, você só precisa se perguntar: "Eu conheço essas pessoas?". Sei o nome de minhas duas irmãs e de meus onze primos, e sou capaz de falar um dia inteiro sobre suas personalidades, seus caprichos e seus relacionamentos. Não sei o nome das 8 milhões de pessoas que compartilham comigo a cidadania israelense, nunca me encontrei com a maioria delas, e é muito pouco provável que as encontre no futuro. Minha capacidade de, apesar disso, sentir que sou leal a essa massa nebulosa não é um legado de meus ancestrais caçadores-coletores, e sim um milagre da história recente. Um biólogo marciano que conhecesse apenas a anatomia e a evolução do *Homo sapiens* seria incapaz de adivinhar que esses macacos são capazes de desenvolver laços comunitários com milhões de estranhos. Para convencer-me a ser leal a "Israel" e seus 8 milhões de habitantes, o movimento sionista e o Estado israelense tiveram de criar um gigantesco aparelho de educação, propaganda e patriotismo, assim como sistemas nacionais de segurança, saúde e bem-estar social.

Isso não quer dizer que haja algo de errado com vínculos nacionais. Sistemas imensos não são capazes de funcionar sem lealdades de massa, e expandir o círculo de empatia humana tem seus méritos. As formas mais amenas de patriotismo têm estado entre as mais benevolentes criações humanas. Acreditar que minha nação é única, que ela merece minha lealdade e que eu tenho obrigações especiais com seus membros inspira-me a me importar com os outros e a fazer sacrifícios por eles. É perigoso acreditar que sem nacionalismos estaríamos todos vivendo em paraísos liberais. Mais provavelmente, estaríamos vivendo num caos tribal. Países pacíficos, prósperos e liberais, como a Suécia, a Alemanha e a Suíça, cultivam todos um forte senso de nacionalismo. A lista de países aos quais faltam ligações nacionais robustas inclui o Afeganistão, a Somália, o Congo e muitos outros Estados falidos.[1]

O problema começa quando o patriotismo benigno se transforma em ultranacionalismo chauvinista. Em vez de acreditar que minha nação é única — o que é verdadeiro para todas as nações —, eu poderia começar a sentir que minha nação é suprema, que devo a ela toda a minha lealdade e que não tenho obrigações relevantes com mais ninguém. Esse é um terreno fértil para conflitos violentos. Durante gerações a crítica mais básica ao nacionalismo era que ele levava à guerra. Mas a constatação de que havia relação entre nacionalismo e violência dificilmente era capaz de conter os excessos nacionalistas, particularmente quando toda nação justificava sua própria expansão militar alegando a necessidade de se proteger contra as armações de seus vizinhos. Enquanto a nação provia a maior parte de seus cidadãos com níveis inéditos de segurança e prosperidade, eles estavam dispostos a pagar o preço com sangue. No século XIX e início do século XX esse compromisso nacionalista ainda parecia muito atraente. Embora o nacionalismo estivesse levando a terríveis conflitos numa escala sem precedente, os Estados-nação modernos também construíam sistemas robustos de saúde, educação e bem-estar social. Os serviços nacionais de saúde faziam com que as batalhas de Ipres e de Verdun parecessem ter valido a pena.

Tudo mudou em 1945. A invenção de armas nucleares abalou fortemente o equilíbrio do arranjo nacionalista. Depois de Hiroshima, as pessoas não temiam que o nacionalismo pudesse levar meramente à guerra — começaram a temer que levaria a uma guerra *nuclear*. A aniquilação total serviu para aguçar a mente das pessoas, e graças, não em pequena medida, à bomba atômica, o impossível aconteceu e o gênio do nacionalismo foi espremido, ao menos em parte, de volta para sua garrafa. Assim como os antigos aldeões da bacia do Nilo redirecionaram parte de sua lealdade dos clãs locais para um reino muito maior capaz de conter o perigoso rio, na era nuclear uma comunidade global aos poucos se desenvolveu além e acima das várias nações, porque somente uma comunidade desse tipo seria capaz de conter o demônio nuclear.

Na campanha presidencial de 1964, Lyndon B. Johnson pôs no ar o famoso "anúncio da margarida", uma das mais bem-sucedidas peças de propaganda nos anais da televisão. O anúncio começa com uma garotinha colhendo e contando as pétalas de uma margarida, mas quando chega a dez uma voz metálica assume a contagem regressiva, de dez a zero, como num lançamento de míssil. Ao chegar a zero o clarão de uma explosão nuclear enche a tela, e o candidato Johnson dirige-se ao público americano e diz: "É isto que está em jogo. Criar um mundo no qual todos os filhos de Deus podem viver ou entrar na escuridão. Devemos ou amar uns aos outros ou morrer".[2] Tendemos a associar o mote "faça amor, não faça guerra" à contracultura do final da década de 1960, mas na verdade já em 1964 era consenso até mesmo entre políticos durões como Johnson.

Consequentemente, durante a Guerra Fria o nacionalismo cedeu lugar a uma abordagem mais global da política internacional, e quando a Guerra Fria acabou a globalização parecia ser a irresistível onda do futuro. Esperava-se que o gênero humano abandonasse a política nacionalista, como se fosse uma relíquia de tempos mais primitivos que atrairia no máximo os mal informados habitantes de alguns países subdesenvolvidos. Acontecimentos em anos recentes provaram, no entanto, que o nacionalismo ainda é capaz de seduzir até mesmo cidadãos da Europa e dos Estados Unidos, mais ainda da Rússia, da Índia e da China. Alienadas pelas forças impessoais do capitalismo global, e temendo pelo destino de seus sistemas nacionais de saúde, educação e bem-estar social, pessoas em todo o mundo vão buscar conforto e sentido no seio da nação.

Porém a questão levantada por Johnson no anúncio da margarida é ainda mais pertinente hoje em dia do que em 1964. Vamos criar um mundo no qual todos os humanos possam viver juntos ou vamos entrar na escuridão? Donald Trump, Theresa May, Vladimir Putin, Narendra Modi e seus colegas serão capazes de salvar o mundo apelando para nossos sentimentos nacionais, ou será a atual torrente nacionalista uma forma de evadir o intratável problema global que enfrentamos?

O DESAFIO NUCLEAR

Comecemos com a nêmese íntima do gênero humano: a guerra nuclear. Quando o anúncio da margarida foi ao ar, em 1964, dois anos após a crise dos mísseis de Cuba, a aniquilação nuclear era uma ameaça palpável. Especialistas e leigos temiam que o gênero humano não tivesse sabedoria para evitar a destruição, e que era apenas questão de tempo para a Guerra Fria ferver. Na verdade, o gênero humano provou-se à altura do desafio nuclear. Americanos, soviéticos, europeus e chineses mudaram o modo com que a geopolítica fora conduzida durante milênios, e assim a Guerra Fria terminou com pouco derramamento de sangue, e uma nova ordem mundial internacionalista fomentou uma era de paz sem precedente. Não só se evitou a guerra nuclear, como diminuíram as guerras de todos os tipos. Desde 1945, surpreendentemente, poucas fronteiras foram redesenhadas mediante agressão direta, e a maior parte dos países cessou de usar a guerra como instrumento político padrão. Em 2016, apesar da guerra na Síria, na Ucrânia e vários outros focos de tensão, menos pessoas morreram devido à violência humana do que a obesidade, acidentes de carro ou suicídio.[3] Essa talvez seja a maior realização política e moral de nossos tempos.

Infelizmente, estamos tão acostumados a essa conquista que a tomamos como certa e garantida. É por isso, em parte, que há quem se permita brincar com fogo. A Rússia e os Estados Unidos embarcaram recentemente numa nova corrida nuclear, desenvolvendo novas máquinas do juízo final que ameaçam desfazer tudo o que se ganhou a duras penas nas últimas décadas e nos levar de volta à beira da aniquilação nuclear.[4] Enquanto isso o público aprendeu a parar de se preocupar e de amar a bomba (como sugeriu o dr. Fantástico), ou simplesmente esqueceu que ela existia.

Assim, o debate do Brexit na Inglaterra — uma importante

potência nuclear — girou principalmente em torno de questões de economia e imigração, enquanto a contribuição vital da União Europeia para a paz europeia e global foi amplamente ignorada. Após séculos de terríveis carnificinas, franceses, alemães, italianos e britânicos finalmente construíram um mecanismo que garante a harmonia continental — até o público inglês sabotar essa máquina milagrosa.

Foi extremamente difícil construir o regime internacional que impediu uma guerra nuclear e salvaguardou a paz no mundo. Não há dúvida de que precisamos adaptar esse regime às novas condições globais, por exemplo, apoiando-nos menos nos Estados Unidos e atribuindo um papel maior a potências não ocidentais, como China e Índia.[5] No entanto, abandonar totalmente esse regime e reverter para uma política nacionalista de poder seria uma aposta irresponsável. É verdade que no século XIX os países jogaram o jogo nacionalista sem destruir a civilização humana. Mas isso foi na era pré-Hiroshima. Desde então, as armas nucleares elevaram as apostas e mudaram a natureza fundamental da guerra e da política. Enquanto os humanos souberem como enriquecer urânio e plutônio, sua sobrevivência depende de saberem dar preferência à prevenção de uma guerra nuclear em detrimento dos interesses de qualquer nação em particular. Nacionalistas fervorosos que gritam "Nosso país em primeiro lugar!" deveriam se perguntar se seu país é capaz de, sozinho, sem um robusto sistema de cooperação internacional, proteger o mundo — ou a si mesmo — da destruição nuclear.

O DESAFIO ECOLÓGICO

Além da guerra nuclear, nas próximas décadas o gênero humano vai enfrentar uma nova ameaça existencial que os radares políticos mal registravam em 1964: o colapso ecológico. Os humanos estão desestabilizando a biosfera global em múltiplas frentes. Estamos extraindo cada vez mais recursos do meio ambiente, e despejando nele quantidades enormes de lixo e veneno, mudando a composição do solo, da água e da atmosfera.

Não temos sequer ideia das dezenas de milhares de maneiras com que rompemos o delicado equilíbrio ecológico que se configurou ao longo de milhões de anos. Considere, por exemplo, o uso de fosfato como fertilizante. Em pequenas quantidades é um nutriente essencial para o crescimento de plantas. Mas em quantidades excessivas torna-se tóxico. A agricultura industrial moderna baseia-se em fertilizar artificialmente os campos com muito fosfato, mas a grande quantidade de fosfato que escorre das fazendas vai envenenar rios, lagos e oceanos, com impacto devastador na vida marinha. Um agricultor que cultiva milho em Iowa pode estar inadvertidamente matando peixes no golfo do México.

Como resultado dessas atividades, hábitats são degradados, animais e plantas são extintos e ecossistemas inteiros, como a Grande Barreira de Corais australiana e a Floresta Amazônica, podem ser destruídos. Durante milhares de anos o *Homo sapiens* comportou-se como um assassino em série ecológico; agora está se metamorfoseando num assassino em massa ecológico. Se continuarmos no curso atual, isso não apenas causará a aniquilação de um grande percentual de todas as formas de vida como poderia também solapar os fundamentos da civilização humana.[6]

A ameaça maior é a mudança climática. Os humanos existem há centenas de milhares de anos, e sobreviveram a inúmeras idades do gelo e ondas de calor. No entanto, a agricultura, as cidades e as sociedades complexas existem há menos de 10 mil anos. Durante esse período, conhecido como Holoceno, o clima da Terra tem sido relativamente estável. Qualquer desvio dos padrões do Holoceno apresentará às sociedades humanas desafios enormes com os quais nunca se depararam. Será como fazer um experimento em aberto com bilhões de cobaias humanas. Mesmo que a civilização se adapte posteriormente às novas condições, quem sabe quantas vítimas perecerão no processo de adaptação?

Esse experimento aterrorizante já foi acionado. Ao contrário de uma guerra nuclear — que é um futuro potencial —, a mudança climática é uma realidade presente. Existe um consenso científico de que atividades humanas, particularmente a emissão de gases de efeito estufa como o dióxido de carbono, estão fazendo o clima da terra mudar num ritmo assustador.[7] Ninguém sabe exatamente quanto dióxido de carbono podemos continuar lançando na atmosfera sem desencadear um cataclismo irreversível. Mas nossas melhores estimativas científicas indicam que a menos que cortemos dramaticamente a emissão de gases de efeito estufa nos próximos vinte anos, a temperatura média global se elevará em 2°C,[8] o que resultará na expansão de desertos, no desaparecimento de calotas de gelo, na elevação dos oceanos e em maior recorrência de eventos climáticos extremos, como furacões e tufões. Essas mudanças, por sua vez, vão desmantelar a produção agrícola, inundar cidades, tornar grande parte do mundo inabitável e despachar centenas de milhões de refugiados em busca de novos lares.[9]

Além disso, estamos nos aproximando rapidamente de um certo número de pontos de inflexão além dos quais mesmo uma queda dramática na emissão de gases de efeito estufa não será suficiente para reverter essa tendência e evitar uma tragédia de abrangência mundial. Por exemplo, à medida que o aquecimento global derrete os mantos de gelo polar, menos luz solar é refletida do planeta Terra para o espaço. Isso quer dizer que o planeta estará absorvendo mais calor, as temperaturas se elevarão ainda mais e o gelo derreterá ainda mais rapidamente. Quando esse ciclo ultrapassar um limiar crítico, ele vai criar um impulso próprio irresistível, e todo o gelo das regiões polares derreterá mesmo que os humanos parem de queimar carvão, petróleo e gás. Por isso não basta que reconheçamos o perigo que enfrentamos. É crucial que façamos algo quanto a isso *agora*.

Infelizmente, em 2018, em vez de haver uma redução na emissão de gás de efeito estufa, a taxa global de emissão está aumentando. A humanidade dispõe de muito pouco tempo para se desapegar dos combustíveis fósseis. Temos de começar a desintoxicação hoje. Não no ano ou no mês que vem, mas hoje. "Oi, sou o *Homo sapiens*, e sou viciado em combustível fóssil."

Onde se encaixa o nacionalismo neste quadro alarmante? Haverá uma resposta nacionalista à ameaça ecológica? Alguma nação, mesmo que poderosa, será capaz de sozinha fazer parar o aquecimento global? Países podem, individualmente, adotar uma variedade de políticas ambientais, muitas das quais fazem sentido econômico e ambiental. Governos podem taxar emissões de carbono, adicionar custos de externalidades ao preço do petróleo e do gás, adotar regulamentos ambientais mais rigorosos, cortar subsídios de indústrias poluentes e incentivar a mudança para energia renovável. Podem também investir mais dinheiro na pesquisa e no desenvolvimento de tecnologias revolucionárias ecologicamente corretas, numa espécie de Projeto Manhattan ecológico. Deve-se ao motor de combustão interna muito dos avanços dos últimos 150 anos, mas, se quisermos manter um meio ambiente física e economicamente estável, ele tem de ser aposentado e substituído por novas tecnologias que não dependem da queima de combustíveis fósseis.[10]

Inovações tecnológicas podem ser úteis em muitos outros campos além da energia. Considere, por exemplo, o potencial de desenvolver uma "carne limpa". Atualmente a indústria da carne não só inflige imenso sofrimento a bilhões de seres sencientes como também é uma das causas do aquecimento global, um dos principais consumidores de antibióticos e veneno e um dos maiores poluidores do ar, da terra e da água. Segundo um relatório de 2013 da Institution of Mechanical Engineers, são necessários 15 mil litros de água fresca para produzir um quilograma de carne bovina, comparados com 287 litros necessários para produzir um quilograma de batatas.[11]

A pressão sobre o meio ambiente provavelmente vai piorar à medida que a prosperidade crescente de países como China e Brasil permitir que centenas de milhões deixem de comer apenas batatas e passem a comer carne regularmente. Seria difícil convencer chineses e brasileiros — isso sem mencionar americanos e alemães — a parar de comer bifes, hambúrgueres e salsichas. Mas e se os engenheiros fossem capazes de encontrar uma maneira de produzir carne a partir de células? Se quiser um hambúrguer, crie apenas um hambúrguer, em vez de criar e abater uma vaca inteira (e transportar a carcaça por milhares de quilômetros).

Isso pode soar como ficção científica, mas o primeiro hambúrguer limpo foi criado a partir de células — e depois comido — em 2013. Custou 330 mil dólares. Quatro anos de pesquisa e desenvolvimento trouxeram o preço para onze dólares por unidade, e dentro de mais uma década espera-se que a carne limpa produzida industrialmente seja mais barata do que a carne abatida. Esse desenvolvimento tecnológico pode salvar bilhões de animais de uma vida de miséria abjeta, ajudar a alimentar bilhões de humanos malnutridos e ao mesmo tempo ajudar a impedir o colapso ecológico.[12]

Há, portanto, muitas coisas que governos, corporações e indivíduos podem fazer para evitar a mudança climática. Mas para que sejam eficazes devem ser feitas num nível global. Quando se trata de clima, os países simplesmente não são soberanos. Estão à mercê de ações realizadas por pessoas no outro lado do planeta. A República de Kiribati — uma nação insular no oceano Pacífico

— pode reduzir sua emissão de gás de efeito estufa a zero, e assim mesmo ficar submersa com a elevação das águas se outros países não seguirem seu exemplo. O Chade pode pôr painéis solares em todos os telhados do país e ainda assim tornar-se um deserto árido devido às políticas ambientais irresponsáveis de estrangeiros longínquos. Até mesmo nações poderosas como China e Japão não são soberanas no que concerne à ecologia. Para proteger Xangai, Hong Kong e Tóquio de inundações e tufões destrutivos, chineses e japoneses terão de convencer os governos russo e americano a abandonar seu comportamento tradicional.

O isolacionismo nacionalista talvez seja mais perigoso no contexto de mudança climática do que no contexto de uma guerra nuclear. Uma guerra nuclear em escala mundial ameaçaria destruir todas a nações, e assim todas as nações têm interesse em evitá-la. O aquecimento global, em contraste, provavelmente terá impacto diferente em diferentes nações. Alguns países, notadamente a Rússia, podem se beneficiar dele. A Rússia tem poucos ativos em seu litoral, daí estar muito menos preocupada que a China ou o Kiribati quanto à elevação do nível do mar. E enquanto temperaturas mais altas provavelmente transformariam a China num deserto, elas podem simultaneamente fazer da Sibéria o celeiro do mundo. Além disso, enquanto o gelo derrete no extremo norte, as rotas no mar Ártico dominado pela Rússia podem tornar-se a artéria do comércio global, e Kamchatka poderá substituir Cingapura como o entroncamento do mundo.[13]

Da mesma forma, é provável que a substituição dos combustíveis fósseis por fontes renováveis de energia seja mais atraente para alguns países do que para outros. China, Japão e Coreia do Sul dependem da importação de enormes quantidades de petróleo e gás. Ficarão felizes de se livrar desse fardo. Rússia, Irã e Arábia Saudita dependem da exportação de petróleo e gás. Suas economias entrarão em colapso se o petróleo e o gás de repente derem lugar ao Sol e ao vento.

Consequentemente, enquanto algumas nações como China, Japão e Kiribati provavelmente farão forte pressão para a redução das emissões de carbono o mais cedo possível, outras nações, como Rússia e Irã, podem ficar muito menos entusiasmadas. Mesmo em países suscetíveis a grandes perdas com o aquecimento global, como os Estados Unidos, nacionalistas talvez sejam míopes e autocentrados demais para avaliar o perigo. Um exemplo pequeno, porém eloquente, foi dado em janeiro de 2018, quando os Estados Unidos impuseram uma tarifa de 30% sobre painéis solares e equipamentos de energia solar de fabricação estrangeira, preferindo apoiar produtores americanos mesmo ao preço de retardar a mudança para a energia renovável.[14]

Uma bomba atômica é uma ameaça tão óbvia e imediata que ninguém pode ignorá-la. O aquecimento global, em contraste, é uma ameaça mais vaga e prolongada. Daí que, sempre que considerações ambientais de longo prazo exigem algum sacrifício, nacionalistas podem ser tentados a pôr interesses nacionais em primeiro lugar, e se tranquilizam dizendo que podem se preocupar com o meio ambiente mais tarde, ou deixar isso para pessoas de outros lugares. Ou então podem simplesmente negar a existência do problema. Não é coincidência que o ceticismo quanto à mudança climática tende a ser exclusivo da direita nacionalista. Raramente veem-se socialistas ou a esquerda proclamar que "a mudança climática é um embuste chinês". Como não existe uma resposta nacional ao problema do aquecimento global, alguns políticos nacionalistas preferem acreditar que o problema não existe.[15]

O DESAFIO TECNOLÓGICO

É provável que a mesma dinâmica estrague qualquer antídoto nacionalista à terceira ameaça existencial do século XXI: a disrupção tecnológica. Como vimos em capítulos anteriores, a fusão da tecnologia da informação com a biotecnologia abre a porta para uma cornucópia de cenários apocalípticos, que vão desde ditaduras digitais até a criação de uma classe global de inúteis. Qual é a resposta nacionalista a essas ameaças?

Não existe uma resposta nacionalista. Como no caso da mudança climática, também no da disrupção tecnológica o Estado-nação é simplesmente o contexto errado para enfrentar a ameaça. Uma vez que pesquisa e desenvolvimento não são monopólio de nenhum país, nem mesmo uma superpotência como os Estados Unidos pode restringi-los a si mesma. Se o governo dos Estados Unidos proibir que se faça engenharia genética em embriões humanos, isso não impedirá que cientistas chineses a façam. E se os desenvolvimentos daí resultantes conferirem à China alguma vantagem econômica ou militar importante, os Estados Unidos ficarão tentados a abolir sua própria proibição. Especialmente num mundo xenofóbico em que um devora o outro, se um único país optar por seguir um caminho tecnológico de alto ganho e alto risco, outros países serão obrigados a fazer o mesmo, porque ninguém pode se dar ao luxo de ficar para trás. Para evitar uma corrida ao fundo do poço, o gênero humano provavelmente vai precisar de algum tipo de identidade e lealdade global.

Além disso, enquanto a guerra nuclear e a mudança climática ameaçam apenas a sobrevivência física do gênero humano, tecnologias disruptivas podem mudar a própria natureza da humanidade, e estão entrelaçadas com as mais profundas crenças éticas e religiosas humanas. Enquanto todos concordam que devíamos evitar a guerra nuclear e o colapso ecológico, as pessoas têm opiniões muito diferentes quanto ao uso da bioengenharia e da IA para aprimorar os humanos e criar novas formas de vida. Se o gênero humano não conseguir conceber e administrar diretrizes éticas globalmente aceitas, estará aberta a temporada para o dr. Frankenstein.

Quando se trata de formular essas diretrizes éticas, acima de tudo é o nacionalismo que sofre de um fracasso da imaginação. O nacionalismo pensa em termos de conflitos territoriais que duram séculos, enquanto as revoluções tecnológicas do século XXI deveriam ser compreendidas em termos cósmicos. Depois de 4 bilhões de anos de vida orgânica evoluindo por seleção natural, a ciência está nos levando à era da vida inorgânica configurada por design inteligente.

Neste processo, o *Homo sapiens* provavelmente desaparecerá. Ainda somos macacos da família dos hominídeos. Ainda compartilhamos com neandertais e chimpanzés a maior parte de nossas estruturas corporais, habilidades físicas e faculdades mentais. Não só nossas mãos, olhos e cérebro são distintamente hominídeos como também nosso amor, nossa paixão, nossa raiva e nossos vínculos sociais. Dentro de um ou dois séculos, a combinação de biotecnologia e IA poderá resultar em traços corporais, físicos e mentais que se libertem completamente do molde hominídeo. Alguns acreditam que a consciência poderia até mesmo ser dissociada de toda estrutura orgânica, e surfar pelo ciberespaço livre de todas as restrições biológicas e físicas. Por outro lado, poderíamos testemunhar a total dissociação de inteligência e consciência, e o desenvolvimento da IA poderia resultar num mundo dominado por entidades superinteligentes, mas totalmente não conscientes.

O que tem o nacionalismo israelense, russo ou francês a dizer sobre isso? Para poder fazer escolhas sensatas quanto ao futuro da vida, precisamos ir bem além do ponto de vista nacionalista e olhar para as coisas de uma perspectiva global, ou até mesmo cósmica.

A ESPAÇONAVE TERRA

Cada um desses três problemas — guerra nuclear, colapso ecológico e disrupção tecnológica — é suficiente para ameaçar o futuro da civilização. Mas, tomados em conjunto, eles se somam a uma crise existencial sem precedente, em especial porque provavelmente irão se reforçar e recompor mutuamente.

Por exemplo, mesmo que a crise ecológica ameace a sobrevivência da civilização humana como a conhecemos, é improvável que detenha o desenvolvimento da IA e da bioengenharia. Se você está contando com a elevação dos oceanos, a constante diminuição no suprimento de alimentos e as migrações em massa para desviar nossa atenção dos algoritmos e dos genes, pense novamente. À medida que a crise ecológica se aprofunda, o desenvolvimento de tecnologias de alto risco e alto ganho provavelmente só vai acelerar.

Na verdade, a mudança climática pode vir a desempenhar a mesma função das duas guerras mundiais. Entre 1914 e 1918, e novamente entre 1939 e 1945, o ritmo do desenvolvimento tecnológico disparou porque as nações envolvidas em uma guerra total mandaram a cautela e a economia para o espaço e investiram imensos recursos em todo tipo de projetos audaciosos e fantásticos. Muitos desses projetos fracassaram, mas alguns resultaram em tanques, radar, gás venenoso, jatos supersônicos, mísseis intercontinentais e bombas nucleares. Da mesma forma, as nações, ante um cataclismo climático, poderiam ficar tentadas a investir suas esperanças em apostas tecnológicas desesperadas. O gênero humano tem muitas e justificadas dúvidas quanto à IA e à bioengenharia, mas em tempos de crise as pessoas fazem coisas arriscadas. O que quer que você pense quanto a regular tecnologias disruptivas, pergunte a si mesmo se é provável que essas regulações se mantenham mesmo que a mudança climática cause escassez global de alimentos, inunde cidades em todo o mundo e obrigue centenas de milhões de refugiados a cruzar fronteiras.

As disrupções tecnológicas, por sua vez, poderiam aumentar o perigo de guerras apocalípticas não só ao acirrar as tensões globais, mas também ao desestabilizar o equilíbrio do poder nuclear. Desde a década de 1950, as superpotências evitam conflitos entre si porque sabem que uma guerra significaria destruição mútua garantida. Mas, à medida que surgem novos tipos de armas ofensivas e defensivas, uma superpotência tecnológica emergente poderia concluir que é capaz de destruir seus inimigos impunemente. Por outro lado, uma potência em declínio poderia temer que suas armas atômicas tradicionais ficassem logo obsoletas e que seria melhor usá-las antes de perdê-las. Tradicionalmente, confrontos nucleares se parecem com um jogo de xadrez hiper-racional. O que acontecerá quando jogadores forem capazes de usar ciberataques para se apoderar do controle das peças de um rival, ou quando terceiras partes anônimas puderem mover um peão sem que ninguém saiba quem fez a jogada — ou quando o Alfa-Zero for promovido do xadrez comum ao xadrez nuclear?

Assim como desafios diferentes tendem a se reforçar reciprocamente, também a boa vontade necessária para enfrentar um desafio pode ser corrompida devido a problemas em outra frente. Países envolvidos em competição armamentista não são propensos a concordar com restrições ao desenvolvimento de IA, e países que se esforçam por ultrapassar as conquistas tecnológicas de seus rivais acharão muito difícil concordar com um plano comum para deter a mudança climática. Enquanto o mundo permanecer dividido em nações rivais será muito difícil superar simultaneamente os três desafios — e o fracasso em uma única dessas frentes pode se mostrar catastrófico.

Para concluir, a onda nacionalista que varre o mundo não pode fazer o relógio recuar para 1939 ou 1914. A tecnologia mudou tudo ao criar um conjunto de ameaças existenciais globais que nenhuma nação é capaz de resolver sozinha. Um inimigo comum é o melhor catalisador para a formação de uma identidade comum, e o gênero humano tem agora pelo menos três desses inimigos — guerra nuclear, mudança climática e disrupção tecnológica. Se apesar dessas ameaças comuns os humanos privilegiarem suas lealdades nacionais particulares acima de tudo, os resultados serão muito piores que os de 1914 e 1939.

Um caminho muito melhor é o que foi delineado na Constituição da União Europeia: "enquanto permanecem orgulhosos de suas próprias identidades nacionais e de sua história, os povos da Europa estão determinados a transcender suas divisões anteriores e, ainda mais estreitamente unidos, forjar um destino comum".[16] Isso não significa a abolição de todas as identidades nacionais, o abandono de todas as tradições locais e a transformação da humanidade numa gosma homogênea e cinzenta. Nem significa o vilipêndio de todas as expressões de patriotismo. Na verdade, ao prover um escudo protetor continental, militar e econômico, a União Europeia sem dúvida fomentou o patriotismo local em lugares como Flandres, Lombardia, Catalunha e Escócia. A ideia de estabelecer uma Escócia ou uma Catalunha independentes fica mais atraente quando não se teme uma invasão alemã e quando se pode contar com uma frente europeia comum contra o aquecimento global e corporações multinacionais.

Por isso os nacionalistas europeus estão se portando com tranquilidade. Com todo o discurso do retorno da nação, poucos europeus estariam efetivamente dispostos a matar e serem mortos por isso. Quando os escoceses decidiram se livrar do controle de Londres na época de William Wallace e Robert Bruce, tiveram de pegar em armas. Em contraste, nem uma só pessoa foi morta durante o referendo escocês de 2014, e se na próxima vez os escoceses votarem pela independência, é altamente improvável que tenham de reeditar a Batalha de Bannockburn. A tentativa catalã de se separar da Espanha resultou em violência, mas tampouco se compara com as carnificinas de 1939 ou 1714 em Barcelona.

Oxalá o resto do mundo possa aprender com o exemplo europeu. Mesmo num planeta unido haverá muito espaço para o tipo de patriotismo que celebra a singularidade de minha nação e salienta minhas obrigações com ela. Mas, se queremos sobreviver e florescer, o gênero humano não tem outra opção a não ser complementar essas lealdades locais com obrigações reais para com a comunidade global. Uma pessoa pode e deve ser simultaneamente leal a sua família, sua vizinhança, sua profissão e sua nação — por que não acrescentar à lista a humanidade e o planeta? É verdade que quando se tem múltiplas lealdades os conflitos são às vezes inevitáveis. Mas quem disse que a vida era simples?

Em séculos passados as identidades nacionais eram forjadas porque os humanos enfrentavam problemas e oportunidades que estavam muito além do escopo de tribos locais, e somente com uma cooperação que abrangesse todo o país poder-se-ia lidar com eles. No século XXI, as nações encontram-se na mesma situação das tribos antigas: já não constituem mais o contexto no qual se tem de enfrentar os mais importantes desafios da época. Precisamos de uma nova identidade global porque as instituições nacionais são incapazes de lidar com um conjunto de situações globais sem precedentes. Hoje temos uma ecologia global, uma economia global e uma ciência global — mas ainda estamos encalhados em políticas nacionais. Essa incompatibilidade impede que o sistema político combata efetivamente nossos principais problemas. Para ter uma política efetiva temos ou de desglobalizar a ecologia, a economia e a marcha da ciência, ou globalizar nossa política. Como é impossível desglobalizar a ecologia e a marcha da ciência, e como o custo da desglobalização da economia seria provavelmente proibitivo, a única solução real é globalizar a política. Isso não significa criar um "governo global" — ideia duvidosa e pouco realista. Ao contrário, globalizar a política significa que a dinâmica política dos países e até mesmo das cidades deveria dar mais importância a interesses e problemas globais.

É pouco provável que sentimentos nacionalistas sejam de grande ajuda. Talvez, então, possamos confiar nas tradições religiosas universais da humanidade para que nos ajudem a unir o mundo? Centenas de anos atrás, religiões como o cristianismo e o islamismo pensavam em termos globais, e não locais, e estavam sempre profundamente interessadas nas grandes questões da vida, e não apenas nas lutas políticas desta ou aquela nação. Mas as religiões tradicionais ainda são relevantes? Teriam o poder de reconfigurar o mundo, ou são apenas relíquias inertes de nosso passado, arremessadas aqui e ali pelas poderosas forças de Estados, economias e tecnologias modernas?

8. Religião
Deus agora serve à nação

Até agora, ideologias modernas, cientistas e governos nacionais não conseguiram criar uma visão viável para o futuro da humanidade. Será que essa visão pode ser obtida nos profundos poços das tradições religiosas? Talvez a resposta esteja esperando por nós desde sempre nas páginas da Bíblia, do Corão ou dos Vedas.

As pessoas seculares provavelmente reagirão a essa ideia com ironia ou apreensão. As escrituras sagradas podem ter sido relevantes na Idade Média, mas como poderão nos guiar na era da inteligência artificial, da bioengenharia, do aquecimento global e da guerra cibernética? Mas as pessoas seculares são minoria. Bilhões de humanos ainda professam maior fé no Corão e na Bíblia do que na teoria da evolução; movimentos religiosos moldam as políticas de países tão diversos como a Índia, a Turquia e os Estados Unidos; e animosidades religiosas alimentam conflitos da Nigéria às Filipinas.

Então, quão relevantes são religiões como o cristianismo, o islamismo e o hinduísmo? Serão capazes de nos ajudar a resolver os problemas que enfrentamos? Para entender o papel de religiões tradicionais no mundo do século XXI, precisamos distinguir três tipos de problemas:

1. Problemas técnicos. Por exemplo, como agricultores em países áridos lidarão com secas severas causadas pelo aquecimento global?
2. Problemas políticos. Por exemplo, quais as primeiras medidas que os governos deveriam adotar para impedir o aquecimento global?
3. Problemas identitários. Por exemplo, deveria eu me preocupar com os problemas de agricultores no outro lado do mundo, ou só devo me preocupar com os problemas de pessoas de minha própria tribo e meu próprio país?

Como veremos nas páginas seguintes, as religiões tradicionais são em grande parte irrelevantes para problemas técnicos e políticos. Em contraste, são extremamente relevantes para problemas identitários — mas na maioria dos casos são parte principal do problema, e não uma possível solução.

PROBLEMAS TÉCNICOS: AGRICULTURA CRISTÃ

Na época pré-moderna, as religiões eram responsáveis por resolver uma ampla gama de problemas técnicos em campos mundanos, tal como a agricultura. Calendários divinos determinavam quando plantar e quando colher, e rituais no templo garantiam a chuva e protegiam contra pragas. Quando surgia uma crise agrícola devido à seca, ou a uma praga de gafanhotos, os agricultores voltavam-se para os sacerdotes a fim de que intercedessem junto aos deuses. A medicina também estava sob domínio religioso. Quase todo profeta, guru e xamã servia também de curandeiro. Assim, Jesus passou boa parte do tempo fazendo doentes sararem, cegos enxergarem, mudos falarem e loucos ficarem sãos. Se você vivesse no antigo Egito ou na Europa medieval e estivesse doente, provavelmente iria a um feiticeiro e não a um médico, e faria uma peregrinação a um templo renomado, e não a um hospital.

Em tempos recentes, os biólogos e os cirurgiões assumiram o lugar de sacerdotes e curandeiros milagrosos. Se o Egito for atacado agora por uma praga de gafanhotos, os egípcios bem que poderão pedir ajuda a Alá — por que não? —, mas não se esquecerão de apelar a químicos, entomologistas e geneticistas para que desenvolvam pesticidas mais fortes e cepas de trigo resistentes a insetos. Se o filho de um hindu devoto estiver com um caso grave de sarampo, o pai fará uma prece a Dhanvantari e lhe oferecerá flores e doces no templo local — mas só depois de ter levado o menino ao hospital mais próximo e o confiado aos cuidados dos médicos. Até mesmo a doença mental — último bastião de curandeiros religiosos — está passando gradualmente para as mãos de cientistas, quando a neurologia substitui a demonologia e o Prozac supera o exorcismo.

A vitória da ciência tem sido tão completa que a própria noção de religião mudou. Não associamos mais religião com agricultura e medicina. Até mesmo muitos fanáticos sofrem hoje de amnésia coletiva e preferem esquecer que as religiões tradicionais sempre reivindicaram esses domínios. "E daí que recorremos a engenheiros e médicos?", dizem os fanáticos. "Isso não prova nada. O que a religião tem a ver com agricultura e medicina, para começar?"

As religiões tradicionais perderam tanto terreno porque não eram muito boas na agricultura e na medicina. A verdadeira especialidade de sacerdotes e gurus nunca foi realmente fazer chover, curar, a profecia ou a mágica. E, sim, desde sempre, a interpretação. Um sacerdote não é alguém que sabe dançar a dança da chuva e acabar com a seca. Um sacerdote é alguém que sabe justificar o fato de a dança da chuva ter fracassado, e explicar por que devemos continuar acreditando em nosso deus mesmo que ele pareça surdo a nossas preces.

Porém é exatamente seu gênio para a interpretação que deixa os líderes religiosos em desvantagem quando competem com cientistas. Os cientistas também sabem tomar atalhos e distorcer a evidência, mas, no fim, o que marca a ciência é a disposição para admitir o fracasso e tentar outro caminho. Por isso os cientistas aprendem gradualmente como cultivar melhores safras e fazer remédios melhores, enquanto os sacerdotes e os gurus só aprendem a dar melhores desculpas. Ao longo dos séculos, mesmo os verdadeiros crentes perceberam a diferença, razão pela qual a autoridade religiosa tem diminuído em campos técnicos. É por isso também que o mundo inteiro torna-se cada vez mais uma única civilização. Quando coisas realmente funcionam, todos as adotam.

PROBLEMAS POLÍTICOS: ECONOMIA MUÇULMANA

Enquanto a ciência nos fornece respostas claras a questões técnicas, por exemplo, como curar o sarampo, há entre os cientistas considerável desacordo em questões políticas. Quase todos os cientistas concordam que o aquecimento global é um fato, mas não há consenso no que concerne a qual é a melhor reação econômica a essa ameaça. Isso não significa, no entanto, que as religiões tradicionais podem nos ajudar a resolver a questão. As antigas escrituras simplesmente não são um bom guia para a economia moderna, e as principais clivagens — por exemplo, entre capitalistas e socialistas — não correspondem às divisões tradicionais entre religiões.

É verdade que em países como Israel e Irã rabinos e aiatolás se manifestam diretamente sobre a política econômica, e até mesmo em países mais seculares, como os Estados Unidos e o Brasil, líderes religiosos influenciam a opinião pública em questões que vão desde impostos até regulamentação ambiental. Mas um olhar mais acurado revela que, na maioria desses casos, religiões tradicionais na realidade acompanham e ecoam teorias científicas modernas. Quando o aiatolá Khamenei precisa tomar uma decisão crucial para a economia iraniana, ele simplesmente não é capaz de encontrar a resposta necessária no Corão, porque os árabes do século VII sabiam muito pouco sobre os problemas e as oportunidades das economias industriais modernas e dos mercados financeiros globais. Assim, ele ou seus assessores têm de se voltar para Karl Marx, Milton Friedman, Friedrich Hayek e a moderna ciência da economia para obter respostas. Uma vez tendo decidido elevar taxas de juro, ou reduzir impostos, ou privatizar monopólios do governo, ou assinar um acordo tarifário internacional, Khamenei pode então usar seu conhecimento religioso e sua autoridade para embalar a resposta científica no formato deste ou daquele versículo do Corão, e apresentá-lo às massas como a vontade de Alá. Mas o formato tem pouca importância. Quando se comparam as políticas econômicas do Irã xiita, da Arábia Saudita sunita, do Israel judaico, da Índia hinduísta e da América cristã, não se vê muita diferença.

Durante os séculos XIX e XX, pensadores muçulmanos, judeus, hindus e cristãos investiram contra o materialismo moderno, contra o capitalismo impiedoso e contra a burocracia excessiva do Estado. Prometeram que se apenas lhes dessem uma oportunidade, resolveriam todos os males da modernidade e estabeleceriam um sistema socioeconômico completamente diferente, baseado nos eternos valores espirituais de seu credo. Bem, foram-lhes dadas algumas oportunidades e a única mudança visível que implementaram no edifício das economias modernas foi refazer a pintura e colocar o crescente, a cruz, a estrela de David ou o Om no telhado.

Como no caso dos rituais para fazer chover, quando se trata de economia, é a longamente aprimorada expertise de interpretação de textos dos eruditos religiosos que faz a religião ser irrelevante. Não importa qual seja a política econômica escolhida por Khamenei, ele sempre poderá encaixá-la no Corão. Com isso, o Corão é rebaixado de fonte do verdadeiro conhecimento para fonte de mera autoridade. Quando enfrenta um difícil dilema econômico, você lê Marx e Hayek atentamente, e eles ajudam a compreender melhor o sistema econômico, a ver as coisas de um novo ângulo e a pensar em soluções possíveis. Depois de formular uma resposta, você se volta para o Corão e o lê atentamente em busca de uma sura que, se interpretada criativamente, é capaz de justificar a decisão que você foi buscar em Hayek ou em Marx. Não importa qual solução encontrou lá, se você é um bom estudioso do Corão, sempre será capaz de justificá-la.

O mesmo vale para o cristianismo. Para um cristão é tão fácil ser capitalista como socialista, e mesmo que algumas coisas que Jesus disse soem totalmente a comunismo, durante a Guerra Fria bons capitalistas americanos liam o Sermão da Montanha sem prestar muita atenção nisso. Não existe "economia cristã", "economia muçulmana" ou "economia hindu".

Não que não haja nenhuma ideia econômica na Bíblia, no Corão ou nos Vedas — elas apenas não estão atualizadas. A leitura que o Mahatma Gandhi fez dos Vedas o permitiu imaginar uma Índia independente como uma coleção de comunidades agrárias autossuficientes, cada uma tecendo suas próprias roupas *khadi*, exportando pouco e importando ainda menos. A mais famosa fotografia dele o mostra tecendo algodão com as próprias mãos, e ele fez da humilde roca o símbolo do movimento nacionalista indiano.[1] Mas essa visão arcadiana era simplesmente incompatível com a realidade da economia moderna, e por isso não restou muito dela, salvo a radiante efígie de Gandhi em bilhões de cédulas de rúpia.

As teorias econômicas modernas são tão mais relevantes do que os dogmas tradicionais que agora é comum interpretar conflitos ostensivamente religiosos em termos econômicos, enquanto a ninguém ocorre fazer o contrário. Por exemplo, há quem alegue que os problemas entre católicos e protestantes na Irlanda do Norte foram alimentados em grande parte por conflitos de classe. Devido a vários acidentes históricos, na Irlanda do Norte as classes superiores eram na maioria protestantes, e as classes inferiores eram na maioria católicas. Por isso o que parece à primeira vista ter sido um conflito teológico sobre a natureza de Cristo, seria de fato uma típica luta entre os que têm e os que não têm. Em contraste, poucas pessoas diriam que os conflitos entre guerrilhas comunistas e proprietários de terras capitalistas na América do Sul na década de 1970 eram na realidade apenas uma cobertura para uma discórdia muito mais profunda sobre a teologia cristã.

Então que diferença faria a religião no enfrentamento das grandes questões do século XXI? Tome, por exemplo, a questão de se confiar ou não à IA autoridade para tomar decisões quanto à vida das pessoas — escolhendo por você o que estudar, onde trabalhar e com quem casar. Qual é a posição muçulmana quanto a essa questão? Qual é a posição judaica? Neste caso não existe posição "muçulmana" ou "judaica". O gênero humano provavelmente está dividido em dois campos principais — os que são a favor de dar à IA uma autoridade expressiva, e os que se opõem a isso. Provavelmente podem-se encontrar muçulmanos e judeus em *ambos* os lados, e para justificar a posição de cada lado eles adotam interpretações criativas do Corão e do Talmude.

É claro que grupos religiosos poderiam endurecer suas posições quanto a questões específicas e transformá-las em dogmas supostamente sagrados e eternos. Na década de 1970, teólogos na América Latina criaram a Teologia da Libertação, fazendo com que Jesus lembrasse um pouco Che Guevara. Da mesma forma, Jesus pode ser facilmente recrutado para debater o aquecimento global e fazer com que posições políticas atuais pareçam princípios religiosos eternos.

Isso já está começando a acontecer. Uma oposição a legislações ambientais está incorporada nos sermões enfurecidos de alguns pastores evangélicos americanos, enquanto o papa Francisco está conduzindo o ataque ao aquecimento global em nome de Cristo (como testemunha sua segunda encíclica, "Laudato si'").[2] Assim, talvez em 2070, na questão ambiental, fará toda a diferença do mundo você ser evangélico ou católico. Nem é preciso dizer que os evangélicos recusarão qualquer limite nas emissões de carbono, enquanto os católicos acreditarão que Jesus pregou que temos de proteger o meio ambiente.

Vocês verão a diferença até mesmo em seus carros. Os evangélicos vão dirigir enormes veículos utilitários sedentos por gasolina, enquanto católicos devotos andarão por aí em esguios carros elétricos com um adesivo no para-choque onde se lerá "Queimem o planeta — e queimarão no inferno!". Contudo, embora possam citar várias passagens bíblicas em defesa de suas posições, a verdadeira origem dessa diferença estará em teorias científicas modernas, não na Bíblia. Dessa perspectiva, a religião não tem realmente muito a contribuir para os grandes debates políticos de nosso tempo. Como alegou Karl Marx, ela é só um verniz.

PROBLEMAS IDENTITÁRIOS: AS LINHAS NA AREIA

Marx, porém, exagerou quando rejeitou a religião como mera superestrutura que oculta poderosas forças tecnológicas e econômicas. Mesmo que o islamismo, o hinduísmo ou o cristianismo possam ser decorações coloridas numa estrutura econômica moderna, as pessoas frequentemente se identificam com a decoração, e as identidades das pessoas são uma força histórica crucial. O poder humano depende da cooperação das massas, a cooperação das massas depende da criação de identidades de massa — e todas as identidades de massa são baseadas em narrativas ficcionais, não em fatos científicos ou mesmo necessidades econômicas. No século XXI, a divisão dos humanos em judeus e muçulmanos ou em russos e poloneses ainda depende de mitos religiosos. As tentativas de nazistas e comunistas de determinar cientificamente identidades humanas de raça e de classe demonstraram ser perigosa pseudociência, e desde então os cientistas têm sido relutantes em ajudar a definir quaisquer identidades "naturais" para seres humanos.

Assim, no século XXI as religiões não trazem chuva, não curam doenças, não constroem bombas — mas sim determinam quem somos "nós" e quem são "eles", quem devemos curar e quem devemos bombardear. Como antes observado, em termos práticos há surpreendentemente poucas diferenças entre o Irã xiita, a Arábia Saudita sunita e o Israel judaico. Todos são Estados-nação burocráticos, todos seguem políticas mais ou menos capitalistas, todos vacinam as crianças contra a poliomielite e todos contam com químicos e físicos para fazer bombas. Não existe burocracia xiita, capitalismo sunita ou física judaica. Então, como fazer com que as pessoas se sintam únicas e sejam leais a uma tribo humana e hostis a outra?

Para desenhar linhas firmes nas areias mutantes da humanidade, as religiões usam ritos, rituais e cerimônias. Xiitas, sunitas e judeus ortodoxos usam roupas diferentes, entoam preces diferentes e observam tabus diferentes. Essas distintas tradições religiosas muitas vezes enchem de beleza a vida diária e estimulam as pessoas a se comportar mais gentil e caritativamente. Cinco vezes por dia, a voz melodiosa do muezim eleva-se acima do ruído dos bazares, escritórios e fábricas, convocando os muçulmanos a uma pausa na agitação das tarefas mundanas para tentar se conectar a uma verdade eterna. Seus vizinhos hindus podem buscar o mesmo objetivo com a ajuda das pujas diárias e a recitação de mantras. Toda semana, na noite de sexta-feira, famílias judaicas sentam-se à mesa para uma refeição especial de alegria, agradecimento e união, Dois dias depois, na manhã de domingo, corais cristãos cantam o evangelho, trazendo esperança à vida de milhões, ajudando a forjar laços comunitários de confiança e afeição.

Outras tradições religiosas enchem o mundo de muita feiura e fazem pessoas serem más e cruéis. Pouco há a dizer, por exemplo, em favor de uma religiosidade inspirada em misoginia ou discriminação de casta. Mas sejam belas ou feias, todas essas tradições religiosas unem certas pessoas enquanto as distinguem de seus vizinhos. Vistas de fora, as tradições religiosas que dividem as pessoas parecem ser insignificantes, e Freud ridicularizou a obsessão que pessoas têm quanto a essas questões, que chamou de "o narcisismo das pequenas diferenças".[3] Mas na história e na política pequenas diferenças podem ter consequências profundas. Assim, se por acaso você for gay ou lésbica, isso é literalmente uma questão de vida ou morte, quer você viva em Israel, no Irã ou na Arábia Saudita. Em Israel, a população LGBT usufrui da proteção da lei, e existem até mesmo rabinos que abençoariam o casamento entre duas mulheres. No Irã, gays e lésbicas são sistematicamente perseguidos e, às vezes, até mesmo executados. Na Arábia Saudita, até 2018 uma lésbica não podia nem mesmo dirigir um carro — só pelo fato de ser mulher, independentemente de ser lésbica.

Talvez o melhor exemplo para o contínuo poder e importância das religiões tradicionais no mundo moderno venha do Japão.

Em 1853 uma esquadra americana obrigou o Japão a se abrir para o mundo moderno. Em resposta, o Estado japonês embarcou num processo de modernização rápido e extremamente bem-sucedido. Em poucas décadas tornou-se um poderoso Estado burocrático que se valeu da ciência, do capitalismo e da mais recente tecnologia militar para derrotar a China e a Rússia, ocupar Taiwan e a Coreia, e finalmente afundar uma esquadra americana em Pearl Harbor e destruir os impérios europeus no Extremo Oriente. Mas o Japão não copiou cegamente o modelo europeu. Estava determinado a proteger sua identidade única e assegurar que o japonês moderno fosse leal ao Japão, e não à ciência, ou a alguma nebulosa comunidade global.

Para isso, o Japão preservou a religião nativa do Xintoismo como pedra angular da identidade japonesa. Na verdade, o Estado japonês reinventou o Xintoismo, que tradicionalmente era uma barafunda de crenças animistas em várias divindades, espíritos e fantasmas, e cada aldeia e tempo tinha seus próprios espíritos favoritos e costumes locais. Entre o final do século xix e o início do século xx, o Estado japonês criou a versão oficial do Xintoismo, desestimulando tradições locais. Esse "Estado Xintoísta" fundiu ideias muito modernas de nacionalidade e raça, que a elite japonesa foi buscar nos imperialistas europeus. Todo elemento do budismo, do confucionismo e do éthos feudal samurai que fosse útil para cimentar a lealdade ao Estado foi adicionado à mistura. Para culminar tudo isso, o Estado Xintoísta consagrou como princípio supremo o culto ao imperador japonês, considerado descendente direto da deusa do Sol Amaterasu, e ele mesmo nada menos que um deus vivente.[4]

À primeira vista, essa estranha mistura do antigo e do novo parecia ser uma escolha extremamente inadequada para um Estado que embarcava num curso intensivo de modernização. Um deus vivente? Espíritos animistas? Éthos feudal? Parecia mais um caciquismo neolítico do que uma potência industrial moderna.

Mas funcionou como mágica. Os japoneses se modernizaram num ritmo de tirar o fôlego, enquanto desenvolviam simultaneamente uma lealdade fanática ao seu Estado. O símbolo mais conhecido do sucesso do Estado Xintoísta é o fato de que o Japão foi a primeira potência a desenvolver e utilizar mísseis de precisão guiados. Décadas antes de os Estados Unidos operacionalizarem a bomba inteligente, e numa época em que a Alemanha nazista estava começando a utilizar os foguetes V-2, o Japão afundou dezenas de navios aliados com mísseis de precisão. Conhecemos esses mísseis como "kamikazes". Enquanto atualmente, nas armas de precisão guiadas, a orientação é provida por computadores, os kamikazes eram aviões comuns carregados de explosivos e guiados por pilotos humanos dispostos a realizar uma missão sem volta. Essa disposição foi produto do espírito de sacrifício e desafio à morte cultivado pelo Estado Xintoísta. Assim, os kamikazes se apoiavam na combinação de uma tecnologia de ponta com uma doutrinação religiosa de ponta.[5]

Conscientemente ou não, numerosos governos hoje seguem o exemplo japonês. Adotam os instrumentos e estruturas universais da modernidade enquanto se fundamentam em religiões tradicionais para preservar uma identidade nacional única. O papel do Estado Xintoísta no Japão é desempenhado em menor ou maior grau pelos cristãos ortodoxos na Rússia, pelo catolicismo na Polônia, pelo islamismo xiita no Irã, pelo wahabismo na Arábia Saudita e pelo judaísmo em Israel. Não importa quão arcaica uma religião possa parecer, com um pouco de imaginação e reinterpretação ela quase sempre pode se casar com as mais recentes engenhocas tecnológicas e as mais sofisticadas instituições modernas.

Em alguns casos os Estados podem criar uma religião totalmente nova para fortalecer sua identidade única. O exemplo mais extremo pode ser visto hoje na ex-colônia japonesa da Coreia do Norte. O regime norte-coreano doutrina seus súditos com uma fanática religião de Estado chamada *Juche*. É uma mistura de marxismo-leninismo, algumas antigas tradições coreanas, a crença racista na pureza única da raça coreana e a deificação da família de Kim Il-sung. Embora ninguém alegue que os Kims são descendentes da deusa do Sol, eles são cultuados com mais fervor do que foram quase todos os deuses na história. Talvez conscientes de como o Império Japonês foi posteriormente derrotado, a *Juche* norte-coreana também insistiu por muito tempo em acrescentar armas nucleares a essa mistura, justificando sua fabricação como um dever sagrado, digno de sacrifícios supremos.[6]

A CRIADA DO NACIONALISMO

Daí que, não importa como a tecnologia vai se desenvolver, é de esperar que discussões sobre identidades e rituais religiosos continuarão a influenciar o uso de novas tecnologias, e terão o poder de incendiar o mundo. Os mísseis nucleares e as bombas cibernéticas mais atualizados poderiam muito bem ser usados para resolver uma discussão doutrinária sobre textos medievais. Religiões, ritos e rituais continuarão a ser importantes enquanto o poder do gênero humano se apoiar em cooperação de massas, e enquanto a cooperação de massas se apoiar na crença em ficções compartilhadas.

Infelizmente, toda essa realidade faz com que as religiões tradicionais sejam parte do problema da humanidade, não parte da solução. Religiões ainda têm muito poder político, na medida em que podem cimentar identidades nacionais e até mesmo desencadear a Terceira Guerra Mundial. Mas, quando se trata de resolver os problemas globais do século XXI, parece que elas não têm muito a oferecer. Embora muitas religiões tradicionais adotem valores universais e reivindiquem validade cósmica, hoje são usadas principalmente como criadas do nacionalismo moderno — seja na Coreia do Norte, na Rússia, no Irã ou em Israel. Assim, elas fazem com que seja ainda mais difícil transcender as diferenças nacionais e encontrar uma solução global para as ameaças de guerra nuclear, colapso ecológico e disrupção tecnológica.

Dessa forma, quando lidam com o aquecimento global ou a proliferação nuclear, clérigos xiitas incentivam os iranianos a ver esses problemas de uma estreita perspectiva iraniana, rabinos judeus inspiram israelenses a cuidar principalmente do que é bom para Israel, e sacerdotes cristãos ortodoxos instam os russos a pensar primeiro e acima de tudo nos interesses da Rússia. Afinal, somos a nação escolhida por Deus, e assim o que é bom para nossa nação agradará a Deus também. Certamente haverá sábios religiosos que rejeitam os excessos nacionalistas e adotam visões muito mais universais. Infelizmente, hoje em dia esses sábios não exercem muito poder político.

Estamos numa encruzilhada. O gênero humano constitui agora uma única civilização, e problemas como guerra nuclear, colapso ecológico e disrupção tecnológica só podem ser resolvidos em nível global. Por outro lado, nacionalismo e religião ainda dividem nossa civilização em campos diferentes e às vezes hostis. Essa colisão entre problemas globais e identidades locais se manifesta na crise que agora assola o maior experimento multicultural no mundo — a União Europeia. Erigida na promessa de valores liberais universais, a União Europeia está cambaleando à beira da desintegração devido às dificuldades de integração e imigração.

9. Imigração
Algumas culturas talvez sejam melhores que outras

Embora a globalização tenha reduzido as diferenças culturais por todo o planeta, ela ao mesmo tempo fez com que ficasse muito mais fácil encontrar estranhos e se aborrecer com suas esquisitices. A diferença entre a Inglaterra anglo-saxônica e a Índia do Império Pala era muito maior que a diferença entre a Grã-Bretanha moderna e a Índia moderna — mas a British Airways não tinha voos diretos entre Delhi e Londres nos dias do rei Alfredo, o Grande.

À medida que cada vez mais humanos cruzam cada vez mais fronteiras em busca de empregos, segurança e um futuro melhor, a necessidade de confrontar, assimilar ou expulsar estrangeiros cria tensão entre sistemas políticos e identidades coletivas formadas em tempos menos fluidos. Em nenhum lugar o problema é mais agudo do que na Europa. A União Europeia foi construída sobre a promessa de transcender as diferenças culturais entre franceses, alemães, espanhóis e gregos. E pode desmoronar devido a sua incapacidade de incluir as diferenças culturais entre europeus e imigrantes da África e do Oriente Médio. Ironicamente, foi, em primeiro lugar, o próprio sucesso da Europa em construir um sistema próspero e multicultural que atraiu tantos imigrantes. Os sírios querem imigrar para a Alemanha, e não para a Arábia Saudita, o Irã, a Rússia ou o Japão não porque a Alemanha fica mais perto ou é mais rica que todos os outros destinos potenciais — e sim porque a Alemanha tem um histórico muito melhor de receber e absorver imigrantes.

A crescente onda de refugiados e imigrantes provoca reações mistas entre os europeus e desencadeia discussões amargas sobre a identidade e o futuro da Europa. Alguns europeus exigem que a Europa feche seus portões: estarão traindo os ideais multiculturais e de tolerância europeus, ou só adotando medidas sensíveis para evitar um desastre? Outros clamam por uma abertura maior dos portões: estarão sendo fiéis ao cerne dos valores europeus ou serão culpados de sobrecarregar o projeto do continente com expectativas inviáveis? Essa discussão sobre imigração quase sempre degenera numa gritaria na qual nenhum dos lados ouve o outro. Para esclarecer a questão, talvez fosse útil considerar a imigração como um trato entre três condições ou termos básicos:

Termo 1: O país anfitrião permite a entrada de imigrantes.
Termo 2: Em troca, os imigrantes têm de adotar as normas e os valores centrais do país anfitrião, mesmo que isso signifique abrir mão de alguns de seus valores e normas tradicionais.
Termo 3: Se os imigrantes se assimilarem num grau considerado suficiente, com o tempo tornam-se membros iguais e integrais do país anfitrião. "Eles" passam a ser "nós".

Esses três termos suscitam três debates distintos sobre o significado exato de cada termo. Um quarto debate concerne ao cumprimento dos termos. Quando pessoas discutem sobre imigração, muitas vezes confundem os quatro debates, e ninguém compreende o que de fato se está discutindo. Por isso é melhor considerar os três debates separadamente.

Debate 1: A primeira cláusula do trato sobre imigração diz apenas que o país anfitrião permite a entrada de imigrantes. Mas isso deve ser entendido como um dever ou como um favor? O país anfitrião é obrigado a abrir seus portões para todo mundo, ou tem o direito de escolher, e até mesmo de sustar totalmente a imigração? Os pró-imigracionistas parecem pensar que os países têm o dever moral de aceitar não apenas refugiados mas também pessoas de países pobres que buscam empregos e um futuro melhor. Especialmente num mundo globalizado, todos os humanos têm obrigações morais para com outros humanos, e os que se esquivam a essas obrigações são egoístas ou até mesmo racistas.

Além disso, muitos pró-imigracionistas salientam que é impossível parar completamente a imigração e, não importa quantos muros e quantas cercas forem construídos, pessoas desesperadas sempre acharão um meio de atravessá-los. Assim, é melhor legalizar a imigração e lidar com ela abertamente do que criar um vasto submundo de tráfico de pessoas, trabalhadores ilegais e crianças sem documentação.

Os anti-imigracionistas retrucam que com força suficiente pode-se parar completamente a imigração, e que, exceto talvez no caso de refugiados que escapam de uma perseguição brutal num país vizinho, você nunca é obrigado a abrir sua porta. A Turquia pode ter o dever moral de permitir que refugiados sírios desesperados cruzem sua fronteira. Porém se esses refugiados tentarem depois ir para a Suécia, os suecos não têm a obrigação de absorvê-los. Quanto a imigrantes que buscam empregos e assistência, fica totalmente a critério do país anfitrião decidir se os quer ou não, e sob quais condições.

Os anti-imigracionistas ressaltam que um dos direitos mais básicos de todo coletivo humano é se defender contra uma invasão, seja sob a forma de exércitos, seja de imigrantes. Os suecos trabalharam duro e fizeram numerosos sacrifícios para construir uma próspera democracia liberal, e, se os sírios não conseguiram fazer a mesma coisa, não é culpa dos suecos. Se os eleitores suecos não querem que entrem mais imigrantes sírios — seja qual for o motivo — é seu direito recusar a entrada. E se aceitarem alguns imigrantes, deveria estar totalmente claro que é um favor que os suecos estão fazendo, e não uma obrigação que estão cumprindo. O que significa que os imigrantes aos quais se permite que entrem na Suécia deveriam sentir-se extremamente gratos pelo que for que conseguirem, em vez de virem com uma lista de exigências, como se fossem os donos do lugar.

Além disso, dizem os anti-imigracionistas, um país pode ter a política de imigração que quiser, e até filtrar os imigrantes não só em função de seu registro criminal ou seus talentos profissionais, mas até mesmo em função de características como religião. Se um país como Israel só quer permitir que entrem judeus, ou um país como a Polônia concordar em aceitar refugiados do Oriente Médio sob a condição de serem cristãos, isso pode parecer detestável, mas faz parte dos direitos dos eleitores israelenses ou poloneses.

O que complica a questão é que em muitos casos as pessoas querem tudo ao mesmo tempo. Numerosos países fazem vista grossa para a imigração ilegal, ou até aceitam trabalhadores estrangeiros temporários, porque querem se beneficiar de sua energia, seu talento e seu trabalho barato. No entanto, esses países se recusam depois a legalizar o status dessas pessoas, dizendo que não querem imigração. A longo prazo, isso poderá criar sociedades hierárquicas nas quais uma classe superior de cidadãos integrais explora uma subclasse de estrangeiros impotentes, como acontece hoje no Qatar e em vários outros Estados do Golfo.

Enquanto esse debate não é resolvido, é extremamente difícil responder a todas as perguntas subsequentes quanto à imigração. Como os pró-imigracionistas pensam que as pessoas têm o direito de imigrar para outro país se assim quiserem, e os países anfitriões têm o dever de absorvê-los, eles reagem com indignação moral quando o direito de imigrar é violado, e quando países deixam de cumprir seu dever de absorver. Os anti-imigracionistas ficam pasmos com essa visão. Eles consideram a imigração um privilégio, e a absorção, um favor. Por que acusar pessoas de serem racistas ou fascistas só porque recusam a entrada em seu próprio país?

É claro que, mesmo que permitir a entrada de imigrantes seja um favor e não um dever, uma vez estando os imigrantes estabelecidos, o país anfitrião gradualmente assume numerosos deveres para com eles e seus descendentes. Por isso não se pode justificar o antissemitismo nos Estados Unidos hoje em dia alegando que "nós fizemos à sua bisavó um favor deixando-a entrar neste país em 1910, assim agora podemos tratar você como quisermos".

Debate 2: A segunda cláusula do acordo de imigração diz que, se lhes permitirem entrar, os imigrantes têm a obrigação de se assimilarem à cultura local. Mas até onde deveria ir essa assimilação? Se imigrantes passarem de uma sociedade patriarcal para uma sociedade liberal, eles terão de se tornar feministas? Se vierem de uma sociedade profundamente religiosa, precisarão adotar uma visão de mundo secular? Deverão abandonar seus códigos de vestimenta e tabus alimentares tradicionais? Os anti-imigracionistas tendem a colocar o sarrafo muito alto, enquanto os pró-imigracionistas o colocam muito mais baixo.

Os pró-imigracionistas alegam que a própria Europa é extremamente diversificada, e que suas populações nativas têm um amplo espectro de opiniões, hábitos e valores. É exatamente isso que faz a Europa ser vibrante e forte. Por que deveriam os imigrantes ser obrigados a aderir a alguma imaginária identidade europeia que poucos europeus de fato adotam? Você quer forçar imigrantes muçulmanos no Reino Unido a se tornarem cristãos, quando muitos cidadãos britânicos quase não vão à igreja? Quer exigir que imigrantes do Punjab desistam de seu curry e de sua masala em troca de peixe com fritas e bolinhos de Yorkshire? Se a Europa realmente tem valores fundamentais comuns, são os valores liberais da tolerância e da liberdade, o que implica que os europeus deveriam demonstrar tolerância em relação aos imigrantes também, e conceder-lhes tanta liberdade quanto possível para seguirem suas próprias tradições, contanto que não seja em detrimento da liberdade e dos direitos de outras pessoas.

Os anti-imigracionistas concordam que tolerância e liberdade são os mais importantes valores europeus, e acusam muitos grupos de imigrantes — especialmente de países muçulmanos — de intolerância, misoginia, homofobia e antissemitismo. Exatamente porque a Europa acalenta a tolerância, não pode permitir que entrem muitas pessoas intolerantes. Enquanto uma sociedade tolerante é capaz de lidar com pequenas minorias não liberais, se o número desses extremistas exceder um certo limite, toda a natureza da sociedade se transforma. Se a Europa permitir a entrada de uma quantidade excessiva de imigrantes do Oriente Médio, ela vai acabar se parecendo com o Oriente Médio.

Outros anti-imigracionistas vão muito mais longe. Eles ressaltam que uma comunidade nacional é muito mais do que um conjunto de pessoas que se toleram mutuamente. Daí que não é suficiente a adesão de imigrantes aos padrões europeus de tolerância. Eles também têm de adotar muitas das características singulares da cultura britânica, alemã ou sueca, seja lá quais forem. Ao deixá-los entrar, a cultura local está assumindo um grande risco e um enorme custo. Também não há uma razão para que ela destrua a si mesma. Ela oferece uma posterior igualdade total, por isso exige assimilação total. Se os imigrantes têm algum problema com certas peculiaridades da cultura britânica, alemã ou sueca, estão convidados a irem para outro lugar.

As duas questões-chave deste debate são o desacordo quanto à intolerância do imigrante e o desacordo quanto à identidade europeia. Se os imigrantes são realmente culpados de uma incurável intolerância, muitos europeus liberais que hoje são a favor da imigração cedo ou tarde passarão a se opor a ela amargamente. Ao contrário, se a maioria dos imigrantes provar-se liberal e tolerante em relação a religião, gênero e política, isso irá desarmar um dos mais eficazes argumentos contra a imigração.

Contudo, isso ainda deixará em aberto a questão das identidades nacionais singulares da Europa. A tolerância é um valor universal. Existirão normas e valores unicamente franceses que deveriam ser aceitos por todo aquele que imigrasse para a França, e haverá normas e valores unicamente dinamarqueses que imigrantes na Dinamarca têm de adotar? Enquanto os europeus estiverem divididos quanto a essa questão, dificilmente poderão ter uma política clara de imigração. Mas, uma vez sabendo quem são, 500 milhões de europeus não teriam dificuldade em absorver alguns milhões de refugiados — ou os recusar.

Debate 3: A terceira cláusula do acordo de imigração diz que os imigrantes devem fazer um esforço sincero para se assimilar — e, especialmente, para adotar o valor da tolerância — e que o país anfitrião tem o dever de tratá-los como cidadãos de primeira classe. Porém, quanto tempo exatamente precisa passar até que os imigrantes se tornem membros da sociedade? Deveria a primeira geração de imigrantes da Argélia se sentir melindrada se ainda não fosse considerada totalmente francesa após vinte anos no país? E quanto à terceira geração de imigrantes, cujos avós chegaram à França na década de 1970?

Os pró-imigracionistas exigem uma aceitação rápida, enquanto os anti-imigracionistas querem um período de prova muito mais longo. Para os pró-imigracionistas, se a terceira geração de imigrantes não é considerada nem tratada como cidadãos iguais, isso significa que o país anfitrião não está cumprindo suas obrigações, e se isso resulta em tensões, hostilidade e até mesmo violência — o país anfitrião não tem a quem culpar, a não ser seu próprio sectarismo. Para os anti-imigracionistas, essas expectativas são infladas e constituem grande parte do problema. Os imigrantes deveriam ser pacientes. Se seus avós chegaram aqui há quarenta anos e você agora entra em manifestações nas ruas porque acha que não é tratado como um nativo, então você fracassou no teste.

A raiz desse debate tem a ver com a diferença entre uma escala de tempo pessoal e uma escala de tempo coletiva. Do ponto de vista dos coletivos humanos, quarenta anos é pouco tempo. É difícil esperar que uma sociedade absorva completamente grupos estrangeiros em poucas décadas. Civilizações passadas que assimilaram estrangeiros e os tornaram cidadãos iguais — como o Império Romano, o califado muçulmano, os impérios chineses e os Estados Unidos — levaram séculos, e não décadas, para realizar a transformação.

No entanto, do ponto de vista pessoal, quarenta anos parecem uma eternidade. Para uma adolescente nascida na França vinte anos após seus avós terem imigrado para lá, a jornada de Argel para Marselha é história antiga. Ela nasceu lá, todos os seus amigos nasceram lá, ela fala francês e não árabe, e nunca esteve na Argélia. A França é o único lar que conheceu na vida. E agora dizem a ela que não é seu lar, e que ela deveria "voltar" para um lugar no qual nunca habitou?

É como se você pegasse uma semente de eucalipto da Austrália e a plantasse na França. De um ponto de vista ecológico, os eucaliptos são uma espécie invasora, e levará gerações até que os botânicos os reclassifiquem como plantas nativas da Europa. Mas, do ponto de vista da árvore individual, ela é francesa. Se você não a irrigar com água francesa ela vai murchar. Se tentar arrancá-la, vai descobrir que ela deitou raízes profundas no solo francês, assim como os carvalhos e os pinheiros locais.

Debate 4: No topo de todas essas discordâncias relativas à definição exata do acordo de imigração, a questão definitiva é se esse acordo está efetivamente funcionando. Os dois lados estão cumprindo suas obrigações?

Os anti-imigracionistas tendem a alegar que os imigrantes não estão cumprindo o termo 2. Não estão fazendo um esforço sincero para se assimilar, e muitos deles agarram-se a visões de mundo intolerantes e preconceituosas. Por isso o país anfitrião não tem por que cumprir o termo 3 (tratá-los como cidadãos de primeira classe), e tem todo motivo para reconsiderar o termo 1 (permitir que entrem). Se pessoas de uma determinada cultura mostraram consistentemente que não estão dispostas a cumprir o acordo de imigração, por que permitir que entrem mais e criem um problema ainda maior?

Os pró-imigracionistas respondem que é o país anfitrião que está deixando de cumprir sua parte no acordo. Apesar dos esforços honestos da grande maioria dos imigrantes para se assimilar, os anfitriões estão fazendo com que isso seja difícil para eles e, pior ainda, os imigrantes que conseguiram se assimilar são tratados como cidadãos de segunda classe mesmo na segunda e na terceira gerações. É possível, é claro, que ambas as partes não estejam cumprindo seus compromissos, alimentando reciprocamente suas suspeitas e seus ressentimentos, num círculo vicioso crescente.

Este quarto debate não pode ser resolvido antes de esclarecer qual é a definição exata dos três termos. Enquanto não soubermos se a absorção é um dever ou um favor; qual o nível de assimilação a ser requerido de imigrantes; e quão rapidamente países anfitriões devem começar a tratá-los como cidadãos iguais — não poderemos julgar se os dois lados estão cumprindo suas obrigações. Um problema adicional diz respeito a contabilidade. Ao avaliar o acordo de imigração, os dois lados atribuem muito mais peso a transgressões do que a cumprimento. Se 1 milhão de imigrantes são cidadãos que respeitam a lei, mas cem juntam-se a grupos terroristas e atacam o país anfitrião, isso significa que, no geral, os imigrantes respeitam ou desrespeitam os termos do acordo? Se um imigrante de terceira geração passa pela rua mil vezes sem ser molestado, mas uma vez na vida alguns gritos racistas o ofendem, isso quer dizer que a população nativa está aceitando ou rejeitando imigrantes?

Mas por baixo de todos esses debates espreita uma questão muito mais fundamental, relativa a como entendemos a cultura humana. Será que entramos no debate sobre imigração com a suposição de que todas as culturas são inerentemente iguais, ou achamos que algumas culturas talvez sejam superiores a outras? Quando os alemães discutem a absorção de 1 milhão de refugiados sírios, poder-se-á alguma vez dar razão a eles por pensar que a cultura alemã é de algum modo melhor do que a cultura síria?

DE RACISMO A CULTURISMO

Um século atrás os europeus tinham certeza de que algumas raças — em especial a branca — eram inerentemente superiores às outras. Depois de 1945 essas ideias tornaram-se cada vez mais um anátema. O racismo era não só considerado moralmente deplorável mas também cientificamente desacreditado. Os geneticistas apresentaram evidências científicas muito fortes de que as diferenças biológicas entre europeus, africanos, chineses e nativos da América eram insignificantes.

Ao mesmo tempo, no entanto, antropólogos, sociólogos, historiadores, economistas comportamentais e até mesmo neurocientistas acumularam grande quantidade de dados que indicavam a existência de diferenças significativas entre as culturas humanas. Realmente, se todas as culturas humanas fossem as mesmas, por que sequer precisaríamos de antropólogos e historiadores? No mínimo deveríamos parar de financiar todas essas dispendiosas excursões para trabalho de campo no Pacífico Sul e no deserto de Kalahari e nos contentar com estudar povos em Oxford ou Boston. Se as diferenças culturais são insignificantes, tudo o que descobrirmos sobre estudantes em Harvard deveria valer também para caçadores-coletores do Kalahari.

Refletindo um pouco, muita gente admite a existência de ao menos algumas diferenças significativas entre culturas humanas, em coisas que vão de costumes sexuais a hábitos políticos. Como então deveríamos tratar essas diferenças? Relativistas culturais alegam que diferença não implica hierarquia, e que não devemos preferir uma cultura a outra. Humanos podem pensar e se comportar de várias maneiras, mas deveríamos celebrar essa diversidade e atribuir valor igual a todas as crenças e práticas. Infelizmente, essa abertura de espírito não resiste ao teste da realidade. A diversidade humana pode ser ótima quando se trata de culinária e poesia, mas poucos acham que queimar bruxas na fogueira, infanticídio ou escravidão são fascinantes idiossincrasias humanas que deviam ser protegidas contra a ingerência do capitalismo global.

Ou considere o modo como diferentes culturas se relacionam com estranhos, imigrantes e refugiados. Nem todas as culturas são caracterizadas pelo mesmo nível de aceitação. A cultura alemã no início do século XXI é mais tolerante com estrangeiros e mais receptiva a imigrantes do que a cultura saudita. É muito mais fácil para um muçulmano imigrar para a Alemanha do que para um cristão imigrar para a Arábia Saudita. Na verdade, provavelmente é mais fácil até mesmo para um refugiado muçulmano da Síria imigrar para a Alemanha do que para a Arábia Saudita, e a partir de 2011 a Alemanha recebeu muito mais refugiados sírios do que a Arábia Saudita.[1] Da mesma forma, as evidências sugerem que a cultura da Califórnia no início do século XXI é mais amigável com imigrantes do que a cultura do Japão. Daí que, se você acha bom tolerar estranhos e receber bem imigrantes, não deveria também achar, ao menos no que diz respeito a isso, que a cultura alemã é superior à cultura saudita, e que a cultura californiana é melhor que a cultura japonesa?

Além disso, mesmo quando duas normas culturais são em teoria igualmente válidas, no contexto prático da imigração ainda seria justificado julgar a cultura do anfitrião melhor. Normas e valores que são adequados num país talvez não funcionem bem em circunstâncias diferentes. Examinemos atentamente um exemplo concreto. Para não sermos presa de preconceitos bem estabelecidos, imaginemos dois países fictícios: Friócia e Calorlândia. Os dois países apresentam muitas diferenças culturais, entre as quais está sua atitude para com as relações humanas e o conflito interpessoal. Os friocianos são educados desde a infância com a ideia de que se você entra em conflito com alguém na escola, no trabalho ou mesmo em sua família, a melhor coisa é reprimir o conflito. O friociano deve evitar gritar, expressar raiva ou confrontar a outra pessoa — explosões de raiva só pioram as coisas. É melhor elaborar seus sentimentos e deixar as coisas se acalmarem. Enquanto isso, restrinja seu contato com a pessoa em questão, e, se o contato é inevitável, seja conciso, porém polido, e evite tocar em questões delicadas.

Os calorlandeses, em contraste, são educados desde a infância a externar conflitos. Se um deles estiver envolvido em conflito, não deixa que ele fique cozinhando, e não reprime nada. Aproveita a primeira oportunidade para expressar suas emoções abertamente. Tudo bem ficar com raiva, gritar e dizer à outra pessoa exatamente como se sente. Essa é a única forma de elaborar as coisas juntos, de modo honesto e direto. Um dia gritando pode resolver um conflito que, de outra maneira, poderia durar anos, e, embora um embate direto nunca seja agradável, todos se sentirão muito melhor depois.

Ambos os métodos têm seus prós e contras, e é difícil dizer que um seja sempre melhor do que o outro. O que poderia acontecer, no entanto, se um calorlandês imigrasse para a Friócia e conseguisse um emprego numa empresa friociana?

Sempre que surge um conflito com um colega, o calorlandês dá um soco na mesa e grita, esperando que isso foque a atenção no problema e ajude a resolvê-lo rapidamente. Vários anos depois um cargo sênior fica vago. Embora o calorlandês tenha todas as qualificações necessárias, o chefe prefere promover um funcionário friociano. Quando questionado sobre isso, ele explica: "Sim, o calorlandês tem muitos talentos, mas ele tem também um problema sério de relacionamento. Ele é irascível, cria tensões desnecessárias a sua volta e perturba nossa cultura corporativa". Essa mesma sina recai sobre outros imigrantes calorlandeses na Friócia. A maioria deles permanece em cargos subalternos, ou não conseguem emprego em geral, porque os gerentes pressupõem que, como são calorlandeses, provavelmente serão funcionários irascíveis e problemáticos. Como os calorlandeses nunca chegam a posições seniores, é difícil para eles modificar a cultura friociana.

Algo muito parecido sucede com friocianos que imigram para Calorlândia. Um friociano que começa a trabalhar numa empresa calorlandesa logo adquire a reputação de ser esnobe ou frio, e faz poucos amigos, se é que faz algum. As pessoas pensam que ele não é sincero, ou que lhe faltam habilidades básicas de relacionamento. Ele nunca progride para cargos seniores, e portanto nunca tem a oportunidade de mudar a cultura corporativa. Os gerentes calorlandianos concluem que a maioria dos friocianos é inamistosa ou tímida, e preferem não contratá-los para cargos que exigem contato com clientes ou estreita cooperação com outros funcionários.

Ambos os casos parecem cheirar a racismo. Porém na verdade não são racistas. São "culturistas". As pessoas continuam a travar uma luta heroica contra o racismo tradicional sem perceber que a frente de batalha mudou. O racismo tradicional está desaparecendo, mas o mundo está agora cheio de "culturistas".

O racismo tradicional está fundamentado em teorias biológicas. Na década de 1890, ou na de 1930, havia a crença generalizada em países como Inglaterra, Austrália e Estados Unidos de que alguns traços biológicos hereditários faziam com que africanos e chineses fossem inatamente menos inteligentes, menos empreendedores e menos morais que os europeus. O problema estava em seu sangue. Essas ideias gozavam de respeitabilidade política assim como de um amplo respaldo científico. Hoje, em contraste, ainda que muitos indivíduos façam afirmações racistas desse tipo, elas perderam todo o seu respaldo científico e a maior parte de sua respeitabilidade política — a menos que as reelabore em termos culturais. Dizer que pessoas negras têm tendência a cometer crimes porque têm genes inferiores está fora de questão; dizer que elas têm tendência a cometer crimes porque provêm de subculturas disfuncionais, não.

Nos Estados Unidos, por exemplo, alguns grupos e líderes apoiam abertamente políticas discriminatórias e fazem afirmações depreciativas sobre afro-americanos, latinos e muçulmanos — mas quase nunca, ou nunca, dirão que tem algo errado com seu DNA. O problema supostamente está em sua cultura. Assim, quando o presidente Trump descreveu Haiti, El Salvador e algumas partes da África como "países de merda", pelo jeito estava oferecendo ao público uma reflexão sobre a cultura desses lugares, e não sobre sua constituição genética.[2] Em outra ocasião, Trump, referindo-se aos imigrantes mexicanos nos Estados Unidos, disse que "quando o México envia pessoas, não envia as melhores. Envia pessoas que têm muitos problemas, e que trazem esses problemas. Trazem drogas, trazem crime. São estupradores, e alguns, suponho, são boa gente". Essa é uma declaração muito ofensiva, mas socialmente ofensiva, e não biologicamente ofensiva. O que Trump disse não implica que o sangue mexicano é um impedimento à bondade — apenas que os bons mexicanos tendem a ficar ao sul do rio Grande.[3]

O corpo humano — o corpo latino, o corpo africano, o corpo chinês — ainda está no centro desse debate. A cor da pele importa muito. Caminhar por uma rua de Nova York com montes de melanina na pele significa que, para onde quer que esteja indo, a polícia pode olhar para você com muita suspeita. Mas pessoas como o presidente Trump ou como o presidente Obama explicarão o significado da cor da pele em termos culturais e históricos. A polícia olha para a cor de sua pele com suspeita não por qualquer razão biológica, mas devido à história. É de se presumir que pessoas como Obama explicarão que o preconceito dos policiais é um infeliz legado de crimes históricos, como a escravidão, enquanto pessoas como Trump explicarão que a criminalidade entre os negros é um infeliz legado dos erros históricos cometidos por liberais brancos e comunidades negras. Seja qual for o caso, se você for na verdade um turista de Delhi que não sabe nada da história americana, terá de lidar com suas consequências.

A mudança da biologia para a cultura não é somente uma mudança insignificante de jargão. É uma mudança profunda com consequências práticas de longo alcance, algumas boas, outras ruins. Para começar, a cultura é mais maleável que a biologia. Isso significa, por um lado, que os culturistas de hoje podem ser mais tolerantes do que os racistas tradicionais — basta os "outros" adotarem nossa cultura e os aceitaremos como nossos iguais. Por outro lado, isso pode resultar em muito mais pressão sobre os "outros" para que se assimilem, e críticas muito mais duras se não fizerem isso.

Não se pode culpar pessoas de pele escura por não embranquecer sua pele, mas pode-se acusar — e se acusa — africanos ou muçulmanos de não adotarem normas e valores da cultura ocidental. O que não quer dizer que essas acusações sejam necessariamente justificadas. Em muitos casos, não há motivos para se adotar a cultura dominante, e em muitos outros, essa é uma missão totalmente impossível. Afro-americanos de uma favela pobre que tentem se adequar à cultura hegemônica americana podem primeiro ter o caminho bloqueado por uma discriminação institucional — e depois serem acusados de não terem feito esforço suficiente, e assim não terem ninguém a quem culpar, a não ser a si mesmos, por seus problemas.

Uma segunda diferença fundamental entre falar sobre biologia e falar sobre cultura é que, não como no tradicional sectarismo racista, os argumentos culturistas podem ocasionalmente fazer algum sentido, como no caso da Calorlândia e da Friócia. Os calorlandeses e os friocianos de fato têm culturas diferentes, caracterizadas por estilos diferentes de se relacionar. Como as relações humanas são cruciais em muitos empregos, não seria antiético uma empresa calorlandesa penalizar friocianos por se comportarem segundo sua herança cultural?

Antropólogos, sociólogos e historiadores ficam extremamente incomodados com esse raciocínio. Por um lado, ele soa perigosamente como racismo. Por outro, o culturismo tem uma base científica muito mais firme do que o racismo, e os estudiosos, particularmente nas ciências humanas e sociais, não podem negar a existência e a importância de diferenças culturais.

É claro que, mesmo que aceitemos a validade de algumas alegações culturistas, não temos de aceitar todas elas. Muitas padecem de três falhas comuns. Primeiro, os culturistas frequentemente confundem superioridade local com superioridade objetiva. Assim, no contexto local dos calorlandeses o método calorlandês de resolver conflitos pode ser bem superior ao método friociano, e nesse caso uma empresa calorlandesa que opera em Calorlândia tem bons motivos para discriminar funcionários introvertidos (o que vai penalizar, desproporcionalmente, imigrantes friocianos). No entanto, isso não quer dizer que o método calorlandês seja superior. Os calorlandeses talvez devessem aprender uma ou outra coisa com os friocianos, e se as circunstâncias forem outras — por exemplo, a empresa calorlandesa torna-se global e abre filiais em muitos países diferentes — a diversidade de repente se tornaria um ativo.

Segundo, quando se define um critério, um tempo e um lugar, as alegações culturistas podem ser empiricamente fundamentadas. Mas as pessoas quase sempre adotam alegações culturistas muito genericamente, o que faz muito pouco sentido. Assim, dizer que "a cultura friociana é menos tolerante com uma explosão pública de raiva do que a cultura calorlandesa" é uma alegação razoável, porém é muito menos razoável dizer que "a cultura muçulmana é muito intolerante". Esta última alegação é vaga demais. O que se está querendo dizer com "intolerante"? Intolerante com quem ou com o quê? Uma cultura pode ser intolerante com minorias religiosas ou ideias políticas incomuns ao mesmo tempo que é muito tolerante com pessoas obesas ou com idosos. E o que queremos dizer com "cultura muçulmana"? Estamos nos referindo à península arábica no século VII? Ao Império

Otomano no século XVI? Ao Paquistão no início do século XXI? Finalmente, qual é o termo de comparação? Se o que nos importa é a tolerância com minorias religiosas e compararmos o Império Otomano no século XVI com a Europa ocidental no século XVI, concluiremos que a cultura muçulmana é extremamente tolerante. Se compararmos o Afeganistão sob o Talibã com a Dinamarca contemporânea, chegaríamos a uma conclusão muito diferente.

Mas o problema principal com as alegações culturistas é que, apesar de sua natureza estatística, todas são usadas frequentemente para prejulgar *indivíduos*. Quando um nativo de Calorlândia e um imigrante friociano se candidatam ao mesmo cargo numa empresa calorlandesa, o gerente pode preferir contratar o calorlandês porque "os friocianos são frios e insociáveis". Mesmo que estatisticamente isso seja verdade, talvez aquele friociano específico seja na verdade muito mais caloroso e extrovertido do que aquele calorlandês específico. Mesmo sendo a cultura importante, as pessoas são modeladas por seus genes e por sua história pessoal única. Indivíduos desafiam estereótipos estatísticos. Faz sentido uma empresa preferir funcionários sociáveis a empedernidos, mas não faz sentido preferir calorlandeses a friocianos.

Contudo, tudo isso modifica determinadas alegações culturistas sem desacreditar o culturismo como um todo. Diferentemente do racismo, que é um preconceito não científico, os argumentos do culturismo podem às vezes ser bem sólidos. Se olharmos as estatísticas e descobrirmos que as empresas calorlandesas têm poucos friocianos em posições seniores, isso pode ser resultado não de uma discriminação racista, mas de um julgamento correto. Deveriam os migrantes friocianos ficarem ressentidos com essa situação e alegar que a Calorlândia está renegando o acordo de imigração? Deveríamos obrigar as empresas calorlandesas a contratar mais gerentes friocianos mediante leis de "ação afirmativa", na esperança de arrefecer a temperatura nos negócios da Calorlândia? Ou quem sabe a falha é dos imigrantes friocianos que não se assimilam à cultura local, e deveríamos, portanto, fazer mais e maiores esforços para inculcar nas crianças friocianas as normas e valores calorlandeses?

Retornando do reino da ficção para o dos fatos, vemos que o debate europeu sobre imigração está longe de ser uma batalha bem definida entre o bem e o mal. Seria errado taxar todos os anti-imigracionistas de "fascistas", assim como seria errado descrever todo pró-imigracionista como alguém comprometido com "suicídio cultural". Portanto, o debate sobre imigração não deveria ser conduzido como uma luta intransigente por algum imperativo moral não negociável. Ele é uma discussão entre duas posições políticas legítimas, que deveria ser decidida mediante procedimentos democráticos padrão.

Atualmente, não está claro se a Europa é capaz de achar um caminho intermediário que lhe permita manter suas portas abertas a estrangeiros sem ser desestabilizada por pessoas que não compartilham seus valores. Se a Europa conseguir achar esse caminho, talvez sua fórmula possa ser copiada em nível global. No entanto, se o projeto europeu falhar, isso seria indicação de que a crença nos valores liberais de liberdade e tolerância não é suficiente para resolver os conflitos culturais do mundo e unir o gênero humano diante da possibilidade de uma guerra nuclear, de um colapso ecológico e da disrupção tecnológica. Se gregos e alemães não conseguirem se entender quanto a um destino comum, e se 500 milhões de europeus afluentes não forem capazes de absorver uns poucos milhões de refugiados empobrecidos, que possibilidades terão os humanos de superar os conflitos muito mais profundos que assolam nossa civilização?

Uma coisa que poderia ajudar a Europa e o mundo como um todo a se integrar melhor e manter fronteiras e mentes abertas seria relativizar a histeria quanto ao terrorismo. Seria uma pena se o experimento europeu de liberdade e tolerância se desmantelasse devido ao medo exagerado do terrorismo. Isso não só realizaria os objetivos dos próprios terroristas como também daria a esse punhado de fanáticos uma voz forte demais na determinação do futuro do gênero humano. O terrorismo é a arma de um segmento marginal e fraco da humanidade. Como ele veio a dominar a política global?

PARTE III
Desespero e esperança

*Embora os desafios não tenham precedentes,
e as discordâncias sejam intensas, o gênero humano
pode se mostrar à altura do momento
se mantivermos nossos temores sob controle
e formos um pouco mais humildes
quanto a nossas opiniões.*

10. Terrorismo
Não entre em pânico

Os terroristas são mestres no controle da mente. Eles matam pouquíssimas pessoas, mas ainda assim conseguem aterrorizar bilhões e sacudir enormes estruturas políticas, como a União Europeia ou os Estados Unidos. Desde 11 de setembro de 2001, todo ano terroristas têm matado cerca de cinquenta pessoas na União Europeia, dez nos Estados Unidos, sete na China e até 25 mil no mundo todo (principalmente no Iraque, no Afeganistão, no Paquistão, na Nigéria e na Síria).[1] Em contraste, a cada ano acidentes de trânsito matam cerca de 80 mil europeus, 40 mil americanos, 270 mil chineses e 1,25 milhão no total.[2] Diabetes e níveis elevados de açúcar matam até 3,5 milhões de pessoas por ano, e a poluição do ar, cerca de 7 milhões.[3] Então por que temer o terrorismo mais do que o açúcar, e por que governos perdem eleições por causa de ataques terroristas esporádicos, mas não por causa da poluição crônica do ar?

Como indica o significado literal da palavra, o terrorismo é uma estratégia militar que espera mudar a situação política pelo medo, mais do que por danos materiais. Essa estratégia quase sempre é adotada por facções muito fracas que não são capazes de infligir grandes danos materiais a seus inimigos. É claro que toda ação militar inspira e difunde medo. Porém, na guerra convencional, o medo é só um subproduto de perdas materiais, e normalmente é proporcional à força que inflige essas perdas. No terrorismo, o medo é a narrativa principal, e há uma espantosa desproporção entre a força efetiva dos terroristas e o medo que eles conseguem inspirar.

Nem sempre é fácil mudar a situação política por meio de violência. No primeiro dia da Batalha do Somme, em 1º de julho de 1916, 19 mil soldados ingleses foram mortos e 40 mil foram feridos. Quando a batalha terminou, em novembro, ambos os lados tinham tido juntos mais de 1 milhão de baixas, incluindo 300 mil mortos.[4] Mas essa terrível carnificina pouco alterou o equilíbrio de poder na Europa. Levou mais dois anos e milhões de baixas adicionais para que algo finalmente mudasse.

Comparado com a ofensiva do Somme, o terrorismo é coisa insignificante. Os ataques em Paris em 2015 mataram 130 pessoas, as bombas em Bruxelas em março de 2016 mataram 32, e na Arena de Manchester, em maio de 2017, 22. Em 2002, no auge da campanha de terror dos palestinos contra Israel, quando ônibus e restaurantes explodiam diariamente, o ano terminou com 451 israelenses mortos.[5] No mesmo ano, 542 israelenses morreram em acidentes de carro.[6] Alguns ataques terroristas como o atentado contra o voo 103 da Pan Am sobre Lockerbie, em 1988, matam centenas.[7] Os ataques do Onze de Setembro estabeleceram novo recorde, matando quase 3 mil pessoas.[8] Mas até mesmo esse ataque se torna pequeno diante do custo de uma guerra convencional. Se a tudo isso se acrescentar as pessoas mortas e feridas na Europa por ataques terroristas desde 1945 — inclusive vítimas de grupos tanto nacionalistas quanto religiosos, esquerdistas e de direita —, o total ainda será menor do que as baixas em qualquer número de batalhas obscuras da Primeira Guerra Mundial, como a terceira Batalha do Aisne (250 mil baixas) ou a Décima Batalha do Isonzo (225 mil).[9]

Como, então, os terroristas esperam alcançar seus objetivos? Em seguida a um ato de terrorismo, o inimigo continua a ter o mesmo número de soldados, tanques e navios que tinha antes. A rede de comunicação do inimigo, as rodovias e ferrovias estão em grande parte intactas. Suas fábricas, portos e bases mal foram tocados. Contudo, os terroristas esperam que, mesmo sendo incapazes de arranhar o poder material do inimigo, o medo e a confusão o levarão a reagir exageradamente. Os terroristas calculam que quando o inimigo enfurecido usa sua força maciça contra eles, desencadeará uma tempestade militar e política muito mais violenta do que eles mesmos jamais poderiam criar. Durante cada uma dessas tempestades, surgem muitos imprevistos. Erros acontecem, atrocidades são cometidas, a opinião pública oscila, pessoas neutras mudam de posição e o equilíbrio de poder se modifica.

Por isso os terroristas se parecem com uma mosca tentando destruir uma loja de porcelanas. A mosca é tão fraca que não consegue mover uma única xícara de chá. Então como é que pode destruir a loja inteira? Ela acha um touro, entra em sua orelha e começa a zumbir. O touro se enfurece, de medo e de raiva, e destrói a loja. Foi isso que aconteceu após o Onze de Setembro, quando fundamentalistas islâmicos incitaram o touro americano a destruir a loja de porcelanas do Oriente Médio. Agora, eles florescem entre os escombros. E não faltam touros com pavio curto no mundo.

REEMBARALHANDO AS CARTAS

O terrorismo é uma estratégia militar muito pouco atraente, porque deixa as decisões importantes nas mãos do inimigo. Como todas as opções que o inimigo tinha antes de um ataque terrorista continuam a sua disposição depois dele, ele está completamente livre para escolher qual usar. Exércitos em geral tentam evitar essa situação a todo custo. Quando atacam, não estão querendo encenar um espetáculo amedrontador que deixe o inimigo com raiva e o provoque a retaliar. E sim buscam infligir no inimigo dano material significativo e reduzir sua capacidade de reagir. Particularmente, buscam eliminar suas armas e opções mais perigosas.

Foi isso, por exemplo, que o Japão fez em dezembro de 1941, quando desfechou um ataque-surpresa aos Estados Unidos e afundou a esquadra americana do Pacífico, em Pearl Harbor. Não era terrorismo. Era guerra. Os japoneses não poderiam ter certeza de como os americanos iam retaliar ao ataque, exceto quanto a uma coisa: não importa o que os americanos decidissem fazer, eles não seriam capazes de enviar uma esquadra às Filipinas ou a Hong Kong em 1942.

Provocar o inimigo à ação sem eliminar nenhuma de suas armas ou opções é um ato de desespero, que só se comete quando não existe alternativa. Sempre que é possível infligir dano material considerável, ninguém desiste disso em favor de mero terrorismo. Se em dezembro de 1941 os japoneses torpedeassem um navio de passageiros civil para provocar os Estados Unidos, deixando a esquadra do Pacífico intacta em Pearl Harbor, isso teria sido loucura.

Mas os terroristas têm pouca escolha. São tão fracos que não podem travar uma guerra. Assim, em vez disso, optam por produzir um espetáculo teatral que, assim esperam, irá provocar o inimigo e fazê-lo exagerar na reação. Os terroristas montam uma cena aterradora de violência que captura nossa imaginação e a voltam contra nós. Ao matar um punhado de pessoas, fazem com que milhões temam por suas vidas. Para aplacar esses temores, governos reagem ao teatro do terror com um show de segurança, orquestrando imensas demonstrações de força, como a perseguição a populações inteiras ou a invasão de países estrangeiros. Na maioria dos casos, essa reação exagerada é uma ameaça muito maior a nossa segurança do que os próprios terroristas.

Por isso eles não pensam como generais de um exército. E sim como produtores teatrais. A memória coletiva dos ataques do Onze de Setembro demonstra que todos entenderam isso intuitivamente. Se perguntarem às pessoas o que aconteceu naquele 11 de setembro, provavelmente dirão que a al-Qaeda derrubou as torres gêmeas do World Trade Center. Mas o ataque não envolveu apenas as torres, houve mais dois, um especialmente bem-sucedido ao Pentágono. Como é que poucas pessoas se lembram disso?

Se a operação do Onze de Setembro fosse parte de uma campanha militar convencional, o ataque ao Pentágono teria recebido a maior parte da atenção. Nesse ataque a al-Qaeda conseguiu destruir parte do quartel-general do inimigo, matando e ferindo comandantes e analistas de alta hierarquia. Por que a memória pública atribui muito mais importância à destruição de dois prédios civis e à morte de corretores e contadores?

É porque o prédio do Pentágono é relativamente uniforme e despretensioso, enquanto o World Trade Center era um enorme totem fálico cujo colapso tem imenso efeito audiovisual. Quem tiver visto as imagens desse colapso jamais as esquecerá. Como entendemos o terrorismo como um teatro, nós o julgamos mais por seu impacto emocional do que material.

Assim como os terroristas, os que combatem o terrorismo também deveriam pensar mais como produtores teatrais do que como generais do Exército. Acima de tudo, se queremos combater o terrorismo com eficácia, temos de nos dar conta de que nada do que os terroristas fizerem pode nos derrotar. Somos os únicos que podem derrotar a nós mesmos, se reagirmos com exagero e de forma equivocada às provocações terroristas.

Os terroristas empreendem uma missão impossível: alterar o equilíbrio político do poder, apesar de não terem um exército. Para alcançar seu objetivo, os terroristas fazem o Estado enfrentar um desafio impossível para ele: provar que pode proteger todos os seus cidadãos da violência política, em qualquer lugar, a qualquer tempo. Os terroristas esperam que quando o Estado tentar realizar essa missão impossível, poderão reembaralhar as cartas políticas e sacar um ás imprevisível.

É verdade que quando o Estado enfrenta o desafio ele normalmente consegue esmagar os terroristas. Centenas de organizações terroristas foram debeladas nas últimas poucas décadas por vários Estados. Entre 2002 e 2004, Israel demonstrou que até mesmo as mais ferozes campanhas de terror podem ser suprimidas pela força bruta.[10] Os terroristas sabem muito bem que as chances nesse confronto estão contra eles. Mas como são muito fracos, e não dispõem de outra opção militar, não têm nada a perder e têm muito a ganhar. De vez em quando a tempestade política criada pelas campanhas de contraterrorismo beneficia os terroristas, razão pela qual a aposta deles faz sentido. Um terrorista é como um jogador que está com uma mão ruim e tenta convencer os adversários a reembaralhar as cartas. Ele não tem nada a perder, e pode ganhar tudo.

UMA PEQUENA MOEDA NUM GRANDE JARRO VAZIO

Por que deveria o Estado concordar em reembaralhar as cartas? Uma vez que o dano material causado pelo terrorismo é insignificante, o Estado poderia, em tese, não fazer nada, ou tomar medidas fortes, mas discretas, distante das câmeras e dos microfones. De fato, é exatamente o que os Estados fazem. Mas às vezes eles se destemperam e reagem com força demais, e publicamente, fazendo com isso o jogo dos terroristas. Por que os Estados são tão sensíveis às provocações terroristas?

Os Estados têm dificuldade para resistir a essas provocações porque sua legitimidade baseia-se na promessa de manter a esfera pública livre de violência política. Um regime pode resistir a catástrofes terríveis, e até mesmo ignorá-las, contanto que sua legitimidade não se baseie em evitá-las. Por outro lado, um regime pode entrar em colapso devido a um problema menor, se ele for visto como capaz de minar sua legitimidade. No século XIV a Peste Negra matou entre um quarto e metade da população europeia, mas nenhum rei perdeu seu trono em consequência disso, e nenhum deles se esforçou muito para terminar com a peste. Ninguém pensava então que evitar pestes era parte das tarefas de um rei. Por outro lado, governantes que permitiram que a heresia religiosa se disseminasse em seus domínios arriscavam-se a perder sua coroa, até mesmo sua cabeça.

Hoje, um governo pode adotar em relação à violência doméstica e sexual uma abordagem mais suave do que em relação ao terrorismo, porque, apesar do impacto de movimentos como o #MeToo, o estupro não compromete a legitimidade do governo. Na França, por exemplo, são relatados às autoridades mais de 10 mil casos de estupro por ano, e provavelmente dezenas de milhares de outros nem são reportados.[11] Estupradores e maridos abusivos, no entanto, não são considerados uma ameaça existencial ao Estado francês, porque historicamente o Estado não está construído sobre a promessa de que vai eliminar a violência sexual. Em contraste, os casos de terrorismo, muito mais raros, são vistos como uma ameaça mortal à República Francesa, porque nos últimos séculos os Estados modernos ocidentais têm estabelecido sua legitimidade com base na promessa explícita de não tolerar violência política em suas fronteiras.

Na Idade Média, a esfera pública estava cheia de violência

política. De fato, a capacidade de usar violência era o bilhete de entrada no jogo político, e quem não a tivesse abdicava de voz política. Inúmeras famílias nobres, assim como cidades, guildas, igrejas e mosteiros, mantinham forças armadas. Quando um abade morria e surgia uma disputa sucessória, facções rivais — que compreendiam monges, poderosos locais e vizinhos preocupados — frequentemente recorriam às armas para resolver a questão.

O terrorismo não tinha lugar num mundo assim. Quem não fosse forte o bastante para causar danos materiais substanciais não tinha importância. Se em 1150 alguns muçulmanos fanáticos assassinassem um punhado de civis em Jerusalém, clamando que os cruzados deixassem a Terra Santa, a reação seria mais de escárnio do que de terror. Para ser levado a sério era preciso pelo menos ter obtido o controle de um ou dois castelos fortificados. O terrorismo não preocupava nossos ancestrais medievais porque eles tinham problemas muito maiores com os quais lidar.

Durante a era moderna, Estados centralizados aos poucos reduziram o nível da violência política dentro de seus territórios, e nas décadas recentes países ocidentais conseguiram erradicá-la quase por completo. Os cidadãos da França, da Inglaterra ou dos Estados Unidos podem lutar pelo controle de cidades, corporações, organizações e até mesmo o próprio governo sem precisar de qualquer força armada. O comando sobre trilhões de dólares, milhões de soldados e milhares de navios e mísseis nucleares passa de um grupo de políticos para outro sem que seja disparado um único tiro. As pessoas acostumaram-se a isso, e consideram seu direito natural. Consequentemente, até mesmo atos de violência esporádicos que matam algumas dezenas de pessoas são vistos como uma ameaça mortal à legitimidade e até à sobrevivência do Estado. Uma pequena moeda num grande jarro vazio faz muito barulho.

É isso que faz o teatro do terrorismo ser tão bem-sucedido.

O Estado criou um enorme espaço vazio para a violência política, que agora funciona como uma caixa de ressonância, amplificando o impacto de qualquer ataque armado, mesmo que pequeno. Quanto menos violência política houver num determinado Estado, maior será o choque do público ante um ato de terrorismo. Matar algumas pessoas na Bélgica chama mais a atenção do que matar centenas na Nigéria ou no Iraque. Paradoxalmente, então, o próprio sucesso de Estados modernos na prevenção de violência política os torna particularmente vulneráveis ao terrorismo.

O Estado tem salientado muitas vezes que não irá tolerar violência política dentro de suas fronteiras. Os cidadãos, por sua vez, acostumaram-se a violência política zero. Por isso o teatro do terror gera temores viscerais de anarquia, fazendo com que as pessoas sintam como se a ordem social estivesse prestes a entrar em colapso. Após séculos de lutas sangrentas nós escapamos do buraco negro da violência, mas sentimos que ele ainda está lá, esperando pacientemente o momento de nos engolir de novo. Algumas atrocidades horríveis — e imaginamos que estamos tornando a cair dentro dele.

Para aliviar esses temores, o Estado é levado a responder ao teatro do terror com seu próprio teatro da segurança. A resposta mais eficiente ao terrorismo poderia ser uma boa inteligência e ação clandestina contra as redes financeiras que abastecem o terror. Mas isso não é algo que os cidadãos possam ver na televisão. Os cidadãos viram o drama terrorista do World Trade Center desmoronando. O Estado sente-se compelido a encenar um contradrama igualmente espetacular, com ainda mais fogo e fumaça. Assim, em vez de agir silenciosa e eficientemente, o Estado desencadeia uma poderosa tempestade, que muitas vezes realiza os mais acalentados sonhos dos terroristas.

Então, como deveria o Estado lidar com o terrorismo? Um esforço de contraterrorismo bem-sucedido deveria ser conduzido em três frentes. Primeiro, governos deveriam concentrar-se em ações clandestinas contra redes de terror. Segundo, a mídia deveria relativizar as coisas e evitar histeria. O teatro do terror não poderá ter êxito sem publicidade. Infelizmente, a mídia muitas vezes fornece essa publicidade de graça. Ela relata obsessivamente os ataques do terror e infla em muito seu perigo, porque relatos sobre terrorismo vendem muito mais jornais do que relatos sobre diabetes ou poluição do ar.

A terceira frente é a imaginação de todos nós e de cada um de nós. Os terroristas apoderaram-se dela e a usam contra nós. Muitas vezes ficamos ensaiando o ataque terrorista no palco de nossa mente — lembrando o Onze de Setembro ou os últimos atentados a bomba suicidas. Os terroristas matam cem pessoas — e fazem com que 100 milhões imaginem haver um assassino à espreita atrás de cada árvore. É responsabilidade de cada cidadão liberar sua imaginação dos terroristas, e nos lembrarmos das verdadeiras dimensões dessa ameaça. É o nosso próprio terror interno que incita a mídia a se obcecar com o terrorismo, e o governo a reagir com exagero.

O sucesso ou o fracasso do terrorismo, portanto, depende de nós. Se permitirmos que nossa imaginação seja presa dos terroristas, e depois reagirmos com exagero a nossos próprios medos — o terrorismo terá sucesso. Se liberarmos nossa imaginação e reagirmos de forma equilibrada e sensata — o terrorismo fracassará.

O TERRORISMO TORNA-SE NUCLEAR

A análise precedente leva em conta o terrorismo como o conhecemos nos dois séculos recentes, e como se manifesta atualmente nas ruas de Nova York, Londres, Paris e Tel Aviv. No entanto, se os terroristas adquirirem armas de destruição em massa, a natureza não só do terrorismo como do Estado e da política global mudará dramaticamente. Se organizações minúsculas que representam um punhado de fanáticos forem capazes de destruir cidades inteiras e matar milhões, não haverá mais uma esfera pública livre da violência política.

Por isso, enquanto o terrorismo hoje é principalmente teatro, o terrorismo nuclear, o ciberterrorismo ou o bioterrorismo representariam, no futuro, uma ameaça muito mais séria, e exigiriam uma reação mais drástica dos governos. Exatamente por causa disso deveríamos ser muito cuidadosos ao diferençar esses cenários futuros hipotéticos dos ataques terroristas que temos testemunhado até agora. O temor de que terroristas possam um dia pôr a mãos numa bomba nuclear e destruir Nova York ou Londres não justifica reações a um terrorista que mata uma dúzia de transeuntes com um fuzil automático ou um caminhão desgovernado. Estados deveriam ser ainda mais cuidadosos e evitar perseguir todo grupo dissidente com base em que eles poderão um dia tentar obter armas nucleares, ou que poderiam hackear os sistemas de nossos carros autodirigidos e transformá-los num esquadrão de robôs assassinos.

Da mesma forma, embora os governos devam monitorar grupos radicais e agir para evitar que assumam o controle de armas de destruição em massa, precisam equilibrar o medo do terrorismo nuclear com outros cenários ameaçadores. Nas duas últimas décadas os Estados Unidos gastaram trilhões de dólares e muito capital político em sua Guerra ao Terror. George W. Bush, Tony Blair, Barack Obama e suas administrações podem alegar, com algumas justificativas, que ao caçar terroristas eles os obrigam a pensar mais em sobreviver do que em adquirir bombas nucleares. Podem ter com isso salvado o mundo de um Onze de Setembro nuclear. Como esta é uma alegação hipotética — "se não tivéssemos desencadeado a Guerra ao Terror, a al-Qaeda teria adquirido armas nucleares" —, é difícil julgar se é verdadeira ou falsa.

Podemos estar certos, no entanto, que ao conduzir a Guerra ao Terror os americanos e seus aliados não só causaram imensa destruição em todo o globo como também incorreram no que os economistas chamam de "custo de oportunidade". O dinheiro, o tempo e o capital político investido no combate ao terrorismo não foram investidos em combater o aquecimento global, a aids e a pobreza; em trazer paz e prosperidade à África subsaariana; ou em forjar melhores relações com a Rússia e a China. Se Nova York ou Londres acabarem afundando sob a elevação do oceano Atlântico, ou se as tensões com a Rússia eclodirem numa guerra aberta, as pessoas poderão acusar Bush, Blair e Obama de terem se concentrado na frente errada.

É difícil estabelecer prioridades em tempo real, enquanto é muito fácil criticar retrospectivamente decisões sobre prioridades. Nós acusamos líderes de terem fracassado em evitar as catástrofes que aconteceram, enquanto permanecemos ignorantes das catástrofes que nunca se materializaram. Assim, as pessoas olham para a administração Clinton na década de 1990 e o culpam por ter negligenciado a ameaça da al-Qaeda. Porém na década de 1990 pouca gente imaginava que os terroristas islâmicos fossem capazes de desencadear um conflito global arremessando aviões comerciais em arranha-céus de Nova York. Na verdade, muitos temiam que a Rússia entrasse em colapso total e perdesse o controle não apenas de seu território, mas também de milhares de bombas nucleares e biológicas. Uma outra preocupação era que as guerras sangrentas na antiga Iugoslávia pudessem se espalhar para outras partes da Europa oriental, resultando em conflitos entre a Hungria e a Romênia, entre a Bulgária e a Turquia, ou entre a Polônia e a Ucrânia.

Muitos ficaram ainda mais inquietos com a reunificação da Alemanha. Apenas quatro décadas e meia após a queda do Terceiro Reich, muita gente ainda abrigava um medo visceral do poder alemão. Livre da ameaça soviética, a Alemanha não se tornaria uma superpotência dominando o continente europeu? E quanto à China? Alarmada com o colapso do bloco soviético, a China poderia abandonar suas reformas, voltar às políticas maoistas e virar uma versão maior da Coreia do Norte.

Hoje podemos ridicularizar esses cenários assustadores, porque sabemos que eles não se materializaram. A situação na Rússia estabilizou-se, a maior parte da Europa oriental foi absorvida pacificamente pela União Europeia, a Alemanha reunificada é saudada hoje como líder do mundo livre e a China tornou-se o motor econômico do mundo inteiro. Tudo isso foi alcançado, ao menos em parte, graças às políticas construtivas dos Estados Unidos e da União Europeia. Teria sido mais sensato se os Estados Unidos e a União Europeia tivessem se concentrado, na década de 1990, nos extremistas islâmicos, e não na situação no antigo bloco soviético ou na China?

Simplesmente não podemos nos preparar para toda e qualquer eventualidade. Assim, enquanto temos de impedir o terrorismo nuclear, isso não pode ser o primeiro item na agenda da humanidade. E decerto não deveríamos usar a ameaça teórica do terrorismo nuclear como uma justificativa para uma reação exagerada ao terrorismo convencional. São problemas diferentes que exigem soluções diferentes.

Se, apesar de nossos esforços, grupos terroristas algum dia puserem as mãos em armas de destruição em massa, é difícil saber como serão conduzidas as lutas políticas, mas serão muito diferentes das campanhas de terror e contraterror do início do século XXI. Se em 2050 o mundo estiver cheio de terroristas nucleares e bioterroristas, suas vítimas olharão para trás, para o mundo de 2018, com uma saudade misturada com descrença: como é que pessoas que viviam vidas tão seguras se sentiam tão ameaçadas?

É claro que nossa atual sensação de perigo é alimentada não apenas pelo terrorismo. Muitos especialistas e muitos leigos temem que a Terceira Guerra Mundial seja iminente, como se tivéssemos assistido antes a esse filme, um século atrás. Como em 1914, em 2018, as crescentes tensões entre as grandes potências, associadas a intratáveis problemas globais, parecem estar nos arrastando para uma guerra global. Será que essa ansiedade é mais justificada do que nossa preocupação exagerada com o terrorismo?

11. Guerra
Nunca subestime a estupidez humana

As últimas décadas têm sido a era mais pacífica na história humana. Enquanto nas antigas sociedades agrícolas a violência humana causou até 15% de todas as mortes, e no século XX provocou 5%, hoje ela é responsável por apenas 1%.[1] Mas desde a crise financeira de 2008 a situação global está se deteriorando rapidamente, o belicismo voltou à moda e os gastos militares estão disparando.[2] Tanto leigos quanto especialistas temem que, assim como em 1914 o assassinato de um arquiduque austríaco desencadeou a Primeira Guerra Mundial, em 2018 algum incidente no deserto da Síria ou um ato imprudente na península coreana possa provocar um conflito global.

Considerando as tensões crescentes no mundo, e a personalidade de líderes em Washington, Pyongyang e vários outros lugares, há motivos para se preocupar. Porém há várias diferenças cruciais entre 2018 e 1914. Em 1914 a guerra teve grande apelo para as elites em todo o mundo porque elas tinham muitos exemplos concretos de como guerras bem-sucedidas haviam contribuído para a prosperidade econômica e o poder político. Em contraste, em 2018 guerras bem-sucedidas parecem ser uma espécie em extinção.

Desde a época dos assírios e da dinastia Chin, grandes impérios eram comumente construídos mediante conquistas violentas. Em 1914, todas as grandes potências também deviam seu status a guerras bem-sucedidas. Por exemplo, o Japão Imperial tornou-se uma potência regional devido a suas vitórias sobre a China e a Rússia; a Alemanha ficou sendo dominante na Europa após seus triunfos sobre a Áustria-Hungria e a França; e a Inglaterra criou o maior e o mais próspero império do mundo com uma série de esplêndidas guerras em todo o planeta. Assim, em 1882 a Inglaterra invadiu e ocupou o Egito, perdendo apenas 57 soldados na decisiva Batalha de Tel el-Kebir.[3] Enquanto em nossos dias a ocupação de um país muçulmano é motivo para pesadelos ocidentais, após Tel el-Kebir os britânicos enfrentaram pouca resistência armada, e por mais de seis décadas controlaram o vale do Nilo e o importante canal de Suez. Outras potências europeias imitaram os britânicos, e sempre que governos em Paris, Roma ou Bruxelas pensaram em fincar suas botas no Vietnã, na Líbia ou no Congo, seu único medo foi que alguém chegasse lá primeiro.

Até mesmo os Estados Unidos devem seu status de grande potência a ações militares, e não apenas à iniciativa econômica. Em 1846 invadiram o México e conquistaram a Califórnia, Nevada, Utah, Arizona, Novo México e partes do Colorado, Kansas, Wyoming e Oklahoma. O tratado de paz confirmou também a anexação anterior do Texas. Cerca de 13 mil soldados americanos morreram na guerra, que acrescentou 2,3 milhões de quilômetros quadrados aos Estados Unidos (mais do que a soma dos tamanhos de França, Grã-Bretanha, Alemanha, Espanha e Itália).[4] Foi o negócio do milênio.

Daí que em 1914 as elites em Washington, Londres e Berlim sabiam exatamente o que era uma guerra bem-sucedida, e quanto poderiam ganhar com ela. Em contraste, em 2018 as elites globais têm bons motivos para suspeitar que esse tipo de guerra está extinto. Embora alguns ditadores do Terceiro Mundo e atores não estatais ainda tentem prosperar pela guerra, parece que as grandes potências já não sabem como fazer isso.

A maior vitória na memória viva — a dos Estados Unidos sobre a União Soviética — foi alcançada sem uma grande confrontação militar. Os Estados Unidos tiveram o gosto fugaz de uma antiquada glória militar na primeira Guerra do Golfo, mas isso os deixou tentados a gastar trilhões de dólares em fiascos militares humilhantes no Iraque e no Afeganistão. A China, a potência emergente do início do século XXI, tinha evitado todo conflito armado desde o fracasso de sua invasão do Vietnã, em 1979, e deve sua ascensão exclusivamente a fatores econômicos. Com isso, tinha emulado não os impérios japonês, alemão e italiano da era pré-1914 e sim os milagres econômicos japonês, alemão e italiano da era pós-1945. Em todos esses casos a prosperidade econômica e a influência geopolítica eram alcançadas sem disparar um só tiro.

Até mesmo no Oriente Médio — o ringue do mundo — as potências regionais não sabem como empreender guerras bem-sucedidas. O Irã não ganhou nada com a carnificina da guerra Irã-Iraque, e subsequentemente evitou qualquer confronto militar direto. Os iranianos financiam e armam movimentos locais, do Iraque ao Iêmen, e têm enviado seus Guardas Revolucionários para ajudar aliados na Síria e no Líbano, mas até agora tiveram o cuidado de não invadir nenhum país. O Irã tornou-se recentemente hegemonia regional não por força de qualquer vitória brilhante no campo de batalha, e sim por falta de concorrentes. Seus dois principais inimigos — os Estados Unidos e o Iraque — envolveram-se numa guerra que destruiu tanto o Iraque quanto o apetite americano por atoleiros no Oriente Médio, deixando que o Irã usufruísse os espólios.

O mesmo pode ser dito de Israel. Sua última guerra bem-sucedida foi travada em 1967. Desde então Israel prosperou apesar de suas muitas guerras, não graças a elas. A maior parte de seus territórios ocupados sobrecarrega o país com fardos econômicos e responsabilidades políticas impeditivas. Assim como o Irã, Israel melhorou ultimamente sua posição geopolítica não por travar guerras bem-sucedidas, e sim evitando aventuras militares. Enquanto a guerra devastava antigos inimigos no Iraque, na Síria e na Líbia, Israel mantinha-se distante dela. Não se deixar envolver na guerra civil na Síria tem sido sem dúvida a maior conquista política de Netanyahu (pelo menos até março de 2018). Se ele quisesse, as Forças de Defesa de Israel poderiam tomar Damasco em uma semana, mas o que Israel ganharia com isso? Seria ainda mais fácil para as FDI conquistar Gaza e derrubar o regime do Hamas, mas Israel rejeitou essa ideia repetidamente. Com todo o seu poder militar e com toda a retórica belicosa de seus políticos, Israel sabe que tem pouco a ganhar com uma guerra. Assim como os Estados Unidos, a China, a Alemanha, o Japão e o Irã, Israel parece entender que no século XXI a estratégia de maior sucesso é ficar em cima do muro e deixar outros brigarem em seu lugar.

A VISÃO DO KREMLIN

Até agora a única invasão bem-sucedida feita por uma grande potência no século XXI foi a conquista da Crimeia pela Rússia. Em fevereiro de 2014, forças russas invadiram a vizinha Ucrânia e ocuparam a península da Crimeia, que na sequência foi anexada à Rússia. Quase sem combate a Rússia ganhou um território estrategicamente vital, infligiu medo a seus vizinhos e restabeleceu-se como uma potência mundial. No entanto, essa conquista deveu-se a uma combinação extraordinária de circunstâncias. Nem o Exército ucraniano nem a população local ofereceram muita resistência aos russos, enquanto outras potências evitaram intervir diretamente na crise. É difícil que essas circunstâncias se reproduzam em outra parte do mundo. Se a pré-condição para uma guerra bem-sucedida é a ausência de inimigos dispostos a resistir ao agressor, isso limita seriamente as oportunidades disponíveis.

De fato, quando a Rússia buscou repetir seu sucesso na Crimeia em outras partes da Ucrânia, encontrou uma oposição bem mais vigorosa, e a guerra na Ucrânia oriental acabou atolando num impasse. Pior ainda (do ponto de vista de Moscou), a guerra atiçou sentimentos antirrussos na Ucrânia e transformou o país, antes aliado, em inimigo. Assim como o sucesso na Primeira Guerra do Golfo tentou os Estados Unidos a se envolverem ainda mais no Iraque, o sucesso na Crimeia pode ter tentado os russos a se envolverem ainda mais na Ucrânia.

Tomadas como um todo, as guerras da Rússia no Cáucaso e na Ucrânia no início do século XXI dificilmente podem ser descritas como muito bem-sucedidas. Ainda que tenham aumentado o prestígio da Rússia como uma grande potência, também aumentaram a desconfiança e a animosidade em relação a ela, e em termos econômicos têm sido um empreendimento sem retorno. As estâncias turísticas na Crimeia e as decrépitas fábricas da era soviética em Lugansk e Donetsk dificilmente compensam o custo de financiar a guerra, e certamente não cobrem os custos da fuga de capital e das sanções internacionais. Para constatar as limitações da política russa, basta comparar o imenso progresso da pacífica China nos últimos vinte anos com a estagnação econômica da "vitoriosa" Rússia no mesmo período.[5]

Não obstante as bravatas de Moscou, a elite russa provavelmente está bem consciente dos verdadeiros custos e benefícios de suas aventuras militares, razão pela qual tem sido até agora muito cautelosa para que não haja uma escalada. A Rússia tem seguido o princípio do valentão na escola: "escolha o garoto mais fraco, mas não bata demais nele, para que o professor não intervenha". Se Putin tivesse conduzido suas guerras no espírito de Stálin, Pedro, o Grande, ou Gêngis Khan, os tanques russos teriam investido sobre Tbilisi ou Kíev, se não sobre Varsóvia ou Berlim. Mas Putin não é Gêngis nem Stálin. Ele parece saber melhor do que ninguém que seu poder militar não pode ir longe no século XXI, e que travar uma guerra bem-sucedida significa travar uma guerra limitada. Mesmo na Síria, apesar da brutalidade dos bombardeios aéreos, Putin tem tido o cuidado de minimizar os rastros da presença russa, deixando que outros combatam seriamente, e impedindo que a guerra se estenda a países vizinhos.

De fato, do ponto de vista da Rússia, todos os seus movimentos supostamente agressivos nos anos recentes não foram manobras de abertura de uma nova guerra global, e sim uma tentativa de dar suporte a defesas expostas. Os russos podem alegar que após suas retiradas pacíficas no final de década de 1980 e início da de 1990 eles foram tratados como um inimigo derrotado. Os Estados Unidos e a Otan aproveitaram-se da fraqueza russa e, apesar de terem prometido o contrário, expandiram a Otan para a Europa oriental e até mesmo para antigas repúblicas soviéticas. O Ocidente continuou ignorando os interesses russos no Oriente Médio, invadiu a Sérvia e o Iraque sob pretextos duvidosos e, de modo geral, deixou muito claro para a Rússia que ela só poderia contar com seu próprio poder militar para proteger sua esfera de influência das incursões ocidentais. A partir dessa perspectiva, a culpa pelos recentes movimentos militares da Rússia pode ser atribuída a Bill Clinton e a George W. Bush tanto quanto a Vladimir Putin.

É claro que as ações militares russas na Geórgia, na Ucrânia e na Síria ainda podem se mostrar como o estopim de um ímpeto imperial muito mais audacioso. Mesmo que até agora Putin não tenha abrigado planos sérios para conquistas globais, o sucesso poderia insuflar suas ambições. No entanto, também seria bom lembrar que a Rússia de Putin é muito mais fraca que a União Soviética de Stálin, e a menos que a ela se juntem outros países, como a China, ela não é capaz de sustentar uma nova Guerra Fria, muito menos uma guerra mundial total. A Rússia tem uma população de 150 milhões de pessoas, e um PIB de 4 trilhões de dólares. Tanto em população quanto em produção fica muito abaixo dos Estados Unidos (325 milhões de pessoas e 19 trilhões de dólares) e da União Europeia (500 milhões de pessoas e 21 trilhões de dólares).[6] Juntos, Estados Unidos e União Europeia têm uma população cinco vezes maior que a da Rússia e dez vezes mais dólares.

Desenvolvimentos tecnológicos recentes tornaram essa diferença ainda maior do que parece. A União Soviética atingiu seu zênite em meados do século XX, quando a indústria pesada era a locomotiva da economia global, e o sistema centralizado soviético se destacava na produção em massa de tratores, caminhões, tanques e mísseis intercontinentais. Hoje, a tecnologia da informação e a biotecnologia são mais importantes que a indústria pesada, mas a Rússia não sobressai em nenhuma das duas. Embora tenha capacidade impressionante para a guerra cibernética, ela carece de um setor de TI civil, e sua economia baseia-se esmagadoramente em recursos naturais, em especial petróleo e gás. Isso pode ser muito bom para enriquecer alguns oligarcas e manter Putin no poder, mas não é suficiente para vencer uma corrida bélica digital ou biotecnológica.

Ainda mais importante, a Rússia de Putin carece de uma ideologia universal. Durante a Guerra Fria a União Soviética se apoiava no apelo global do comunismo tanto quanto no alcance global do Exército Vermelho. O putinismo, ao contrário, tem pouco a oferecer aos cubanos, aos vietnamitas ou aos intelectuais franceses. O nacionalismo autoritário realmente pode estar se espalhando pelo mundo, mas por sua própria natureza ele não conduz ao estabelecimento de blocos internacionais coesos. Enquanto o comunismo polonês e o comunismo russo estavam ambos comprometidos, ao menos em teoria, com interesses universais da classe trabalhadora internacional, o nacionalismo polonês e o nacionalismo russo estão por definição comprometidos com interesses opostos. Se a ascensão de Putin inflama o ressurgimento do nacionalismo polonês, ela também intensifica os sentimentos antirrussos na Polônia.

Por isso a Rússia embarcou numa campanha global de desinformação e subversão que visa a fragmentar a Otan e a União Europeia, mas não parece provável que esteja prestes a embarcar em uma campanha de conquista territorial. Pode-se esperar — com alguma justificativa — que a tomada da Crimeia e as incursões russas na Geórgia e na Ucrânia oriental continuarão a ser exemplos isolados e não os prenúncios de uma nova era de guerra.

A ARTE PERDIDA DE GANHAR GUERRAS

Por que é tão difícil para as grandes potências travar guerras bem-sucedidas no século XXI? Um dos motivos é a mudança na natureza da economia. No passado, os ativos econômicos eram na maior parte materiais, e por isso era relativamente simples e imediato enriquecer mediante conquista. Se você derrotasse seus inimigos no campo de batalha, poderia ganhar dinheiro saqueando suas cidades, vendendo seus habitantes no mercado de escravos e ocupando valiosos campos de trigo e minas de ouro. Os romanos prosperaram vendendo gregos e galeses cativos, e os americanos, no século XIX, ocupando as minas de ouro da Califórnia e as fazendas de gado do Texas.

No século XXI, porém, só se podem obter ganhos insignificantes dessa maneira. Hoje em dia os principais ativos econômicos consistem em conhecimento técnico e institucional, e não em campos de trigo, minas de ouro ou até mesmo campos de petróleo, e não se pode conquistar conhecimento por meio da guerra. Uma organização como o Estado Islâmico ainda pode prosperar saqueando cidades e poços de petróleo no Oriente Médio — eles se apoderaram de mais de 500 milhões de dólares de bancos iraquianos, e em 2015 fizeram mais 500 milhões com a venda de petróleo,[7] mas para uma grande potência como a China ou os Estados Unidos essas quantias são irrisórias. Com um PIB anual de mais de 20 trilhões de dólares, a China provavelmente não vai começar uma guerra por um mísero bilhão. Quanto a gastar trilhões de dólares numa guerra contra os Estados Unidos, como a China seria capaz de arcar com essas despesas e ainda compensar todos os danos materiais e oportunidades de negócios perdidas? Será que o vitorioso Exército Popular de Libertação saquearia os ricos do Vale do Silício? É verdade que corporações como a Apple, o Facebook e o Google valem centenas de bilhões de dólares, mas não é possível se apropriar dessas fortunas pela força. Não existem minas de silício no Vale do Silício.

Uma guerra bem-sucedida ainda seria capaz, teoricamente, de trazer enormes lucros ao possibilitar ao vencedor rearrumar o sistema comercial global a seu favor, como fez a Inglaterra após a vitória sobre Napoleão, e como fizeram os Estados Unidos após a vitória sobre Hitler. Contudo, mudanças na tecnologia militar fazem com que seja difícil repetir esses feitos no século XXI. A bomba atômica transformou a vitória numa guerra mundial num suicídio coletivo. Não é coincidência que, depois de Hiroshima, as superpotências nunca lutaram entre si diretamente, e só se engajaram no que (para elas) eram conflitos de baixo risco, nos quais a tentação de usar armas nucleares era pequena. De fato, atacar até mesmo uma potência nuclear de segunda linha como a Coreia do Norte é uma proposta pouquíssimo atraente. É assustador pensar o que a família Kim faria se estivesse diante de uma derrota militar.

A guerra cibernética torna as coisas ainda piores para pretensos imperialistas. Nos bons e velhos tempos da rainha Vitória e da Maxim, a primeira metralhadora automática, o Exército britânico era capaz de massacrar nativos em algum deserto distante sem pôr em perigo a paz de Manchester e de Birmingham. Até mesmo nos dias de George W. Bush, os Estados Unidos faziam estragos em Bagdá e em Faluja, enquanto os iraquianos não tinham como retaliar em San Francisco ou Chicago. Mas, se os Estados Unidos atacassem agora um país que possua capacidade para guerra cibernética, mesmo que moderada, a guerra poderia ser levada à Califórnia e a Illinois em minutos. Softwares contendo vírus e códigos maliciosos podem causar a parada do tráfego aéreo em Dallas, fazer trens colidirem na Filadélfia e interromper o fornecimento de eletricidade em Michigan.

Na grande era dos conquistadores, a guerra era um negócio de baixos danos e altamente lucrativo. Na Batalha de Hastings, em 1066, Guilherme, o Conquistador, ganhou toda a Inglaterra em um único dia, ao custo de poucos milhares de mortos. Armas nucleares e guerra cibernética, em contraste, são tecnologias altamente danosas e de baixa lucratividade. Podem-se usar essas ferramentas para destruir países inteiros, mas não para construir impérios lucrativos.

Assim, num mundo cada vez mais cheio de ameaças militares e mal-estar, talvez nossa melhor garantia de paz seja o fato de as grandes potências não estarem familiarizadas com exemplos recentes de guerras bem-sucedidas. Enquanto Gêngis Khan ou Júlio César invadiriam um país estrangeiro sem hesitar, os líderes nacionalistas da atualidade, como Erdoğan, Modi e Netanyahu, engrossam a voz, mas são muito cautelosos quanto a realmente encetar guerras. É claro que, se alguém descobrir uma fórmula para empreender guerras bem-sucedidas nas condições do século XXI, as portas do inferno se abrirão num instante. É isso que faz o sucesso russo na Crimeia ser um presságio particularmente assustador. Esperemos que continue a ser uma exceção.

A MARCHA DA INSENSATEZ

Lamentavelmente, mesmo que guerras bem-sucedidas sejam impossíveis no século XXI, isso não nos dá uma garantia absoluta de paz. Não devemos jamais subestimar a estupidez humana. Tanto no nível pessoal quanto no coletivo, os humanos são propensos a se engajar em atividades autodestrutivas.

Em 1939 a guerra era provavelmente uma medida contraproducente para as potências do Eixo — mas isso não salvou o mundo. Uma das coisas espantosas no que concerne à Segunda Guerra Mundial é que em seguida à guerra as potências derrotadas prosperaram como nunca. Vinte anos após o completo aniquilamento de seus exércitos e o colapso total de seus impérios, alemães, italianos e japoneses usufruíam de níveis de afluência sem precedentes. Por que, então, partiram para a guerra? Por que infligiram morte e destruição desnecessárias a incontáveis milhões de pessoas? Tudo foi apenas um estúpido erro de cálculo. Na década de 1930 os generais, almirantes, economistas e jornalistas japoneses concordaram que sem o controle da Coreia, da Manchúria e da costa chinesa o Japão estava condenado à estagnação.[8] Estavam todos errados. Na verdade, o famoso milagre econômico japonês só começou após o Japão perder todas as suas conquistas no continente.

A estupidez humana é uma das forças mais importantes na

história, porém com frequência tendemos a desconsiderá-la. Políticos, generais e estudiosos tratam o mundo como se fosse um grande jogo de xadrez, no qual cada movimento deve seguir-se a cuidadosos cálculos racionais. Isso é correto até certo ponto. Poucos líderes na história foram desvairados no sentido estreito da palavra, movendo peões e cavalos aleatoriamente. O general Tojo, Saddam Hussein e Kim Jong-il tiveram motivos racionais para cada movimento que fizeram. O problema é que o mundo é muito mais complicado que um tabuleiro de xadrez, e a racionalidade humana não está à altura da tarefa de realmente compreender esse fato. Por isso até mesmo líderes racionais muitas vezes acabam fazendo coisas muito estúpidas.

Sendo assim, até onde deveríamos temer uma guerra mundial? O melhor é evitar os dois extremos. Por um lado, a guerra não é, de fato, inevitável. O término pacífico da Guerra Fria provou que quando humanos tomam a decisão certa, até mesmo conflitos entre superpotências podem ser resolvidos pacificamente. Além disso, é perigosíssimo supor que uma nova guerra mundial é inevitável. Isso seria uma profecia que se autorrealizaria. Ao supor que a guerra é inevitável, os países reforçam seus exércitos, embarcam em vertiginosas corridas armamentistas, recusam fazer acordos e concessões em qualquer conflito e suspeitam que gestos de boa vontade são na verdade armadilhas. Isso garante que acabe irrompendo uma guerra.

Por outro lado, seria ingênuo supor que a guerra é impossível. Apesar de ser catastrófica para todos, nenhum deus e nenhuma lei da natureza nos protegem da estupidez humana.

Um remédio potencial para a estupidez é uma dose de humildade. Tensões nacionais, religiosas e culturais são agravadas pelo sentimento grandioso de que minha nação, minha religião e minha cultura são as mais importantes no mundo — por isso meus interesses vêm antes dos interesses de qualquer outra pessoa, ou da humanidade como um todo. O que poderemos fazer para que nações, religiões e culturas sejam um pouco mais realistas e modestas quanto a seu verdadeiro lugar no mundo?

12. Humildade
Você não é o centro do mundo

A maioria das pessoas está propensa a acreditar que é o centro do mundo, e que sua cultura é o sustentáculo da história humana. Muitos gregos acreditam que a história começou com Homero, Sófocles e Platão, e que todas as ideias e invenções importantes nasceram em Atenas, Esparta, Alexandria e Constantinopla. Nacionalistas chineses replicam que a história começou realmente com o Imperador Amarelo e as dinastias Xia e Shang, e as realizações de ocidentais, muçulmanos ou indianos não são mais que uma pálida cópia das inovações originais chinesas.

Nativistas hindus ignoram essas bazófias chinesas e alegam que até mesmo os aviões e as bombas nucleares foram inventados por antigos sábios no continente indiano muito antes de Confúcio e Platão, quanto mais de Einstein e dos irmãos Wright. Você sabia, por exemplo, que foi o Maharishi Bhardwaj quem inventou foguetes e aviões, que Vishwamitra não só inventou como usou mísseis, que Acharya Kanad foi o pai da teoria atômica e que o *Mahabharata* descreve com exatidão as armas nucleares?[1]

Muçulmanos devotos consideram toda a história antes de

Maomé como irrelevante, e que toda a história depois da revelação do Corão gira em torno da *umma* muçulmana. As principais exceções são os nacionalistas turcos, iranianos e egípcios, os quais alegam, cada um, que ainda antes de Maomé sua respectiva nação era a fonte de tudo que era bom na humanidade, e que, mesmo após a revelação do Corão, era principalmente o seu povo que preservava a pureza do Islã e disseminava sua glória.

É desnecessário dizer que britânicos, franceses, alemães, americanos, russos, japoneses e incontáveis outros grupos estão, da mesma forma, convencidos de que o gênero humano teria vivido numa bárbara e imoral ignorância não fosse pelas espetaculares conquistas de sua nação. Ao longo da história, alguns povos chegaram a ponto de imaginar que suas instituições políticas e práticas religiosas eram essenciais para as próprias leis da física. Os astecas acreditavam firmemente que sem os sacrifícios que realizavam todo ano, o sol não se levantaria e o universo inteiro se desintegraria.

Todas essas alegações são falsas. Elas combinam uma ignorância intencional da história com uma dose de racismo. Nenhuma das religiões ou nações atuais existia quando os humanos colonizaram o mundo, domesticaram plantas e animais, construíram as primeiras cidades, ou inventaram a escrita e o dinheiro. Moralidade, arte, espiritualidade e criatividade são aptidões humanas universais incorporadas em nosso DNA. Sua origem está na África da Idade da Pedra. É, portanto, egotismo crasso atribuí-los a um lugar e um tempo mais recentes, seja a China na época do Imperador Amarelo, a Grécia na época de Platão ou a Arábia na época de Maomé.

Pessoalmente, também estou familiarizado com esse egotismo crasso, porque os judeus, meu próprio povo, também pensam que são a coisa mais importante no mundo. Mencione qualquer conquista ou invenção humana, e eles logo vão reivindicar crédito por ela. E conhecendo-os bem, sei também que estão genuinamente convencidos de suas reivindicações. Fui uma vez a um professor de ioga em Israel que na aula de introdução explicou com toda a seriedade que a ioga foi inventada por Abraão, e que todas as posturas básicas da ioga derivam das formas das letras do alfabeto hebraico! (Assim, a postura *trikonasana* imita a forma da letra hebraica *alef*, a *taladandasana* imita a letra *daled* etc....) Abraão ensinou essas posturas ao filho de uma de suas concubinas, que foi para a Índia e ensinou ioga aos indianos. Quando perguntei se havia alguma evidência, o mestre citou uma passagem bíblica: "Quanto aos filhos de suas concubinas, Abraão lhes deu presentes e os enviou, ainda em vida, para longe de seu filho Isaac, para o leste, para a terra do Oriente". (Gênesis 25,6). O que você acha que eram esses presentes? Então, veja só, até a ioga foi na verdade inventada pelos judeus.

Considerar Abraão o inventor da ioga é uma crença marginal. Mas o judaísmo tradicional afirma solenemente que o cosmos inteiro existe apenas para que os sábios judeus possam estudar as escrituras sagradas, e que, se os judeus cessassem essa prática, o universo chegaria ao fim. A China, a Índia, a Austrália e mesmo as galáxias distantes serão todas aniquiladas se os rabis em Jerusalém e no Brooklyn pararem de debater o Talmude. Esse é um artigo de fé dos judeus ortodoxos, e quem ousar duvidar será considerado um tolo ignorante. Judeus seculares podem ser um pouco mais céticos quanto a essa grandiosa pretensão, mas eles também acreditam que o povo judeu é o herói central da história e o manancial definitivo da moralidade, espiritualidade e aprendizado humanos.

O que falta a meu povo em números e influência real ele mais do que compensa com *chutzpá*, atrevimento. Como é mais educado criticar o próprio povo do que criticar estrangeiros, usarei o exemplo do judaísmo para ilustrar como são ridículas essas narrativas de sua própria importância, e deixarei que os leitores de outras partes critiquem os problemas de suas próprias tribos.

A MÃE DE FREUD

Meu livro *Sapiens: uma breve história da humanidade* foi escrito originalmente em hebraico, para um público israelense. Após a publicação da edição em hebraico, em 2011, a pergunta mais comum que me fizeram os leitores israelenses foi por que eu quase não mencionava o judaísmo em minha história da raça humana. Por que escrevi extensamente sobre o cristianismo, o islamismo e o budismo, mas só dediquei umas poucas palavras à religião judaica e ao povo judeu? Estava ignorando sua imensa contribuição à história humana de propósito? Estava motivado por alguma sinistra agenda política?

Essas perguntas ocorrem naturalmente aos judeus israelenses, que desde o jardim de infância foram instruídos a pensar que o judaísmo é a estrela da história humana. As crianças israelenses geralmente concluem doze anos de escola sem receber uma imagem clara dos processos históricos globais. Não se lhes ensina nada sobre a China, a Índia ou a África, e, embora aprendam sobre o Império Romano, a Revolução Francesa e a Segunda Guerra Mundial, essas peças avulsas de quebra-cabeça não acrescentam muito a qualquer narrativa mais abrangente. Em vez disso, a única história coerente oferecida pelo sistema educacional israelense começa com o Antigo Testamento hebraico, continua na época do Segundo Templo, passa por várias comunidades judaicas da diáspora e culmina com a ascensão do sionismo, o Holocausto e o estabelecimento do Estado de Israel. A maioria dos estudantes deixa a escola convencida de que esse deve ser o principal enredo de toda a história humana. Pois mesmo quando os alunos ouvem relatos sobre o Império Romano ou a Revolução Francesa, a discussão na classe se volta para como o Império Romano tratava os judeus ou para o status legal e político dos judeus na República Francesa. Pessoas alimentadas numa tal dieta histórica vão sofrer para digerir a ideia de que o judaísmo teve relativamente pouco impacto no mundo como um todo.

Mas a verdade é que o judaísmo só desempenhou um papel modesto nos anais de nossa espécie. Ao contrário de religiões universais como o cristianismo, o islamismo e o budismo, o judaísmo sempre foi um credo tribal. Ele se concentra no destino de uma pequena nação e de uma terra minúscula, e tem pouco interesse pelo destino de todos os outros povos e todos os outros países. Por exemplo, ele se importa pouco com acontecimentos no Japão ou com o povo do subcontinente indiano. Não é de admirar, portanto, que seu papel histórico tenha sido limitado.

É verdade que o judaísmo gerou o cristianismo e influenciou o nascimento do islamismo — duas das mais importantes religiões na história. Contudo, o crédito pelas conquistas globais do cristianismo e do islamismo — assim como a culpa por seus muitos crimes — pertence aos próprios cristãos e muçulmanos e não aos judeus. Assim como não seria justo culpar os judeus pelos assassinatos em massa nas Cruzadas (o cristianismo é cem por cento culpado), tampouco há motivo para creditar ao judaísmo a importante ideia cristã de que todos os seres humanos são iguais perante Deus (ideia que está em contradição direta com a ortodoxia judaica, que até mesmo hoje em dia sustenta que os judeus são intrinsecamente superiores a todos os outros humanos).

O papel do judaísmo na história do gênero humano é um pouco como o papel da mãe de Freud na moderna história ocidental. Para o bem ou para o mal, Sigmund Freud teve imensa influência na ciência, na cultura, na arte e na sabedoria popular do Ocidente moderno. Também é verdade que sem a mãe de

Freud não teríamos Freud, e que a personalidade de Freud, suas ambições e opiniões provavelmente foram modeladas em grande medida por suas relações com a mãe — como ele seria o primeiro a admitir. Mas, quando se escreve a história do Ocidente moderno, ninguém espera que haja um capítulo inteiro sobre a mãe de Freud. Da mesma forma, sem o judaísmo não se teria cristianismo, mas isso não justifica dar muita importância ao judaísmo quando se escreve a história do mundo. A questão crucial é o que o cristianismo fez com o legado de sua mãe judia.

Nem é preciso dizer que o povo judeu é um povo singular, com uma história espantosa (embora isso valha para a maioria dos povos). Da mesma forma, não é preciso dizer que a tradição judaica está cheia de insights profundos e valores nobres (embora também esteja cheia de algumas ideias questionáveis e de atitudes racistas, misóginas e homofóbicas). Além disso, é verdade que, relativamente a seus números, o povo judeu teve um impacto desproporcional na história dos últimos 2 mil anos. Mas, quando se olha para o grande quadro de nossa história como espécie, desde o surgimento do *Homo sapiens* há mais de 100 mil anos, é óbvio que a contribuição judaica para a história foi muito limitada. Os humanos estabeleceram-se em todo o planeta, adotaram a agricultura, construíram as primeiras cidades e inventaram a escrita e o dinheiro milhares de anos antes do surgimento do judaísmo.

Mesmo nos últimos dois milênios, se você olhar para a história da perspectiva dos chineses ou dos índios americanos nativos, é difícil ver qualquer grande contribuição judaica, a não ser através da mediação de cristãos e muçulmanos. Assim, o Antigo Testamento hebraico acabou se tornando a pedra angular da cultura humana global porque foi calorosamente adotado pelo cristianismo e incorporado na Bíblia. Em contraste, o Talmude — cuja importância para a cultura judaica ultrapassa de longe a do Antigo Testamento — foi rejeitado pelo cristianismo, e consequentemente permaneceu como um texto esotérico quase desconhecido de árabes, poloneses ou holandeses, sem falar de japoneses e maias. (O que é uma grande pena, porque o Talmude é um livro muito mais ponderado e compassivo do que o Antigo Testamento.)

Você é capaz de citar uma grande obra de arte inspirada no Antigo Testamento? Ah, é fácil: *David*, de Michelangelo, *Nabuco*, de Verdi, *Os dez mandamentos*, de Cecil B. DeMille. Você conhece alguma obra famosa inspirada no Novo Testamento? É canja: *A última ceia*, de Leonardo da Vinci, *Paixão segundo são Mateus*, de Bach, *A vida de Brian*, do Monty Python. E agora o verdadeiro teste: você pode citar uma lista de obras-primas inspiradas no Talmude?

Embora as comunidades judaicas que estudam o Talmude se espalhem por muitas partes do mundo, elas não desempenharam um papel importante na construção dos impérios chineses, nas viagens europeias de descoberta, no estabelecimento do sistema democrático ou na Revolução Industrial. A moeda, a universidade, o parlamento, o banco, a bússola, a imprensa e o motor a vapor foram todos inventados por gentios.

A ÉTICA ANTES DA BÍBLIA

Os israelenses usam frequentemente o termo "as três grandes religiões" pensando que essas religiões são o cristianismo (2,3 bilhões de adeptos), o islamismo (1,8 bilhão) e o judaísmo (15 milhões). O hinduísmo, com seu bilhão de crentes, e o budismo, com seus 500 milhões de seguidores — sem falar no Xintoismo (50 milhões) e na religião Sikh (25 milhões) —, não entram na classificação.[2] Esse conceito distorcido das "três grandes religiões" implica, na mente dos israelenses, que todas as grandes religiões e tradições éticas saíram do útero do judaísmo, que teria sido a primeira religião a pregar regras universais. Como se os humanos, antes da época de Abraão e de Moisés, vivessem num estado da natureza hobbesiano sem nenhum comprometimento moral, e como se toda a moralidade contemporânea derivasse dos Dez Mandamentos. É uma ideia sem fundamento e insolente, que ignora muitas das mais importantes tradições éticas do mundo.

As tribos de caçadores-coletores da Idade da Pedra tinham códigos morais dezenas de milhares de anos antes de Abraão. Quando os primeiros colonizadores europeus chegaram à Austrália, no final do século XVIII, encontraram tribos aborígenes que tinham uma visão de mundo ética bem desenvolvida apesar de totalmente ignorante de Moisés, Jesus e Maomé. Seria difícil alegar que os colonizadores cristãos que os desapossaram com violência exibiam padrões morais superiores.

Os cientistas hoje em dia afirmam que a moralidade, na verdade, tem profundas raízes evolutivas que precedem o surgimento do gênero humano em milhões de anos. Todos os mamíferos sociais, como lobos, golfinhos e macacos, têm códigos éticos, adaptados pela evolução para promover a cooperação no grupo.[3] Por exemplo, quando filhotes de lobo brincam uns com os outros, eles têm regras de "jogo limpo". Se um filhote morde com muita força, ou continua a morder um adversário que rolou de costas, rendendo-se, os outros filhotes vão deixar de brincar com ele.[4]

Em bandos de chimpanzés, espera-se que membros dominantes respeitem os direitos de propriedade de membros mais fracos. Se um chimpanzé fêmea jovem acha uma banana, comumente até mesmo o macho alfa evitará roubá-la para si mesmo. Se transgredir essa regra, pode perder seu status.[5] Macacos não só evitam tirar vantagem de membros mais fracos do grupo como às vezes os ajudam ativamente. Um chimpanzé-pigmeu macho chamado Kidogo, que vivia no zoológico de Milwaukee County, padecia de uma grave condição cardíaca que o deixava fraco e confuso. Quando foi levado para o zoológico, não conseguia se orientar nem entender as instruções dos cuidadores. Quando os outros chimpanzés compreenderam sua condição, eles intervieram. Frequentemente tomavam Kidogo pela mão e o levavam aonde precisava ir. Se Kidogo se perdia, ele emitia altos sinais de socorro, e algum macaco corria para ajudar.

Um dos principais ajudantes de Kidogo era o macho de mais alta hierarquia do bando, Lody, que não só guiava Kidogo como também o protegia. Enquanto quase todos os membros do grupo tratavam Kidogo com delicadeza, um jovem macho chamado Murph muitas vezes o provocava impiedosamente. Quando Lody percebia esse comportamento, ele expulsava o valentão, ou punha um braço protetor em torno de Kidogo.[6]

Um caso ainda mais tocante aconteceu nas selvas da Costa do Marfim. Depois de perder a mãe, um jovem chimpanzé apelidado de Oscar lutava para sobreviver sozinho. Nenhuma das outras fêmeas quis adotá-lo, porque estavam sobrecarregadas com suas próprias crias. Oscar aos poucos foi perdendo peso, saúde e vitalidade. Mas, quando tudo parecia perdido, ele foi "adotado" pelo macho alfa do grupo, Freddy. O alfa assegurava-se de que Oscar se alimentasse bem e até o carregava em suas costas. Testes genéticos provaram que Freddy não tinha parentesco com Oscar.[7] Podemos apenas especular sobre quais teriam sido os motivos que levaram o sisudo e velho líder a cuidar do pequeno órfão, mas aparentemente os chimpanzés líderes desenvolveram a inclinação a ajudar os pobres, órfãos e necessitados milhões de anos antes que a Bíblia instruísse os antigos israelitas a "não afligirei a nenhuma viúva ou órfão" (Êxodo 22,21), e antes de o profeta Amós reclamar das elites sociais que "oprimem os fracos e esmagam os indigentes" (Amós 4,1).

Mesmo entre os *Homo sapiens* que viviam no antigo Oriente Médio, os profetas bíblicos não eram sem precedentes. "Não matarás" e "não roubarás" eram mandamentos bem conhecidos nos códigos legais e éticos das cidades-Estados da Suméria, do Egito faraônico e do Império Babilônico. Os dias de descanso periódicos precedem o Shabat judaico. Mil anos antes de o profeta Amós repreender as elites israelitas por seu comportamento opressor, o rei babilônio Hamurabi explicou que os grandes deuses o instruíram "a demonstrar justiça no país, destruir o mal e a perversidade e impedir que os poderosos explorem os fracos".[8]

Enquanto isso no Egito — séculos antes do nascimento de Moisés —, escribas registraram "a história do camponês eloquente", um sujeito pobre cuja propriedade fora roubada por um proprietário de terras ganancioso. O camponês apresentou-se aos corruptos funcionários do faraó, e, quando eles não o protegeram, começou a explicar-lhes por que tinham de fazer justiça e particularmente defender os pobres dos ricos. Numa vívida alegoria, esse camponês egípcio explicou que as magras posses dos pobres eram como sua própria respiração, e a corrupção de funcionários do Estado os sufoca, tapando suas narinas.[9]

Muitas leis bíblicas copiam regras que eram aceitas na Mesopotâmia, no Egito e em Canaã séculos e até mesmo milênios antes do estabelecimento dos reinos de Judá e de Israel. Se o judaísmo bíblico fez nessas leis qualquer modificação singular, foi as transformando de regras universais aplicáveis a todos os humanos em códigos tribais dirigidos primordialmente ao povo judeu. A moralidade judaica foi inicialmente configurada como uma questão exclusiva, tribal, e assim permaneceu em certa medida até hoje. O Antigo Testamento, o Talmude e muitos (embora não todos) rabinos sustentam que a vida de um judeu vale mais do que a vida de um gentio, o que explica, por exemplo, por que é permitido a um judeu profanar o Shabat para salvar um judeu da morte, mas é proibido fazer isso para salvar um gentio (Talmude da Babilônia, Yoma 84,2).[10]

Alguns sábios judeus alegaram que até mesmo o famoso mandamento "Ama o próximo como a ti mesmo" refere-se apenas a judeus, e que não existe nenhum mandamento para amar gentios. Na verdade, o texto original do Levítico diz: "Não te vingarás ou guardarás rancor contra os filhos do teu povo. Amarás o próximo como a ti mesmo" (Levítico 19,18), o que desperta a suspeita de que "teu próximo" refere-se somente a "alguém do teu povo". Essa suspeita é muito reforçada pelo fato de que a Bíblia ordena aos judeus que exterminem certos povos, como os amalequitas e os canaanitas. "Não deixarás sobreviver nenhum ser vivo", decreta o livro sagrado. "Sim, sacrificarás como anátemas os heteus, os amorreus, os cananeus, os heveus, os jebuseus, conforme Iahweh teu Deus te ordenou" (Deuteronômio 20,16-7). Essas são as primeiras ocasiões registradas na história humana em que o genocídio é apresentado como um dever religioso.

Foram os cristãos que escolheram alguns pedaços selecionados do código moral judaico, os transformaram em mandamentos universais e os disseminaram pelo mundo. Na verdade, foi exatamente por isso que o cristianismo cindiu-se do judaísmo. Enquanto muitos judeus até hoje acreditam que o assim chamado "povo eleito" está mais perto de Deus do que estão outras nações, o fundador do cristianismo — o apóstolo são Paulo — estipulou em sua famosa Epístola aos Gálatas que "não há judeu nem grego, não há escravo nem livre, não há homem nem mulher; pois todos vós sois um só em Cristo Jesus" (Gálatas 3,28).

E devemos enfatizar que, apesar do enorme impacto do cristianismo, essa não foi a primeira vez que um humano pregou uma ética universal. A Bíblia está longe de ser a fonte exclusiva da moralidade humana (e felizmente é assim, em vista das muitas atitudes racistas, misóginas e homofóbicas que ela contém). Confúcio, Laozi, Buda e Mahavira estabeleceram códigos de ética universais muito antes de Paulo e de Jesus, sem saber nada sobre a terra de Canaã ou os profetas de Israel. Confúcio ensinou que toda pessoa deve amar os outros como ama a si mesma quinhentos anos antes de o rabino Hilel, o Velho, ter dito que essa era a essência da Torá. E, numa época em que o judaísmo ainda ordenava o sacrifício de animais e o extermínio sistemático de populações humanas inteiras, Buda e Mahavira já instruíam seus seguidores que evitassem fazer mal não apenas a seres humanos, mas a quaisquer seres sencientes, inclusive insetos. Por isso não faz nenhum sentido creditar ao judaísmo e a sua descendência cristã e muçulmana a criação da moralidade humana.

O NASCIMENTO DO FANATISMO

E quanto ao monoteísmo? Os judeus não merecem ao menos um elogio especial por serem os primeiros a acreditar num Deus único, o que era sem paralelo em qualquer outro lugar no mundo (mesmo que essa crença tenha sido disseminada nos quatro cantos do mundo mais por cristãos e muçulmanos do que por judeus)? Pode-se regatear até mesmo quanto a isso, já que a primeira evidência clara de monoteísmo vem da revolução religiosa do faraó Aquenáton, por volta de 1350 a.C., e documentos como o da Estela de Mesa (erigida pelo rei moabita Mesa) indicam que a religião bíblica de Israel não era em nada diferente das religiões de reinos vizinhos, como Moab. Mesa descreve seu grande deus Chemosh quase da mesma maneira como o Antigo Testamento descreve Iahweh. Mas o verdadeiro problema com a ideia de que o monoteísmo é uma contribuição dos judeus para o mundo é que isso dificilmente é motivo de orgulho. De um ponto de vista ético, o monoteísmo foi sem dúvida uma das piores ideias na história humana.

O monoteísmo pouco fez para melhorar os padrões morais

dos humanos — você acha mesmo que os muçulmanos são inerentemente mais éticos que os hindus, só porque muçulmanos acreditam num deus único enquanto os hindus acreditam em muitos deuses? Os conquistadores cristãos foram mais éticos do que as tribos americanas pagãs? O que o monoteísmo sem dúvida fez foi deixar as pessoas muito mais intolerantes do que eram, contribuindo assim para a disseminação das perseguições religiosas e guerras santas. Politeístas acham aceitável que povos diferentes cultuem deuses diferentes e realizem ritos e rituais diversos. Raramente, se é que alguma vez, combatem, perseguem ou matam pessoas só por causa de suas crenças religiosas. Os monoteístas, em contraste, acreditam que seu Deus é o único deus, e que Ele exigiu obediência universal. Consequentemente, quando o cristianismo e o islamismo se espalharam pelo mundo, espalhou-se também a incidência de cruzadas, jihads, inquisições e discriminação religiosa.[11]

Compare-se, por exemplo, a atitude do imperador Asoka, da Índia, no século III a.C., à dos imperadores cristãos no final do Império Romano. Asoka governou um império repleto de miríades de religiões, seitas e gurus. Ele deu a si mesmo os títulos oficiais de "Amado dos Deuses" e "O que considera todos com afeição". Por volta de 250 a.C., emitiu um edital imperial de tolerância o qual proclamava que:

> Amado dos Deuses, o rei que considera todos com afeição, homenageia os ascetas e os chefes de todas as religiões... e honra valores que deveriam ser cultivados na essência de todas as religiões. Cultivo daquilo que é essencial pode ser feito de diferentes maneiras, mas todas elas têm sua raiz restrita ao discurso, isto é, não louvando a própria religião de alguém, ou condenado a religião de outros sem bom motivo... Todo aquele que louva sua própria religião, devido a uma devoção excessiva, e condena outras com o pensa-

mento "Que eu glorifique minha própria religião" só prejudica sua própria religião. Portanto o contato entre religiões é bom. Devem-se ouvir e respeitar as doutrinas professadas por outros. Amado dos Deuses, o rei que considera todos com afeição, deseja que todos sejam bem instruídos nas boas doutrinas de outras religiões.[12]

Quinhentos anos depois, o Império Romano tardio era tão diverso quanto a Índia de Asoka, porém, quando o cristianismo se tornou a religião oficial, os imperadores adotaram uma abordagem bem diferente. A começar com Constantino, o Grande, e seu filho Constâncio I, os imperadores fecharam todos os templos não cristãos e proibiram os assim chamados rituais "pagãos", sob pena de morte. As perseguições culminaram sob o reinado do imperador Teodósio — cujo nome significa "dado por Deus" —, que lançou em 391 os Decretos Teodosianos, que efetivamente tornaram ilegais todas as religiões exceto o cristianismo e o judaísmo (o judaísmo também foi perseguido de várias maneiras, mas sua prática continuou a ser legal).[13] De acordo com as novas regras, uma pessoa poderia ser executada até mesmo por cultuar Júpiter ou Mitras na privacidade de sua própria casa.[14] Como parte de sua campanha para limpar o império de toda herança infiel, os imperadores cristãos também aboliram os Jogos Olímpicos. Depois de celebrada durante mais de mil anos, a última Olimpíada da Antiguidade foi realizada no fim do século IV ou início do século V.[15]

Claro, nem todos os governantes monoteístas foram tão intolerantes quanto Teodósio, enquanto muitos rejeitaram o monoteísmo sem adotar as políticas de tolerância de Asoka. Entretanto, ao insistir que "não existe deus a não ser o nosso Deus" a ideia monoteísta tendeu a estimular o fanatismo. Os judeus fizeram bem ao minimizar sua parte na disseminação desse perigoso meme, e deixar cristãos e muçulmanos carregarem a culpa por isso.

FÍSICA JUDAICA, BIOLOGIA CRISTÃ

É somente nos séculos XIX e XX que vemos os judeus dando uma contribuição extraordinária à humanidade como um todo, com sua descomunal participação na ciência moderna. Além de nomes tão conhecidos como os de Einstein e Freud, cerca de 20% de todos os laureados com o prêmio Nobel na ciência são judeus, embora os judeus constituam menos de 0,2% da população mundial.[16] Mas deve-se ressaltar que essa foi uma contribuição de judeus individuais, e não do judaísmo como religião ou cultura. A maioria dos cientistas importantes judeus nos últimos duzentos anos atuou fora da esfera religiosa judaica. Na verdade, judeus começaram a dar sua notável contribuição à ciência somente após terem abandonado as *yeshivás* em favor de laboratórios.

Antes de 1800, o impacto judaico na ciência era limitado. Muito naturalmente, os judeus não desempenharam um papel significativo no progresso da ciência na China, na Índia ou na civilização maia. Na Europa e no Oriente Médio alguns pensadores judeus, como Maimônides, tiveram considerável influência sobre seus colegas gentios, mas no geral o impacto judaico foi mais ou menos proporcional a seu peso demográfico. Durante os séculos XVI, XVII e XVIII o judaísmo quase não contribuiu para a irrupção da Revolução Científica. Com exceção de Espinosa (cujas provocações fizeram com que fosse excomungado da comunidade judaica), é difícil mencionar um único judeu que tenha sido crucial para o nascimento da física, química, biologia ou ciências sociais modernas. Não sabemos o que os antepassados de Einstein estavam fazendo na época de Galileu e de Newton, mas provavelmente estavam muito mais interessados em estudar o Talmude do que estudar a luz.

A grande mudança só veio ocorrer nos séculos XIX e XX, quando a secularização e o Iluminismo Judaico levaram muitos judeus a adotar a visão de mundo e o estilo de vida de seus vizinhos gentios. Os judeus começaram então a se juntar a universidades e centros de pesquisa de países como a Alemanha, a França e os Estados Unidos. Eruditos judeus trouxeram dos guetos e dos *sthtetls*, aldeias com grande população judaica, importantes legados culturais. O valor central da educação na cultura judaica foi um dos principais motivos para o extraordinário sucesso dos cientistas judeus. Outros fatores incluem o desejo de uma minoria perseguida de mostrar seu valor, e as barreiras que impediam judeus talentosos de progredir em instituições mais antissemitas como o Exército e a administração do Estado.

Mas, enquanto os cientistas judeus traziam com eles das *yeshivás* uma rigorosa disciplina e uma fé profunda no valor do conhecimento, não traziam nenhuma bagagem útil de ideias e insights concretos. Einstein era judeu, mas a teoria da relatividade não era "física judaica". O que a fé na sacralidade da Torá tem a ver com a noção de que energia é igual a massa multiplicada pela velocidade da luz ao quadrado? Para servir de comparação, Darwin era cristão, e até começou seus estudos em Cambridge com a intenção de tornar-se um sacerdote anglicano. Isso implicaria que a teoria da evolução é uma teoria cristã? Seria ridículo listar a teoria da relatividade como uma contribuição judaica à humanidade, assim como seria ridículo creditar ao cristianismo a teoria da evolução.

Da mesma forma, é difícil ver qualquer coisa particularmente judaica na invenção do processo de sintetizar amônia, de Fritz Haber (prêmio Nobel de química em 1918); na descoberta do antibiótico estreptomicina, por Selman Waksman (prêmio Nobel de fisiologia ou medicina, em 1952); ou na descoberta dos quase-cristais por Dan Schechtman (prêmio Nobel de química, em 2011). No caso de estudiosos das áreas de humanidades e ciências sociais — como Freud —, sua herança judaica teve provavelmente um impacto mais profundo em seus insights. Porém mesmo nesses casos as descontinuidades são mais flagrantes do que as conexões que sobrevivem. As visões de Freud sobre a psique humana foram muito diferentes das do rabi José Caro ou do rabi Iochanan ben Zakai, e ele não descobriu o complexo de Édipo consultando cuidadosamente o *Shulchan Aruch* (o código prático da lei judaica).

Para resumir, embora a ênfase judaica no estudo provavelmente tenha dado uma importante contribuição ao sucesso excepcional dos cientistas judeus, foram pensadores gentios que proveram os fundamentos para as realizações de Einstein, Haber e Freud. A Revolução Científica não foi um projeto judaico, e os judeus só encontraram seu lugar quando foram das *yeshivás* para as universidades. Na verdade, o hábito judaico de buscar respostas a todas as questões lendo textos antigos constituiu um obstáculo significativo para a integração judaica no mundo da ciência moderna, onde as respostas vêm de observações e experimentos. Se existe alguma coisa, no que tange à religião judaica em si mesma, que necessariamente leve a inovações científicas, como é que entre 1905 e 1933 dez judeus seculares alemães receberam o prêmio Nobel de química, medicina e física, mas durante o mesmo período nem um só judeu ultraortodoxo, ou um só judeu búlgaro ou iemenita recebeu qualquer prêmio Nobel?

Para não criar suspeitas de que sou um "judeu que odeia judeus", ou um antissemita, quero enfatizar que não estou afirmando que o judaísmo foi uma religião especialmente má ou obscurantista. Tudo o que estou dizendo é que não foi importante para a história da humanidade. Durante muitos séculos o judaísmo foi a humilde religião de uma pequena minoria perseguida que preferia ler e contemplar a conquistar países distantes e queimar hereges na estaca.

Os antissemitas comumente pensam que os judeus são muito importantes. Antissemitas imaginam que os judeus controlam o mundo, ou o sistema bancário, ou pelo menos a mídia, e que deve-se culpá-los de tudo, desde o aquecimento global até os ataques do Onze de Setembro. Essa paranoia antissemita é tão ridícula quanto a megalomania judaica. Os judeus podem ser um povo muito interessante, mas, quando se olha para o quadro como um todo, tem-se de constatar que eles têm tido um impacto muito limitado no mundo.

Ao longo da história, os humanos criaram centenas de religiões e seitas diferentes. Um punhado delas — cristianismo, islamismo, hinduísmo, confucionismo e budismo — influenciou bilhões de pessoas (nem sempre para o bem). A grande maioria dos credos — como a religião bon, a religião iorubá e a religião judaica — teve impacto muito menor. Pessoalmente, gosto da ideia de descender não de conquistadores brutais, mas de um povo insignificante que quase nunca se metia nos assuntos de outros povos. Muitas religiões louvam o valor da humildade — mas imaginam ser a coisa mais importante do universo. Misturam chamados para uma humildade pessoal com uma flagrante arrogância coletiva. Humanos de todos os credos fariam bem em levar esse valor mais a sério.

E, entre todas as formas de humildade, talvez a mais importante seja aquela perante Deus. Sempre que falam de Deus, humanos professam uma abjeta humildade, mas depois usam o nome de Deus para serem prepotentes com seus irmãos.

13. Deus
Não tomarás o nome de Deus em vão

Deus existe? Isso depende de que Deus se tem em mente. O mistério cósmico ou o legislador do mundo? Às vezes, quando as pessoas falam de Deus, elas estão falando de um enigma espantoso, sobre o qual não sabemos absolutamente nada. Invocamos esse Deus misterioso para explicar as mais profundas charadas do cosmos. Por que existe algo, em vez de nada? O que moldou as leis fundamentais da física? O que é a consciência, e de onde ela vem? Não temos resposta para essas perguntas, e damos à nossa ignorância o grandioso nome de Deus. E sua característica mais fundamental é que não somos capazes de dizer algo concreto sobre Ele. Esse é o Deus dos filósofos; o Deus que mencionamos quando estamos sentados em torno de uma fogueira tarde da noite tentando compreender o sentido da vida.

Em outras ocasiões as pessoas veem Deus como um legislador inflexível mundano, sobre quem sabemos até demais. Sabemos exatamente o que Ele pensa sobre moda, alimento, sexo e política, e invocamos esse Homem Bravo no Céu para justificar uma infinidade de regulamentos, decretos e conflitos. Ele fica aborrecido quando mulheres usam blusas de mangas curtas, quando dois homens fazem sexo um com o outro ou quando adolescentes se masturbam. Algumas pessoas dizem que Ele não gosta que bebamos álcool, nunca, enquanto segundo outras Ele exige que tomemos vinho toda noite de sexta-feira ou toda manhã de domingo. Bibliotecas inteiras têm sido escritas para explicar com os mais minuciosos detalhes o que Ele quer e o que Ele abomina. A característica mais fundamental desse legislador mundano é que somos capazes de dizer coisas extremamente concretas sobre Ele. Esse é o Deus dos cruzados e dos jihadistas, dos inquisidores, dos misóginos e dos homofóbicos. Esse é o Deus que mencionamos quando estamos em volta de uma pira ardente, atirando pedras e xingamentos nos hereges postos ali para queimar.

Quando se pergunta a crentes se Deus realmente existe, eles muitas vezes começam a falar dos mistérios enigmáticos do universo e dos limites da compreensão humana. "A ciência não é capaz de explicar o Big Bang", exclamam, "portanto isso deve ser obra de Deus." E, como um mágico que engana o público substituindo uma carta por outra, o crente rapidamente substitui o mistério cósmico por um legislador mundano. Após ter dado o nome de "Deus" aos segredos desconhecidos do cosmos, eles o usam para de algum modo condenar biquínis e divórcios. "Nós não compreendemos o Big Bang — portanto você tem de cobrir os cabelos em público e votar contra o casamento gay." Não só não existe conexão lógica entre as duas coisas como na verdade elas são contraditórias. Quanto mais profundos são os mistérios do universo, menos provável é que o que quer que seja responsável por eles dê qualquer importância aos códigos de vestimenta feminina ou ao comportamento sexual humano.

O elo que falta entre o mistério cósmico e o legislador mundano geralmente é fornecido por algum livro sagrado. O livro está cheio dos mais triviais regulamentos, mas assim mesmo é atribuído ao mistério cósmico. O criador do espaço e do tempo foi supostamente quem o compôs, mas deu-se o trabalho de nos esclarecer sobretudo quanto a alguns rituais obscuros e tabus alimentares. Na verdade, não temos nenhuma evidência de que a Bíblia, ou o Corão, ou o Livro dos Mórmons ou os Vedas ou qualquer outro livro sagrado foram compostos pela força que determinou que energia é igual a massa multiplicada pela velocidade da luz ao quadrado, e que prótons têm 1837 vezes mais massa que elétrons. Até onde vai nosso conhecimento científico, todos esses textos sagrados foram escritos por imaginativos *Homo sapiens*. São apenas histórias inventadas por nossos antepassados para legitimar normas sociais e estruturas políticas.

Eu nunca deixei de me perguntar sobre o mistério da existência. Mas nunca compreendi o que isso tem a ver com as minuciosas leis do judaísmo, cristianismo ou hinduísmo. Essas leis decerto foram muito úteis no estabelecimento e na preservação da ordem social durante milhares de anos. Porém não são, nisso, fundamentalmente diferentes das leis de Estados e instituições seculares.

O terceiro dos Dez Mandamentos bíblicos instrui os humanos a nunca fazer uso indevido do nome de Deus. Muitos entendem isso como uma proibição de pronunciar o nome explícito de Deus (como na famosa cena do Monty Python: "Se você disser Iahweh..."), mas talvez o sentido mais profundo desse mandamento seja que nunca devemos usar o nome de Deus para justificar nossos interesses políticos, nossas ambições econômicas ou nossos ódios pessoais. Quando uma pessoa odeia alguém, diz: "Deus odeia ele"; quando cobiça um pedaço de terra: "Deus quer isso". O mundo seria um lugar melhor se cumpríssemos o terceiro mandamento com mais devoção. Você quer travar uma guerra com seus vizinhos e roubar suas terras? Deixe Deus fora disso, e arranje outra desculpa.

No fundo, é uma questão de semântica. Quando uso a palavra "Deus" penso no Deus do Estado Islâmico, das Cruzadas, da Inquisição e nas faixas "Deus odeia bichas". Quando penso no mistério da existência, prefiro usar outras palavras, para evitar confusão. E diferentemente do Deus do Estado Islâmico e das Cruzadas — que se importa muito com nomes e acima de tudo com Seu santíssimo nome — o mistério da existência não dá a mínima para os nomes que nós, macacos, lhe damos.

ÉTICA SEM DEUS

É claro que o mistério cósmico não nos ajuda em nada na preservação da ordem social. As pessoas muitas vezes alegam que temos de acreditar num deus que dê aos humanos algumas leis muito concretas, se não a moralidade vai desaparecer e a sociedade desmoronar num caos primevo.

Certamente é verdade que a crença em deuses foi vital para várias ordens sociais, e que às vezes teve consequências positivas. De fato, a mesma religião que inspira ódio e intolerância em algumas pessoas inspira amor e compaixão em outras. Por exemplo, no início da década de 1960 o reverendo metodista Ted McIlvenna tomou consciência da difícil situação da população LGBT em sua comunidade. Começou a investigar a situação de gays e lésbicas na sociedade em geral e, em maio de 1964, convocou um pioneiro diálogo de três dias entre clérigos e ativistas no White Memorial Retreat Center, na Califórnia. Os participantes subsequentemente estabeleceram o Conselho sobre Religião e o Homossexual (CRH), que além dos ativistas incluía ministros metodistas, episcopais, luteranos e da Igreja Unida de Cristo. Foi a primeira organização americana que ousou empregar a palavra "homossexual" em seu título oficial.

Nos anos seguintes, as atividades do CRH iam desde organizar festas a fantasia até entrar com ações legais contra discriminação e perseguição injustas. O CRH tornou-se a semente dos movimentos pelos direitos dos gays na Califórnia. O reverendo McIlvenna e outros homens de Deus que se juntaram a ele estavam bem conscientes das injunções bíblicas contra a homossexualidade. Mas pensaram que era mais importante ser fiel ao espírito misericordioso de Cristo do que à palavra estrita da Bíblia.[1]

Embora deuses possam nos inspirar a agir com compaixão, a fé religiosa não é condição necessária para o comportamento moral. A ideia de que precisamos de um ser sobrenatural que nos faça agir moralmente pressupõe que existe algo sobrenatural na moralidade. Mas por quê? A moralidade, de qualquer tipo, é natural. Todos os mamíferos sociais, de chimpanzés a ratos, têm códigos éticos que limitam coisas como roubo e assassinato. Entre humanos, a moralidade está presente em todas as sociedades, apesar de nem todas acreditarem no mesmo deus, ou em qualquer deus. Os cristãos agem com caridade mesmo sem acreditar no panteão hindu. Os muçulmanos dão valor à honestidade apesar de rejeitar a divindade de Cristo, e países seculares como a Dinamarca e a República Tcheca não são mais violentas do que países devotos como o Irã e o Paquistão.

Moralidade não quer dizer "cumprir os mandamentos divinos". Quer dizer "diminuir o sofrimento". Daí que, para agir moralmente, não é preciso acreditar em nenhum mito ou narrativa. Só é necessário desenvolver uma profunda noção do que é sofrimento. Se você souber que uma ação causa um sofrimento desnecessário a você e a outros, você naturalmente se absterá de empreendê-la. Assim mesmo, pessoas assassinam, estupram e roubam porque só têm uma noção superficial da infelicidade que isso causa. Estão obcecadas em satisfazer sua paixão ou ganância imediatas, sem se preocupar com o impacto sobre os outros —

ou mesmo o impacto sobre elas mesmas a longo prazo. Até mesmo inquisidores, que deliberadamente infligem o máximo de sofrimento possível em sua vítima, usam técnicas variadas de dessensibilização e desumanização para se distanciarem daquilo que estão fazendo.[2]

Poder-se-ia objetar que todo humano naturalmente busca evitar sentir-se um miserável, mas por que deveria um humano importar-se com a miséria dos outros, a menos que algum deus exija isso? Uma resposta óbvia é que os humanos são animais sociais, e daí que sua felicidade depende em grande medida de seus relacionamentos com outros. Sem amor, amizade e comunidade, quem poderia ser feliz? Se você vive uma vida solitária e centrada em você mesmo, é quase certo que se sentirá um miserável. Assim, no mínimo, para ser feliz você precisa se importar com sua família, seus amigos e os membros de sua comunidade.

E quanto, então, a quem é totalmente estranho? Por que não assassiná-los e tomar suas posses para enriquecer a mim e a minha tribo? Muitos pensadores construíram complexas teorias sociais, explicando por que no longo prazo esse comportamento é contraproducente. Você não gostaria de viver numa sociedade onde estranhos são rotineiramente roubados e assassinados. Não só porque você estaria em perigo como porque perderia o benefício de coisas como comércio, que depende de haver confiança entre estranhos. Comerciantes normalmente não frequentam antros de ladrões. É por isso que teóricos seculares da antiga China à moderna Europa têm justificado a regra de ouro que diz "não faça aos outros o que não quer que façam a você".

Mas na verdade não precisamos dessas teorias todas para encontrar um fundamento natural para a compaixão. Esqueça o comércio por um momento. Num nível muito mais imediato, ferir os outros fere a mim também. Todo ato violento no mundo começa com um desejo violento de alguém, o que perturba a paz e a felicidade da própria pessoa antes de perturbar a paz e a felicidade de qualquer outra. Assim, raramente alguém rouba a menos que tenha primeiro desenvolvido muita ganância e inveja. Pessoas normalmente não assassinam, a menos que primeiro tenham alimentado raiva e ódio. Emoções como ganância, inveja, raiva e ódio são muito desagradáveis. Não se pode ter alegria e harmonia quando se está espumando de raiva ou inveja. Daí que antes que você assassine alguém, sua raiva já matou sua própria paz de espírito.

Na verdade, você pode ficar espumando de raiva durante anos, sem nunca assassinar o objeto de seu ódio. Nesse caso você não terá ferido nenhuma outra pessoa, mas terá ferido a si mesmo. Portanto, o seu próprio interesse — e não a ordem de algum deus — é que deveria induzir você a fazer alguma coisa quanto a sua raiva. Se você se livrar totalmente dela, vai se sentir muito melhor do que se assassinar um inimigo.

Para algumas pessoas, uma forte crença num deus misericordioso que nos manda oferecer a outra face pode ajudar a dominar a raiva. Essa tem sido uma enorme contribuição da crença religiosa à paz e à harmonia do mundo. Infelizmente, para outras pessoas a crença religiosa na verdade incita e justifica sua raiva, em especial se alguém ousa insultar seu deus ou ignorar suas vontades. Assim, o valor do deus legislador depende em última análise do comportamento de seus devotos. Se agirem bem, podem acreditar em tudo o que queiram. Da mesma forma, o valor dos ritos religiosos e dos lugares sagrados depende do tipo de sentimentos e comportamentos que eles inspiram. Se frequentar um templo faz a pessoa experimentar paz e harmonia, isso é maravilhoso. Mas, se um determinado templo causa violência e conflitos, para que precisamos dele? É claramente um templo disfuncional. Assim como não faz sentido tentar salvar uma árvore doente que produz espinhos em vez de frutos, tampouco faz sentido lutar por um templo defeituoso que produz inimizade e não harmonia.

Não frequentar templos e não acreditar em nenhum deus também é uma opção viável. Como provaram os séculos recentes, não precisamos invocar o nome de Deus para viver uma vida de moralidade. O secularismo pode nos prover de todos os valores dos quais precisamos.

14. Secularismo
Tenha consciência de sua sombra

O que significa ser secular? O secularismo às vezes é definido como negação da religião, e as pessoas seculares são, portanto, caracterizadas por aquilo em que não acreditam e não fazem. De acordo com essa definição, as pessoas seculares não acreditam em deuses ou anjos, não frequentam igrejas e templos e não realizam ritos ou rituais. Como tal, o mundo secular parece oco, niilista e amoral — uma caixa vazia esperando ser preenchida por algo.

Poucas pessoas adotariam uma identidade negativa. Secularistas autoprofessados veem o secularismo de maneira muito diferente. Para eles, o secularismo é uma visão de mundo muito positiva e ativa, definida por um código de valores coerentes, e não pela oposição a esta ou aquela religião. Realmente, muitos dos valores seculares são compartilhados por várias tradições religiosas. Salvo algumas seitas que insistem em que têm o monopólio de toda a sabedoria e toda a bondade, uma das principais características das pessoas seculares é que elas não reivindicam esse monopólio. Não pensam que moralidade e sabedoria tenham descido do céu num lugar e tempo específicos. E sim que moralidade e sabedoria são o legado natural de todos os humanos. Daí, só se poderia esperar que ao menos alguns valores surgissem nas sociedades humanas por todo o mundo, e fossem comuns a muçulmanos, cristãos, hindus e ateus.

Líderes religiosos frequentemente defrontam seus seguidores com uma rigorosa escolha na forma "ou isso ou aquilo" — ou vocês são muçulmanos ou não são. E, se são muçulmanos, devem rejeitar todas as outras doutrinas. Em contraste, as pessoas seculares sentem-se confortáveis com múltiplas identidades híbridas. No que concerne ao secularismo, você pode continuar se dizendo muçulmano e continuar a rezar para Alá, comer alimentos *halal* e fazer o *haj*, a peregrinação a Meca — e ainda ser um bom membro da sociedade secular, contanto que adote o código ético secular. Esse código — que na verdade é aceito por milhões de muçulmanos, cristãos e hindus assim como por ateus — cultua valores como liberdade, compaixão, igualdade, coragem e responsabilidade. Constitui o fundamento das modernas instituições científicas e democráticas.

Como todos os códigos éticos, o código secular é mais um ideal a se aspirar do que uma realidade social. Assim como sociedades e instituições cristãs desviam-se frequentemente do ideal cristão, também sociedades e instituições seculares ficam muito aquém do ideal secular. A França medieval foi um autoproclamado reino cristão, mas incorreu em todo tipo de atividades não muito cristãs (pergunte só a seu oprimido campesinato). A França moderna é um autoproclamado Estado secular, mas da época de Robespierre em diante ela tomou certas liberdades preocupantes com a própria definição de liberdade (pergunte só às mulheres). Isso não quer dizer que às pessoas seculares — na França ou em outro lugar — falta uma bússola moral ou um comprometimento ético. Quer dizer apenas que não é fácil corresponder a um ideal.

O IDEAL SECULAR

O que é então o ideal secular? O compromisso secular mais importante é com a *verdade*, que se baseia em observação e evidência e não apenas na fé. Os seculares esforçam-se para não confundir verdade com crença. Se você tem uma crença muito forte numa narrativa, isso pode revelar muitas coisas interessantes sobre a sua psicologia, sua infância e sua estrutura cerebral — mas não prova que essa narrativa é verdadeira. (Muitas vezes, crenças fortes são necessárias justamente porque a narrativa não é verdadeira.)

Além disso, seculares não santificam nenhum grupo, nenhuma pessoa ou nenhum livro como se ele ou ela, e só ele ou ela, tivesse a custódia única da verdade. Em vez disso, santificam a verdade onde quer que ela possa se revelar — em antigos ossos fossilizados, em imagens de galáxias distantes, em quadros de dados estatísticos, ou nos escritos de várias tradições humanas. O compromisso com a verdade fundamenta a ciência moderna, que capacitou o homem a fissionar o átomo, decifrar o genoma, rastrear a evolução da vida e compreender a história da própria humanidade.

O outro compromisso básico das pessoas seculares é com a *compaixão*. A ética secular baseia-se não em obedecer aos preceitos deste ou daquele deus, e sim numa profunda apreciação do sofrimento. Por exemplo, pessoas seculares abstêm-se de assassinar não porque algum livro antigo proíbe, mas porque o ato de matar inflige imenso sofrimento a seres sencientes. Existe algo profundamente perturbador e perigoso no que tange a pessoas que evitam matar só porque "Deus diz assim". São pessoas motivadas mais por obediência do que por compaixão, e o que farão elas se vierem a acreditar que seu deus lhes ordena que matem hereges, bruxas, adúlteros ou estrangeiros?

É claro que na ausência de mandamentos divinos absolutos

a ética secular frequentemente se depara com difíceis dilemas. O que acontece quando a mesma ação fere uma pessoa mas ajuda outra? Será ético cobrar altos impostos dos ricos para ajudar os pobres? Travar uma guerra sangrenta para derrubar um ditador brutal? Permitir que entre um número ilimitado de refugiados em nosso país? Quando pessoas seculares se deparam com esses dilemas elas não perguntam: "O que Deus ordena?". Em vez disso, avaliam cuidadosamente os sentimentos de todas as partes envolvidas, examinam um amplo espectro de observações e possibilidades e buscam um caminho do meio que cause o menor dano possível.

Considere, por exemplo, atitudes em relação à sexualidade. Como é que pessoas seculares decidem se endossam ou se se opõem a estupro, homossexualidade, bestialismo e incesto? Examinando sentimentos. O estupro é obviamente aético, não porque transgride algum mandamento divino, mas porque magoa pessoas. Em contraste, a relação amorosa entre dois homens não magoa ninguém, assim não há motivo para proibi-la.

E quanto ao bestialismo? Participei em numerosos debates privados e públicos sobre o casamento gay, e muito frequentemente algum sabichão pergunta: "Se o casamento entre dois homens é o.k., por que não permitir o casamento entre um homem e um bode?". Do ponto de vista secular, a resposta é óbvia. Relações saudáveis requerem profundidade emocional, intelectual e mesmo espiritual. Um casamento ao qual falte essa profundidade deixará você frustrado, solitário e psicologicamente atrofiado. Enquanto dois homens podem satisfazer as necessidades emocionais, intelectuais e espirituais um do outro, um relacionamento com um bode não pode. Daí que se você considera o casamento uma instituição cujo objetivo é promover o bem-estar humano — como fazem os seculares —, você nem sequer cogitaria fazer uma pergunta tão bizarra. Apenas pessoas que veem o casamento como uma espécie de ritual miraculoso a fariam.

E quanto às relações entre pai e filha? Ambos são humanos, então o que há de errado nisso? Bem, numerosos estudos psicológicos demonstraram que essas relações infligem dano imenso e irreparável na filha. Além disso, refletem e intensificam tendências destrutivas no pai. A evolução modelou a psique do *Sapiens* de tal maneira que ligações românticas não se mesclam bem com ligações parentais. Portanto, você não precisa da Bíblia para se opor ao incesto — basta ler os estudos psicológicos relevantes.[1]

Essa é a razão profunda de as pessoas seculares prezarem a verdade científica. Não para satisfazer sua curiosidade, mas para saber como reduzir o sofrimento no mundo. Sem a orientação dos estudos científicos, nossa compaixão muitas vezes é cega.

Esses compromissos gêmeos com a verdade e com a compaixão também resultam num compromisso com a *igualdade*. Embora opiniões difiram quanto a questões de igualdade econômica e política, pessoas seculares são fundamentalmente suspeitosas de todas as hierarquias anteriores. Sofrimento é sofrimento, não importa quem o experimente; e conhecimento é conhecimento, não importa quem o descobre. Privilegiar as experiências ou as descobertas de uma determinada nação, classe ou gênero é como nos tornar insensíveis e ignorantes. Pessoas seculares certamente se orgulham da singularidade de sua nação, de seu país e de sua cultura — mas elas não confundem "singularidade" com "superioridade". Daí que apesar de as pessoas seculares terem consciência de seus deveres especiais para com sua nação e seu país, não acham que esses deveres são exclusivos, e, ao mesmo tempo, têm consciência de seus deveres para com a humanidade como um todo.

Não seremos capazes de buscar a verdade e uma saída para o sofrimento sem a *liberdade* de pensar, investigar e experimentar. Por isso as pessoas seculares acalentam a liberdade e evitam atribuir autoridade suprema a qualquer texto, instituição ou líder como juiz definitivo do que é verdade e do que é correto. Humanos deveriam ter sempre a liberdade de duvidar, de verificar novamente, de ouvir uma segunda opinião, de tentar um caminho diferente. Pessoas seculares admiram Galileu Galilei, que ousou questionar se a Terra de fato está imóvel e no centro do universo; elas admiram as massas de pessoas comuns que atacaram a Bastilha em 1789 e derrubaram o regime despótico de Luís XVI; e admiram Rosa Parks, que teve a coragem de se sentar num lugar do ônibus reservado a passageiros brancos.

É preciso muita *coragem* para combater preconceitos e regimes opressivos, mas é preciso ainda mais coragem para admitir ignorância e se aventurar no desconhecido. A educação secular nos ensina que se não sabemos algo, não deveríamos ter medo de reconhecer nossa ignorância e de buscar nova evidência. Mesmo se acharmos que sabemos alguma coisa, não deveríamos ter medo de duvidar de nossas opiniões e nos questionar. Muita gente tem medo do desconhecido, e quer uma resposta clara para cada pergunta. Medo do desconhecido pode nos paralisar mais que qualquer tirano. Ao longo da história havia a preocupação de que, a menos que puséssemos nossa fé em algum conjunto de respostas absolutas, a sociedade humana ia desmoronar. Na verdade, a história moderna demonstrou que uma sociedade de pessoas corajosas dispostas a admitir sua ignorância e fazer perguntas difíceis geralmente não é apenas mais próspera como também mais pacífica do que sociedades nas quais todos têm de aceitar uma única resposta sem questionar. Pessoas temerosas de perder sua verdade são propensas a ser mais violentas do que pessoas acostumadas a olhar para o mundo de diferentes pontos de vista. Perguntas às quais você não é capaz de responder são geralmente muito melhores para você do que respostas que você não é capaz de questionar.

Por fim, pessoas seculares prezam a *responsabilidade*. Não acreditam em nenhum poder superior que toma conta do mundo, pune os malvados, recompensa os justos e nos protege da fome, da peste ou da guerra. Por isso nós, mortais de carne e osso, temos de assumir total responsabilidade por tudo o que fazemos — ou deixamos de fazer. Se o mundo está cheio de miséria, é nosso dever encontrar soluções. Pessoas seculares orgulham-se das imensas conquistas das sociedades modernas, como curar epidemias, alimentar os famintos e trazer paz a grandes partes do mundo. Não precisamos creditar essas conquistas a nenhum protetor divino — elas resultaram de os humanos desenvolverem seu próprio conhecimento e sua compaixão. Mas, exatamente pela mesma razão, precisamos assumir responsabilidade total pelos crimes e falhas da modernidade, do genocídio à degradação ecológica. Em vez de rezar por milagres, precisamos perguntar o que podemos fazer para ajudar.

Esses são os valores básicos do mundo secular. Como já observado, nenhum desses valores é exclusivamente secular. Judeus também dão valor à verdade, cristãos valorizam a compaixão, muçulmanos valorizam a igualdade, hindus dão valor à responsabilidade, e assim por diante. Sociedades e instituições seculares ficam felizes de reconhecer essas conexões e de acolher religiosos judeus, cristãos, muçulmanos e hindus, contanto que quando o código secular colidir com a doutrina religiosa, esta deve abrir passagem. Por exemplo, para judeus ortodoxos serem aceitos na sociedade secular espera-se que tratem não judeus como iguais, cristãos deveriam evitar queimar hereges na estaca, muçulmanos teriam de respeitar a liberdade de expressão e hindus precisariam abolir a discriminação das castas.

Em contraste, não se espera que pessoas religiosas neguem a existência de Deus ou abandonem ritos e rituais tradicionais. O mundo secular julga as pessoas com base em seu comportamento, e não em suas roupas e cerimônias favoritas. Uma pessoa pode seguir o mais bizarro código sectário de vestimenta e praticar as mais estranhas cerimônias religiosas e ainda assim agir de acordo com os valores centrais do secularismo. Há muitos cientistas judeus, ambientalistas cristãos, feministas muçulmanos e ativistas de direitos humanos hindus. Se forem leais à verdade científica, à compaixão, à igualdade e à liberdade, são membros integrais do mundo secular, e não há nenhum motivo para solicitar que tirem seus solidéus, suas cruzes, seus *hijabs* ou *tilakas*.

Da mesma maneira, educação secular não quer dizer uma doutrinação negativa, que ensina crianças a não acreditar em Deus e a não participar de quaisquer cerimônias religiosas. E sim, a educação secular ensina as crianças a distinguir verdade de crença; a desenvolver sua compaixão por todos os seres que sofrem; a apreciar a sabedoria e as experiências de todos os habitantes da Terra; a pensar livremente sem temer o desconhecido; a assumir responsabilidade por suas ações e pelo mundo como um todo.

STÁLIN ERA SECULAR?

Não há, portanto, fundamento para criticar o secularismo por lhe faltar compromissos éticos ou responsabilidades sociais. Na verdade, o principal problema com o secularismo é o oposto. Ele provavelmente coloca o parâmetro ético numa posição alta demais. A maioria das pessoas não é capaz de cumprir um código tão exigente, e grandes sociedades não podem funcionar com base numa busca em aberto por justiça e compaixão. Especialmente em tempos de emergência — como uma guerra ou uma crise econômica — sociedades têm de agir pronta e energicamente, mesmo que não tenham certeza de qual é a verdade e de qual é a coisa mais compassiva a fazer. Elas precisam de diretrizes claras, de lemas convincentes e de gritos de guerra inspiradores. Como é difícil enviar soldados para a batalha ou impor reformas econômicas radicais em nome de conjecturas duvidosas, os movimentos seculares repetidamente se transmudam em credos dogmáticos.

Por exemplo, Karl Marx começou alegando que todas as religiões eram fraudes opressivas, e estimulou seus seguidores a investigar por si mesmos a verdadeira natureza da ordem global. Nas décadas seguintes as pressões da revolução e da guerra tornaram o marxismo mais rígido, e na época de Stálin a linha oficial do Partido Comunista Soviético dizia que a ordem global era complicada demais para as pessoas comuns a compreenderem, e era melhor sempre confiar na sabedoria do partido e fazer o que ele mandasse, mesmo quando orquestrou a prisão e o extermínio de milhões de pessoas inocentes. Isso pode parecer duro, porém, como os ideólogos do partido nunca se cansavam de explicar, revolução não é piquenique, e, se você quer uma omelete, vai precisar quebrar alguns ovos.

Considerar, ou não, Stálin um líder secular depende, portanto, de como definimos secularismo. Se utilizarmos a definição negativa minimalista — "pessoas seculares não acreditam em Deus" —, então Stálin definitivamente foi secular. Se utilizarmos a definição afirmativa — "pessoas seculares rejeitam todos os dogmas não científicos e são comprometidas com a verdade, com a compaixão e com a liberdade" —, então Marx foi um insigne secular, mas Stálin foi qualquer coisa menos isso. Ele foi o profeta da religião sem deus mas extremamente dogmática do stalinismo.

O stalinismo não é um exemplo isolado. No outro lado do espectro político, o capitalismo começou também como uma teoria científica muito flexível, mas aos poucos se solidificou num dogma. Muitos capitalistas continuam a repetir o mantra de livres mercados e crescimento econômico, sem considerar a realidade. Não importam quais terríveis consequências resultem ocasionalmente da modernização ou da privatização, os verdadeiros crentes do capitalismo as descartam como meras "dores do crescimento" e prometem que tudo ficará muito bem mediante um pouco mais de crescimento.

Os democratas liberais, que estão a meio caminho, têm sido mais leais à busca secular da verdade e da compaixão, mas até eles às vezes a abandonam em favor de dogmas reconfortantes. Assim, quando se defrontam com a desordem de ditaduras brutais e Estados falidos, os liberais depositam sua fé inquestionável em eleições gerais. Eles fazem guerras e gastam bilhões de dólares em lugares como Iraque, Afeganistão e Congo na firme crença de que a realização de eleições gerais vai magicamente transformar esses locais em versões mais ensolaradas da Dinamarca. Isso apesar de repetidos fracassos, e apesar do fato de que mesmo em lugares com uma tradição estabelecida de eleições gerais, há ocasiões em que esses rituais trazem ao poder populistas autoritários e resultam em nada mais que ditaduras da maioria. Se tentar questionar a suposta sabedoria das eleições gerais, você não será mandado para o gulag, mas provavelmente vai ouvir um sermão sobre abuso dogmático.

Claro, nem todos os dogmas são igualmente danosos. Assim como algumas crenças religiosas beneficiaram a humanidade, também o fizeram alguns dogmas seculares. O único lugar no qual existem direitos é nas narrativas que os humanos inventam e contam uns aos outros. Elas foram consagradas com dogmas por si mesmos evidentes durante a luta contra a intolerância religiosa e governos autocráticos. Embora não seja verdade que os humanos tenham direito natural à vida ou à liberdade, a crença nessa narrativa refreou o poder dos regimes autoritários, protegeu minorias de serem prejudicadas e salvaguardou bilhões das piores consequências da pobreza e da violência. Com isso, é provável que tenha contribuído para a felicidade e o bem-estar da humanidade mais do que qualquer outra doutrina na história.

Ainda assim é um dogma. O artigo 19 da Declaração de Direitos Humanos das Nações Unidas diz que "Todo ser humano tem direito à liberdade de opinião e expressão". Se entendemos isso como uma exigência política ("todo ser humano *deveria* ter direito à liberdade de opinião"), é bastante sensato. Mas, se acreditamos que todo *Sapiens* está naturalmente investido de um "direito à liberdade de opinião", e que portanto a censura transgride alguma lei da natureza, está nos escapando a verdade sobre a humanidade. Enquanto se definir como "um indivíduo que possui direitos naturais inalienáveis", você não saberá quem você realmente é, e não compreenderá as forças históricas que moldaram sua sociedade e sua mente (incluindo sua crença em "direitos naturais").

Essa ignorância talvez pouco importasse no século xx, quando as pessoas estavam ocupadas combatendo Hitler e Stálin. Mas poderia tornar-se fatal no século xxi, porque a biotecnologia e a inteligência artificial estão procurando mudar o próprio significado de "humanidade". Se estamos comprometidos com o direito à vida, isso implicaria que devemos usar a biotecnologia para superar a morte? Se estamos comprometidos com o direito à liberdade, deveríamos conferir poder a algoritmos que decifram e realizam desejos ocultos? Se humanos desfrutam de direitos humanos iguais, super-humanos deveriam desfrutar de superdireitos? As pessoas seculares encontrarão dificuldades para se envolver nessas questões enquanto estiverem comprometidas com a crença dogmática em "direitos humanos".

O dogma dos direitos humanos foi moldado em séculos passados como uma arma contra a Inquisição, o *ancien régime*, os nazistas e a Ku Klux Klan. Dificilmente estará equipado para lidar com super-humanos, ciborgues e computadores superinteligentes. Ainda que os movimentos de direitos humanos tenham desenvolvido um arsenal muito impressionante de argumentos e defesas contra vieses religiosos e tiranos humanos, esse arsenal dificilmente nos protege contra excessos do consumismo e utopias tecnológicas.

TOMANDO CONSCIÊNCIA DA SOMBRA

O secularismo não deveria ser equiparado ao dogmatismo stalinista ou aos frutos amargos do imperialismo ocidental e à industrialização desenfreada. Mas tampouco pode se esquivar de toda responsabilidade por eles. Movimentos seculares e instituições científicas têm hipnotizado bilhões com promessas de aperfeiçoar a humanidade e utilizar as benesses do planeta Terra para o benefício de nossa espécie. Essas promessas resultaram não só na debelação de pestes e da fome, mas também em gulags e no derretimento das calotas polares. Você pode alegar que tudo isso é por culpa de pessoas que não entendem e distorcem os ideais seculares centrais e os fatos verdadeiros da ciência. E você estará certíssimo. Mas esse é um problema comum de todos os movimentos influentes.

Por exemplo, o cristianismo tem sido responsável por grandes crimes como a Inquisição, as Cruzadas, a opressão de culturas nativas por todo o mundo e o desempoderamento das mulheres. Um cristão poderia ofender-se com essa afirmação e replicar que todos esses crimes resultaram de um entendimento totalmente errado do cristianismo. Jesus pregou apenas o amor, e a Inquisição baseou-se numa horrível distorção de seus ensinamentos. Podemos simpatizar com essa afirmação, mas seria um erro inocentar o cristianismo com tanta facilidade. Os cristãos que ficaram horrorizados com a Inquisição e as Cruzadas não podem simplesmente lavar as mãos dessas atrocidades — deveriam em vez disso se fazer algumas perguntas muito difíceis. Como exatamente a "religião do amor" permitiu ser distorcida dessa maneira, e não uma só, mas muitas vezes? A protestantes que tentem pôr toda a culpa no fanatismo católico recomenda-se a leitura de um livro sobre o comportamento dos colonizadores protestantes na Irlanda ou na América do Norte. Da mesma forma, marxistas deveriam se perguntar como os ensinamentos de Marx pavimentaram o caminho para o gulag, cientistas deveriam se perguntar como o projeto científico prestou-se tão facilmente à desestabilização do ecossistema global, e, em especial, os geneticistas deveriam extrair uma advertência do modo como os nazistas sequestraram as teorias darwinianas.

Toda religião, ideologia e credo tem sua sombra e, não importa qual o credo que você segue, deveria tomar consciência de sua sombra e evitar a ingênua certeza de que "isso não pode acontecer conosco". A ciência secular representa pelo menos uma grande vantagem em relação às religiões mais tradicionais, a saber, ela não está aterrorizada com sua sombra e, em princípio, quer admitir seus erros e pontos cegos. Se você acredita numa verdade absoluta revelada por um poder transcendente, não pode se permitir admitir qualquer erro — pois isso anularia toda a sua história. Mas, se você acredita na busca da verdade por humanos falíveis, admitir erros é parte inerente do jogo.

É também por isso que movimentos seculares não dogmáticos tendem a fazer promessas relativamente modestas. Cientes de suas imperfeições, eles esperam efetuar pequenas mudanças incrementais, elevando o salário mínimo em alguns dólares ou reduzindo a mortalidade infantil em uns poucos pontos percentuais. É uma marca das ideologias dogmáticas que, devido a sua excessiva autoconfiança, elas rotineiramente prometem o impossível. Seus líderes falam muito livremente sobre "eternidade", "pureza" e "redenção", como se, ao se implementar alguma lei, ao se construir um templo, ou ao se conquistar um pedaço de território elas fossem capazes de salvar o mundo inteiro num só grande gesto.

Quando estamos próximos de tomar as decisões mais importantes da vida, eu confiaria mais naqueles que admitem ignorância do que naqueles que alegam infalibilidade. Se você quer que sua religião, ideologia ou visão de mundo lidere o mundo, minha primeira pergunta a você é: "Qual é o maior erro que sua religião, ideologia ou visão de mundo cometeu? O que ela entendeu errado?". Se você não for capaz de responder seriamente, eu, por mim, não confiaria em você.

PARTE IV

Verdade

*Se você se sente impotente e confuso diante
da situação global, está no caminho certo.
Processos globais são complicados demais
para que uma única pessoa os compreenda.
Como então saber a verdade sobre o mundo,
e não ser vítima de propaganda e desinformação?*

15. Ignorância
Você sabe menos do que pensa que sabe

Os capítulos precedentes examinaram alguns dos problemas e desenvolvimentos mais importantes da era atual, desde o exagero midiático em torno da ameaça de terrorismo até a subapreciada ameaça de disrupção tecnológica. Se você ficou com a sensação perturbadora de que é demais, e que você não é capaz de processar tudo isso, você está absolutamente certo. Ninguém é.

Nos séculos recentes, o pensamento liberal depositou uma confiança imensa no indivíduo racional. Ele descrevia indivíduos humanos como agentes racionais independentes, e fez dessas criaturas míticas a base da sociedade moderna. A democracia fundamenta-se na ideia de que o eleitor sabe o que é melhor, o livre mercado capitalista acredita que o cliente tem sempre razão, e a educação liberal ensina os estudantes a pensarem por si mesmos.

No entanto, é um erro depositar tanta confiança no indivíduo racional. Pensadores pós-coloniais e feministas destacaram que esse "indivíduo racional" pode muito bem ser uma fantasia chauvinista ocidental, glorificando a autonomia e o poder de homens brancos de classe alta. Como observado anteriormente, economistas comportamentais e psicólogos evolucionistas demonstraram que a maioria das decisões humanas é baseada em reações emocionais e atalhos heurísticos e não em análise racional, e que, enquanto nossas emoções e nossa heurística talvez fossem adequadas para lidar com a vida na Idade da Pedra, são lamentavelmente inadequadas na Idade do Silício.

Não só a racionalidade, a individualidade também é um mito. Humanos raramente pensam por si mesmos. E sim, pensamos em grupos. Assim como é preciso uma tribo para criar uma criança, é preciso uma tribo para inventar uma ferramenta, resolver um conflito ou curar uma doença. Nenhum indivíduo sabe tudo o que é preciso para construir uma catedral, uma bomba atômica ou uma aeronave. O que deu ao *Homo sapiens* uma vantagem em relação a todos os outros animais e nos tornou os senhores do planeta não foi nossa racionalidade individual, mas nossa incomparável capacidade de pensar juntos em grandes grupos.[1]

Indivíduos humanos, constrangedoramente, pouco sabem sobre o mundo, e, à medida que a história avançava, sabiam cada vez menos. Um caçador-coletor na Idade da Pedra sabia como fazer as próprias roupas, como acender uma fogueira, como caçar coelhos e como escapar de leões. Nós pensamos que hoje sabemos muito mais, mas como indivíduos na verdade sabemos muito menos. Baseamo-nos na expertise de outros para quase todas as nossas necessidades. Num experimento humilhante, pediu-se a pessoas que avaliassem o quanto compreendiam como funcionava um zíper comum. A maioria respondeu confiantemente que compreendia muito bem — afinal, usavam zíper o tempo todo. Pediu-se então que descrevessem com o máximo de detalhes possível todas as etapas envolvidas na operação do zíper. A maior parte das pessoas não tinha a menor ideia.[2] Isto é o que Steven Sloman e Philip Fernbach denominaram "a ilusão do conhecimento". Pensamos que sabemos muito, mesmo quando individualmente sabemos muito pouco, porque tratamos o conhecimento dos outros como se fosse nosso.

Isso não é necessariamente ruim. Nossa confiança no pensamento de grupo nos fez senhores do mundo, e a ilusão do conhecimento nos permite atravessar a vida sem cairmos em um esforço impossível para compreender tudo por nós mesmos. De uma perspectiva evolutiva, confiar no conhecimento de outros funcionou extremamente bem para o *Homo sapiens*.

Mas, assim como outros traços humanos que faziam sentido em eras passadas mas causam problemas na era moderna, a ilusão do conhecimento tem suas desvantagens. O mundo está ficando cada vez mais complexo, e as pessoas não se dão conta de quão ignorantes são. Consequentemente, algumas que não sabem quase nada de meteorologia ou biologia propõem assim mesmo políticas concernentes à mudança climática e a plantas geneticamente modificadas, enquanto outras mantêm opiniões muito firmes quanto ao que deveria ser feito no Iraque ou na Ucrânia, sem serem capazes de localizar esses países no mapa. Pessoas raramente contemplam sua ignorância, porque se fecham numa câmara de eco com amigos que pensam como eles e com *feeds* de notícias que se autoconfirmam, fazendo com que suas crenças sejam constantemente reiteradas e raramente desafiadas.[3]

É improvável que oferecer às pessoas mais informações melhore a situação. Cientistas esperam poder dissipar concepções equivocadas com educação científica, e especialistas esperam influir na opinião pública em questões como o Obamacare ou o aquecimento global apresentando ao público fatos precisos e relatórios de especialistas. Essas esperanças baseiam-se numa compreensão equivocada de como os humanos efetivamente pensam. A maior parte de nossas opiniões é formada por pensamento comunitário e não em racionalidade individual, e adotamos essas opiniões por lealdade ao grupo. Bombardear pessoas com fatos e expor sua ignorância individual provavelmente será um tiro pela culatra. A maioria das pessoas não gosta de dados demais, e certamente não gosta de se sentir idiota. Não esteja certo de que pode convencer os que apoiam o Tea Party de que o aquecimento global é um fato apresentando-lhes planilhas e estatísticas.[4]

O poder do pensamento de grupo é tão penetrante que é difícil se livrar dele mesmo quando parece ser bastante arbitrário. Assim, nos Estados Unidos, conservadores de direita tendem a se incomodar muito menos do que progressistas de esquerda com coisas como poluição e espécies ameaçadas de extinção, motivo pelo qual a Louisiana tem regulamentos ambientais muito menos rigorosos do que Massachusetts. Estamos acostumados com essa situação, por isso a achamos natural, mas na realidade ela é bem surpreendente. Poderíamos pensar que os conservadores se importariam muito mais com a conservação da velha ordem ecológica e com a proteção de suas terras, florestas e rios ancestrais. Em contraste, poderíamos esperar que os progressistas estivessem muito mais abertos a mudanças radicais no campo, especialmente se elas visam a acelerar o progresso e melhorar o padrão da vida humana. Contudo, como as posições políticas quanto a essas questões foram estabelecidas por vários acasos históricos, tornou-se uma segunda natureza dos conservadores ignorar preocupações ambientais, enquanto progressistas de esquerda tendem a temer qualquer ruptura da antiga ordem ecológica.[5]

Nem mesmo os cientistas são imunes ao poder do pensamento de grupo. Assim, cientistas que acreditam que fatos podem mudar a opinião pública podem ser vítimas de pensamento de grupo científico. A comunidade científica se baseia na eficácia dos fatos, daí que os que são leais a essa comunidade creem que podem vencer debates públicos despejando dados, apesar de haver muita evidência empírica do contrário.

Da mesma forma, a crença liberal na racionalidade individual pode ser produto de um pensamento de grupo. Em um dos momentos climáticos do filme *A vida de Brian*, do Monty Python, uma enorme multidão de seguidores esperançosos e ingênuos confunde Brian com o Messias. Brian diz a seus discípulos que "vocês não precisam me seguir, vocês não precisam seguir ninguém! Vocês têm de pensar por si mesmos! Vocês são indivíduos! Todos vocês são diferentes!". A multidão entusiasmada entoa em uníssono: "Sim! Somos todos diferentes!". O Monty Python estava parodiando a contracultura ortodoxa da década de 1960, mas a questão ali pode ser a crença no individualismo racional. As democracias modernas estão cheias de multidões gritando em uníssono: "Sim, o eleitor sabe o que é melhor! Sim, o cliente tem sempre razão!".

O BURACO NEGRO DO PODER

O problema do pensamento de grupo e da ignorância individual envolve não apenas eleitores e clientes comuns, mas também presidentes e CEOs. Eles podem ter a sua disposição agências de inteligência e muitos conselheiros, mas isso não faz necessariamente com que as coisas fiquem melhores. É muito difícil descobrir a verdade quando você está governando o mundo. Você simplesmente está ocupado demais. A maioria dos líderes políticos e grandes empresários estão eternamente atarefados. Se você quiser se aprofundar em qualquer assunto, vai precisar de muito tempo e, principalmente, do privilégio de poder desperdiçar tempo. Terá de experimentar caminhos improdutivos, explorar becos sem saída, abrir espaço para as dúvidas e o tédio e permitir que pequenas sementes de ideias cresçam lentamente e floresçam. Se você não pode se dar ao luxo de perder tempo, nunca encontrará a verdade.

Pior ainda, as grandes potências quase sempre distorcem a

verdade. Poder diz respeito a mudar a realidade e não a enxergá-la como ela é. Quando você tem em mãos um martelo, tudo parece prego, e quando tem um grande poder nas mãos, tudo parece um convite para se intrometer. Mesmo que de algum modo você supere esse impulso, as pessoas a sua volta nunca se esquecerão do martelo gigante nas suas mãos. Quem quer que fale com você terá sua própria agenda, e por isso você nunca poderá acreditar totalmente no que dizem. Nenhum sultão poderá jamais confiar que seus cortesãos e subalternos estão lhe dizendo a verdade.

Assim, um grande poder atua como um buraco negro que deforma o próprio espaço a sua volta. Quanto mais próximo você estiver, mais distorcido torna-se tudo. Cada palavra ganha um peso extra ao entrar em sua órbita, e cada pessoa que você vê tenta bajular, agradar ou obter alguma coisa de você. Elas sabem que você não pode conceder-lhes mais de um minuto ou dois, e temem dizer algo impróprio ou confuso, por isso acabam por se limitar a lemas vazios ou aos maiores clichês.

Alguns anos atrás fui convidado para um jantar com o primeiro-ministro de Israel, Benjamin Netanyahu. Amigos aconselharam-me a não ir, mas não consegui resistir à tentação. Pensei que finalmente ouviria alguns dos grandes segredos que só se divulgam a orelhas importantes atrás de portas fechadas. Que decepção! Havia lá cerca de trinta pessoas, e cada uma delas tentava obter a atenção do Grande Homem, impressioná-lo com sua verve, pedir um favor ou obter alguma coisa dele. Se alguém lá sabia de algum grande segredo, fez um excelente trabalho guardando-o para si mesmo. Dificilmente foi culpa de Netanyahu, na verdade não foi culpa de ninguém. A culpa é da atração gravitacional do poder.

Se você de fato quer a verdade, precisa escapar do buraco negro do poder, e permitir-se desperdiçar muito tempo vagando aqui e ali na periferia. O conhecimento revolucionário raramente chega ao centro, porque o centro está construído sobre um conhecimento já existente. Os guardiões da velha ordem normalmente determinam quem vai chegar aos centros do poder, e tendem a reter no filtro os portadores de perturbadoras ideias não convencionais. É claro que eles filtram também uma incrível quantidade de refugo. Não ser convidado para o Fórum Econômico Mundial em Davos dificilmente é garantia de sabedoria. É por isso que você precisa perder tanto tempo na periferia — ela pode conter algumas brilhantes ideias revolucionárias, mas está cheia de palpites desinformados, modelos desmascarados, dogmas supersticiosos e ridículas teorias conspiratórias.

Os líderes ficam presos num dilema. Se permanecerem no centro do poder, terão uma visão extremamente distorcida da vida. Se se aventurarem nas margens, desperdiçarão seu precioso tempo. E o problema só vai ficar pior. Nas próximas décadas o mundo será ainda mais complexo do que é hoje. Consequentemente, indivíduos humanos — sejam peões ou reis — saberão ainda menos sobre as engenhocas tecnológicas, as correntes econômicas e as dinâmicas políticas que dão forma ao mundo. Como observou Sócrates há mais de 2 mil anos, o melhor que podemos fazer nessas condições é reconhecer nossa própria ignorância individual.

Mas e quanto à moralidade e à justiça? Se não somos capazes de compreender o mundo, como podemos esperar saber qual é a diferença entre o certo e o errado, entre a justiça e a injustiça?

16. Justiça
Nosso senso de justiça pode estar desatualizado

Como todos os nossos outros sensos, nosso senso de justiça tem antigas raízes evolutivas. A moralidade humana foi moldada no decurso de milhões de anos de evolução, adaptada para lidar com os dilemas sociais e éticos que surgiram na vida de pequenos bandos de caçadores-coletores. Se eu saísse para caçar com você e matasse um veado, e você não pegasse nada, eu deveria compartilhar meu butim com você? Se você fosse colher cogumelos e voltasse com um cesto cheio, o fato de eu ser mais forte que você permite que pegue todos esses cogumelos para mim? E se eu souber que você está tramando me matar, tudo bem se eu agir preventivamente e cortar sua garganta na escuridão da noite?[1]

À primeira vista, as coisas não mudaram muito desde que deixamos as savanas africanas e fomos para a selva urbana. Poderíamos pensar que as questões que enfrentamos hoje — a guerra civil na Síria, a desigualdade global, o aquecimento global — são só as mesmas antigas questões em grande escala. Mas isso é uma ilusão. O tamanho importa, e do ponto de vista da justiça, como de muitos outros pontos de vista, é difícil dizer que estamos adaptados ao mundo no qual vivemos.

O problema não é de valores. Sejam seculares ou religiosos, os cidadãos do século XXI têm muitos valores. O problema é implementar esses valores num mundo global complexo. É tudo culpa dos números. O senso de justiça dos nossos ancestrais era estruturado para lidar com dilemas relativos à vida de algumas dezenas de pessoas em poucas dezenas de quilômetros quadrados. Quando tentamos compreender relações entre milhões de pessoas em continentes inteiros, nosso senso moral fica assoberbado.

A justiça exige não apenas um conjunto de valores abstratos, mas também uma compreensão das relações concretas de causa e efeito. Se você coletou cogumelos para alimentar seus filhos e eu tiro de você à força o cesto de cogumelos, o que quer dizer que todo seu esforço foi em vão e seus filhos irão dormir com fome, isso é injusto. É fácil perceber isso, porque é fácil ver as relações de causa e efeito. Infelizmente, uma característica inerente a nosso mundo global moderno é que suas relações causais são muito ramificadas e complexas. Eu posso estar vivendo pacificamente em minha casa, nunca ter levantado um dedo contra ninguém, e ainda assim, de acordo com ativistas da esquerda, ser um conivente de soldados israelenses e colonos na Cisjordânia. De acordo com os socialistas, minha vida confortável baseia-se no labor de crianças em locais de trabalho sombrios e degradados. Os defensores do bem-estar dos animais lembram-me que minha vida está entrelaçada com um dos mais pavorosos crimes na história — a subjugação de bilhões de animais de criação a um regime brutal de exploração.

Posso realmente ser culpado por tudo isso? Não é fácil dizer. Como dependo, para existir, de uma espantosa rede de laços econômicos e políticos, e como as conexões causais globais são tão intricadas, é difícil responder até às mais simples perguntas, como de onde vem meu almoço, quem fez os sapatos que estou calçando e o que o meu fundo de pensão está fazendo com meu dinheiro.[2]

ROUBANDO RIOS

Um caçador-coletor sabia muito bem de onde vinha seu almoço (ele mesmo o obtinha), quem fazia seus mocassins (dormia a vinte metros dele) e o que estava fazendo seu fundo de pensão. (Estava brincando na lama. Naquela época as pessoas só tinham um fundo de pensão, chamado "filhos".) Sou muito mais ignorante do que um caçador-coletor. Anos de pesquisa podem revelar que o governo no qual votei está secretamente vendendo armas a um sombrio ditador no outro lado do mundo. Mas, durante o tempo que me leva para descobrir isso, eu poderia estar perdendo descobertas muito mais importantes, como o destino das galinhas cujos ovos eu comi no jantar.

O sistema está estruturado de tal maneira que aqueles que não se esforçam por saber podem permanecer numa feliz ignorância, e os que fazem um esforço vão descobrir que é muito difícil saber a verdade. Como é possível impedir o roubo quando o sistema econômico global está incessantemente roubando, em meu nome e sem meu conhecimento? Não importa se você julga ações por suas consequências (é errado roubar porque isso prejudica as vítimas) ou se acredita em deveres categóricos que devem ser cumpridos independentemente das consequências (roubar é errado porque assim disse Deus). O problema é que se tornou complicado demais ter noção do que estamos de fato fazendo.

O mandamento de não roubar foi formulado numa época na qual roubo significava tomar, com suas próprias mãos, algo que não lhe pertence. Mas hoje roubo remete a cenários completamente diferentes. Suponha que eu invista 10 mil dólares em ações de uma grande empresa petroquímica, que me provê um retorno anual de 5% de meu investimento. A corporação é muito lucrativa, porque não paga por danos colaterais. Ela despeja lixo tóxico num rio próximo sem se importar com os danos para os reservatórios de água da região, para a saúde pública ou para a fauna local. Usa sua riqueza para recrutar uma legião de advogados que a defendem de qualquer exigência de indenização. Conta também com lobistas que bloqueiam toda tentativa de criação de leis mais rigorosas de regulação ambiental.

Podemos acusar a empresa de "roubar um rio"? E quanto a mim, pessoalmente? Eu nunca arrombo a casa ou roubo dinheiro da bolsa de ninguém. Não tenho conhecimento de como essa corporação específica está gerando seus lucros. Mal me recordo que parte de minha carteira está investida nela. Sendo assim, sou culpado por roubo? Como podemos agir moralmente quando não temos como conhecer todos os fatos relevantes?

Pode-se tentar esquivar do problema adotando uma "moralidade de intenções". O importante é o que eu pretendo, não o que efetivamente faço, ou o resultado do que faço. No entanto, num mundo no qual tudo é interconectado, o supremo imperativo moral torna-se o imperativo de saber. Os maiores crimes na história moderna resultaram não só de ódio ou ganância, mas principalmente de ignorância e indiferença. Encantadoras damas inglesas financiaram o tráfico de escravos no Atlântico comprando ações e títulos na Bolsa de Londres, sem nunca terem posto o pé na África ou no Caribe. Elas depois adoçavam o chá das quatro com cubos de açúcar brancos como a neve, produzidos em plantations infernais — sobre as quais elas nada sabiam.

Na Alemanha, no fim da década de 1930, o gerente de um posto de correio local poderia ser um cidadão íntegro cuidando do bem-estar de seus funcionários e ajudando pessoalmente pessoas angustiadas a encontrar seus pacotes desaparecidos. Era sempre o primeiro a chegar ao trabalho e o último a sair, e, mesmo quando havia tempestades de neve, assegurava-se de que a correspondência chegasse no horário. Mas, infelizmente, sua eficiente e hospitaleira agência de correios era uma célula vital no sistema nervoso do Estado nazista. Estava distribuindo propaganda racista, ordens de recrutamento para a *Wehrmacht* e drásticas instruções para a sede local das ss. Algo está errado quanto às intenções de quem não faz um esforço sincero para saber.

Mas o que pode ser considerado "um esforço sincero para saber"? Deveriam os chefes dos correios em cada país abrir a correspondência que estão entregando e se demitirem ou se revoltarem se descobrirem propaganda do governo? É fácil olhar retrospectivamente para a Alemanha nazista de década de 1930 com absoluta certeza moral — porque sabemos aonde chegou essa corrente de causas e efeitos. Mas, sem a vantagem da visão retrospectiva, a certeza moral pode estar fora de nosso alcance. A verdade amarga é que o mundo ficou complicado demais para nosso cérebro de caçadores-coletores.

A maior parte das injustiças no mundo contemporâneo resulta de vieses estruturais em grande escala, e não de preconceitos individuais, e nosso cérebro de caçadores-coletores não evoluiu a ponto de detectar vieses estruturais. Somos cúmplices de pelo menos alguns desses vieses, e simplesmente não temos tempo nem energia para descobrir todos eles. O processo de escrever este livro me ensinou essa lição, num nível pessoal. Quando discuto questões globais, estou sempre correndo perigo de privilegiar o ponto de vista da elite global em relação ao de vários grupos desfavorecidos. A elite global comanda a conversa, assim é impossível ignorar suas opiniões. Grupos desfavorecidos, em contraste, são rotineiramente silenciados, e assim fica fácil se esquecer deles — não por malícia deliberada, mas por pura ignorância.

Por exemplo, não sei absolutamente nada sobre as opiniões e os problemas específicos e singulares dos aborígenes da Tasmânia. Na verdade, sei tão pouco sobre eles que num livro anterior presumi que os aborígenes da Tasmânia não existem mais, porque foram todos aniquilados por colonizadores europeus. Na verdade, existem hoje milhares de pessoas vivas cujos ancestrais remontam à população aborígene da Tasmânia, e que enfrentam muitos problemas que lhes são únicos — um dos quais é que sua própria existência é frequentemente negada, até mesmo por estudiosos instruídos.

Mesmo que você pertença a um grupo desfavorecido, e tenha em primeira mão uma compreensão de seus pontos de vista, isso não significa que você compreende o ponto de vista de todos os outros grupos semelhantes. Pois cada grupo e subgrupo estão diante de diferentes emaranhados de fragilidades, tratamentos desiguais, insultos codificados e discriminação institucional. Um homem afro-americano com trinta anos de idade tem uma experiência de trinta anos do que significa ser um homem afro-americano. Mas não tem experiência do que é ser uma mulher afro-americana, uma cigana búlgara, uma russa cega ou uma lésbica chinesa.

Enquanto crescia, esse homem afro-americano era repetidamente detido e revistado pela polícia sem motivo aparente — algo pelo qual a lésbica chinesa nunca teve de passar. Em contraste, ter nascido numa família afro-americana numa vizinhança afro-americana significa que ele estava cercado de pessoas como ele, que lhe ensinaram o que precisava saber para poder sobreviver e evoluir como um homem afro-americano. A lésbica chinesa não nasceu numa família lésbica, numa vizinhança lésbica, e talvez não tenha tido ninguém no mundo que lhe desse lições básicas. Daí que crescer como negro em Baltimore dificilmente faz com que seja fácil compreender a luta de crescer como lésbica em Hangzhou.

Em épocas mais antigas isso tinha menos importância, porque você não se sentia responsável pelas dificuldades de gente que vivia do outro lado do mundo. Em geral, fazer um esforço para simpatizar com seus vizinhos menos afortunados já era suficiente. Mas hoje os grandes debates globais sobre coisas como mudança climática e inteligência artificial têm impacto sobre todos — seja na Tasmânia, em Hangzhou ou em Baltimore —, por isso temos de levar em conta todos os pontos de vista. Porém, como fazer isso? Como compreender a rede de relações entre milhares de grupos que se intersectam por todo o mundo?[3]

MINIMIZAR OU NEGAR?

Mesmo que realmente queiramos, a maioria de nós não é mais capaz de compreender os grandes problemas reais do mundo. Podem-se compreender as relações entre dois caçadores-coletores, entre vinte deles, ou entre dois clãs vizinhos. Mas as pessoas são mal equipadas para compreender as relações entre vários milhões de sírios, entre 500 milhões de europeus, ou entre todos os grupos e subgrupos do planeta que se intersectam.

Ao tentar entender e julgar dilemas morais nessa escala, as pessoas frequentemente recorrem a um de quatro métodos. O primeiro é minimizar a questão: compreender a guerra civil síria como se estivesse ocorrendo entre dois caçadores-coletores; imaginar o regime de Assad como uma pessoa só e os rebeldes como outra pessoa, uma má e outra boa. A complexidade histórica do conflito é substituída por uma trama simples e clara.[4]

O segundo é focar numa narrativa humana tocante, que supostamente se aplica a todo o conflito. Quando você tenta explicar às pessoas a verdadeira complexidade do conflito por meio de estatística e dados precisos, você as perde; porém uma narrativa pessoal sobre a sina de uma criança ativa os canais lacrimais, faz o sangue ferver e cria uma falsa certeza moral.[5] Isso é algo que muitas instituições de caridade compreenderam durante muito tempo. Num experimento digno de nota, pediu-se a pessoas que doassem dinheiro para ajudar uma pobre menina do Mali, de sete anos de idade, chamada Rokia. Muitos se comoveram com sua história e abriram corações e bolsos. Contudo, quando além da história pessoal de Rokia os pesquisadores também apresentaram estatísticas sobre o problema mais amplo da pobreza na África, os respondentes ficaram *menos* dispostos a ajudar. Em outro estudo, pediram-se doações para ajudar ou uma criança doente ou oito crianças doentes. As pessoas deram mais dinheiro à criança única do que ao grupo de oito.[6]

O terceiro método para lidar com dilemas morais em grande escala é tecer teorias de conspiração. Entender como funciona a economia global, e se esse funcionamento é bom ou ruim, é complicado demais. É muito mais fácil imaginar que vinte multibilionários estão puxando as cordinhas nos bastidores, controlando a mídia e fomentando guerras para enriquecer. Quase sempre essa é uma fantasia sem fundamento. O mundo contemporâneo é muito complexo, não só para nosso senso de justiça, mas também para nossas capacidades gerenciais. Ninguém — inclusive os multibilionários, a CIA, os maçons e os Sábios de Sion — compreende realmente o que está acontecendo no mundo. Assim, ninguém é capaz de puxar as cordinhas.[7]

Esses três métodos tentam negar a verdadeira complexidade do mundo. O quarto e último método é criar um dogma, depositar nossa fé em alguma teoria, instituição ou liderança supostamente onisciente, e segui-la para onde nos levar. Dogmas religiosos e ideológicos ainda são atraentes em nossa era científica justamente porque nos oferecem um porto seguro para a frustrante complexidade da realidade. Como já observado, movimentos seculares não estão livres desse perigo. Mesmo se você começar com uma rejeição de todos os dogmas religiosos e com um firme comprometimento com a verdade científica, cedo ou tarde a complexidade da realidade torna-se tão acabrunhante que se é levado a conceber uma doutrina que não seria questionada. Ainda que tal doutrina possa prover as pessoas de conforto intelectual e certeza moral, é discutível que ela possa prover justiça.

O que deveríamos fazer então? Deveríamos adotar o dogma liberal e confiar no agregado de eleitores e clientes individuais? Ou talvez devêssemos rejeitar a abordagem individualista e, como muitas culturas anteriores na história, empoderar comunidades que adquiram um senso do mundo *juntas*? Uma solução assim, no entanto, só nos tira da frigideira da ignorância individual para nos jogar na fogueira do enviesado pensamento de grupo. Bandos de caçadores-coletores, comunidades rurais e até mesmo bairros urbanos podiam pensar juntos sobre os problemas em comum que enfrentam. Mas hoje temos problemas globais sem ter uma comunidade global. Nem o Facebook, nem o nacionalismo ou a religião estão próximos de criar essa comunidade. Todas as tribos humanas existentes estão empenhadas em fazer avançar seus interesses particulares e não em compreender a verdade global. Nem americanos, nem chineses, muçulmanos ou hindus constituem a "comunidade global" — e assim sua interpretação da realidade dificilmente será confiável.

Deveríamos então desistir e declarar que a busca humana por entender a verdade e encontrar justiça fracassou? Entramos oficialmente na era da pós-verdade?

17. Pós-verdade
Algumas fake news *duram para sempre*

Atualmente se repete que estamos vivendo uma nova e assustadora era da "pós-verdade", e que estamos cercados de mentiras e ficções. Não é difícil oferecer exemplos. No final de fevereiro de 2014, unidades especiais russas, sem ostentar insígnias de um exército, invadiram a Ucrânia e ocuparam instalações-chave na Crimeia. O governo russo e o presidente Putin em pessoa negaram repetidamente que eram tropas russas, e as descreveram como "grupos de autodefesa" espontâneos que poderiam ter adquirido equipamento parecido com o russo em lojas locais.[1] Ao fazer essa declaração absurda, Putin e seus assessores sabiam perfeitamente bem que estavam mentindo.

Nacionalistas russos são capazes de desculpar essa mentira alegando que ela atende a uma verdade maior. A Rússia estava engajada numa guerra justa, e, se é válido matar por uma causa justa, também não seria válido mentir? A causa mais elevada que alegadamente justificaria a invasão da Ucrânia era a preservação da sagrada nação russa. Segundo mitos nacionais, a Rússia é uma entidade que perdurou por mil anos apesar de repetidas tentativas de inimigos perversos de invadi-la e desmembrá-la. Depois dos mongóis, dos poloneses, dos suecos, da *Grande Armée* de Napoleão e da *Wehrmacht* de Hitler, na década de 1990 foi a Otan, os Estados Unidos e a União Europeia que tentaram destruir a Rússia, desmembrando partes de seu território e formando com eles "falsos países", como a Ucrânia. Para muitos nacionalistas russos, a ideia de que a Ucrânia é uma nação separada da Rússia é uma mentira muito maior do que qualquer coisa pronunciada pelo presidente Putin durante sua missão sagrada de reintegrar a nação russa.

Cidadãos ucranianos, observadores externos e historiadores podem sentir-se ultrajados por essa explicação, e encará-la como uma espécie de "bomba atômica da mentira" no arsenal russo de embustes. Alegar que a Ucrânia não existe como nação e como país independente é desconsiderar uma longa lista de fatos históricos — por exemplo, que durante os mil anos de suposta unidade russa, Kíev e Moscou foram parte do mesmo país por somente trezentos anos. Isso também viola numerosas leis e tratados internacionais que a Rússia tinha aceitado e que salvaguardaram a soberania e as fronteiras da Ucrânia independente. Mais importante, ignora o que milhões de ucranianos pensam de si mesmos. Será que eles não têm o direito de dizer quem são?

Os nacionalistas ucranianos certamente concordariam com os nacionalistas russos de que existem por aí alguns falsos países. Mas a Ucrânia não é um deles. E, sim, esses falsos países são a "República Popular de Lugansk" e a "República Popular de Donetsk", que a Rússia estabeleceu para mascarar sua não provocada invasão da Ucrânia.[2]

Seja qual for o lado que você apoia, parece que estamos realmente vivendo uma era terrível da pós-verdade, quando não só incidentes militares específicos, mas narrativas e nações inteiras podem ser falsificadas. Mas, se essa é a era da pós-verdade, quando, exatamente, foi a era de ouro da verdade? Na década de 1980?

De 1950? 1930? E o que desencadeou a transição para a pós-verdade — a internet? A mídia social? A ascensão de Putin e Trump?

Uma análise superficial da história revela que a propaganda e a desinformação não são nada novas, e até mesmo o hábito de negar nações inteiras e criar países falsos tem um longo pedigree. Em 1931 o Exército japonês encenou ataques simulados a si mesmo para justificar sua invasão da China, e depois criou o país falso de Manchukuo para legitimar suas conquistas. A própria China negou durante muito tempo que o Tibete alguma vez tenha existido como país independente. A colonização britânica na Austrália foi justificada com a doutrina legal de *terra nullius* ("terra de ninguém"), que efetivamente apagou 50 mil anos de história aborígene.

No início do século xx, um dos lemas favoritos do sionismo falava do retorno de "um povo sem terra [os judeus] a uma terra sem povo [Palestina]". A existência de uma população árabe local foi convenientemente ignorada. Em 1969 a primeira-ministra israelense Golda Meir disse que não existe e nunca existiu um povo palestino. Essas ideias são muito comuns em Israel até hoje, apesar de décadas de conflitos armados contra algo que não existe. Por exemplo, em fevereiro de 2016, a parlamentar Anat Berko fez um discurso no Parlamento de Israel no qual duvidava da realidade e da história do povo palestino. Sua prova? A letra "P" nem sequer existe em árabe, então como pode haver um povo palestino? (Em árabe, usa-se "f" em lugar de "p", e o nome árabe para a Palestina é Falastin.)

A ESPÉCIE DA PÓS-VERDADE

Os humanos sempre viveram na era da pós-verdade. O *Homo sapiens* é uma espécie da pós-verdade, cujo poder depende de criar ficções e acreditar nelas. Desde a Idade da Pedra, mitos que se autorreforçavam serviram para unir coletivos humanos. Realmente, o *Homo sapiens* conquistou esse planeta graças, acima de tudo, à capacidade exclusiva dos humanos de criar e disseminar ficções. Somos os únicos mamíferos capazes de cooperar com vários estranhos porque somente nós somos capazes de inventar narrativas ficcionais, espalhá-las e convencer milhões de outros a acreditar nelas. Enquanto todos acreditarmos nas mesmas ficções, todos nós obedecemos às mesmas leis e, portanto, cooperamos efetivamente.

Assim, se você culpa o Facebook, Trump ou Putin por introduzir a nova e assustadora era da pós-verdade, lembre-se de que séculos atrás milhões de cristãos se fecharam dentro de uma bolha mitológica que se autorreforçava, nunca ousando questionar a veracidade factual da Bíblia, enquanto milhões de muçulmanos depositaram sua fé inquestionável no Corão. Por milênios, muito do que era considerado "notícia" e "fato" nas redes sociais humanas eram narrativas sobre milagres, anjos, demônios e bruxas, com ousados repórteres dando cobertura ao vivo diretamente das mais profundas fossas do submundo. Temos zero evidência científica de que Eva foi tentada pela serpente, que as almas dos infiéis ardem no inferno depois que morrem ou que o criador do universo não gosta quando um brâmane se casa com um intocável — mas bilhões de pessoas têm acreditado nessas narrativas durante milhares de anos. Algumas *fake news* duram para sempre.

Estou ciente de que muita gente poderá se aborrecer por eu equiparar religião com *fake news*, mas este é exatamente o ponto. Quando mil pessoas acreditam durante um mês numa história inventada — isso é *fake news*. Quando 1 bilhão de pessoas acreditam durante milhares de anos — isto é uma religião, e somos advertidos a não chamar de *fake news* para não ferir os sentimentos dos fiéis (ou incorrer em sua ira). Observe, no entanto, que não estou negando a efetividade ou benevolência potencial da religião. Exatamente o contrário. Para o bem ou para o mal, a ficção está entre os instrumentos mais eficazes na caixa de ferramentas da humanidade. Ao unir pessoas, credos religiosos possibilitam a cooperação em grande escala. Eles inspiram a construção de hospitais, escolas e pontes, além de exércitos e prisões. Adão e Eva nunca existiram, mas a catedral de Chartres continua linda. Grande parte da Bíblia pode ser ficcional, mas ainda é capaz de trazer alegria a bilhões, e ainda é capaz de incentivar os humanos a serem compassivos, corajosos e criativos — assim como outras grandes obras de ficção, como *Dom Quixote*, *Guerra e paz* e *Harry Potter*.

De novo, algumas pessoas podem se ofender com minha comparação da Bíblia com *Harry Potter*. Se você é um cristão com mente científica poderia minimizar todos os erros e mitos na Bíblia alegando que nunca se pretendeu que o livro sagrado fosse lido como um relato factual, e sim como uma narrativa metafórica que encerra profunda sabedoria. Mas isso não vale para *Harry Potter* também?

Se você é um cristão fundamentalista é mais provável que insista em que cada palavra da Bíblia é verdade. Suponhamos por um momento que você tem razão, e que a Bíblia realmente é a infalível palavra do único e verdadeiro Deus. O que, então, você faz com o Corão, o Talmude, o Livro dos Mórmons, os Vedas, o Avesta, o Livro dos Mortos egípcio? Você não fica tentado a dizer que esses textos são elaboradas ficções criadas por humanos de carne e osso (ou talvez por demônios)? E como vê você a divindade de imperadores romanos como Augusto e Cláudio? O Senado Romano alegava ter o poder de transformar pessoas em deuses, e depois esperava que os súditos do império cultuassem esses deuses. Isso não era ficção? De fato, temos pelo menos um exemplo na história de um falso deus que reconheceu a ficção numa declaração por sua própria boca. Como já observado, o militarismo japonês na década de 1930 e início da de 1940 apoiava-se na crença fanática na divindade do imperador Hirohito. Após a derrota do Japão, Hirohito proclamou publicamente que isso não era verdade, e que ele afinal de contas não era um deus.

Assim, mesmo se concordarmos que a Bíblia é a verdadeira palavra de Deus, isso ainda nos deixa com bilhões de devotos hindus, muçulmanos, judeus, egípcios, romanos e japoneses que durante milhares de anos depositaram sua confiança em ficções. De novo, isso não quer dizer que essas ficções são necessariamente desprovidas de valor ou danosas. Ainda podem ser belas e inspiradoras.

É claro que nem todos os mitos religiosos foram igualmente benevolentes. Em 29 de agosto de 1255, o corpo de um menino inglês de nove anos de idade chamado Hugh foi encontrado num poço, na cidade de Lincoln. Mesmo sem Facebook nem Twitter, rapidamente espalhou-se o boato de que Hugh tinha sido vítima de um assassinato ritual realizado pelos judeus locais. A história foi crescendo à medida que era recontada, e um dos mais renomados cronistas ingleses da época — Matthew Paris — criou uma detalhada e sangrenta versão de como judeus proeminentes de toda a Inglaterra reuniram-se em Lincoln para engordar, torturar e finalmente crucificar o menino sequestrado. Dezenove judeus foram julgados e executados pelo suposto assassinato. Libelos de sangue semelhantes tornaram-se populares em outras cidades inglesas, levando a uma série de pogroms nos quais comunidades inteiras foram massacradas. Posteriormente, em 1290, toda a população judaica da Inglaterra foi expulsa do país.[3]

A história não termina aí. Um século depois da expulsão dos judeus da Inglaterra, Geoffrey Chaucer — o pai da literatura inglesa — incluiu um libelo de sangue modelado na história de Hugh de Lincoln em seus *Contos da Cantuária* ("Conto da Prioresa"). O texto culmina com o enforcamento dos judeus. Libelos de sangue semelhantes tornaram-se subsequentemente componentes básicos de todo movimento antissemita, da Espanha medieval à Rússia moderna. Pôde-se ouvir um eco distante disso na *fake news* de que Hillary Clinton chefiava uma rede de tráfico humano que mantinha crianças como escravas sexuais no porão de uma pizzaria muito frequentada. Não foram poucos os americanos que acreditaram na história, destinada a prejudicar a campanha eleitoral de Clinton, e uma pessoa até veio armada à pizzaria e exigiu ver o porão (constatou-se que a pizzaria nem tinha porão).[4]

Quanto ao próprio Hugh de Lincoln, ninguém sabe realmente como ele morreu, mas foi enterrado na catedral de Lincoln e venerado como um santo. Foi reputado como o realizador de vários milagres, e seu túmulo continua a atrair peregrinos até mesmo séculos depois da expulsão de todos os judeus da Inglaterra.[5] Foi somente em 1955 — dez anos após o Holocausto — que a catedral de Lincoln repudiou a versão do libelo de sangue, colocando uma placa junto ao túmulo, onde se lê:

> Histórias inventadas de "assassinatos rituais" de meninos cristãos por comunidades judaicas eram comuns em toda a Europa durante a Idade Média, e mesmo muito mais tarde. Essas ficções custaram a vida de muitos judeus inocentes. Lincoln teve sua própria lenda, e a alegada vítima foi sepultada na Catedral no ano de 1255. Essas histórias não redundam em crédito para a Cristandade.[6]

Bem, algumas *fake news* duram apenas setecentos anos.

UMA VEZ MENTIRA, SEMPRE VERDADE

Religiões antigas não foram as únicas que usaram ficção para cimentar cooperação. Em tempos mais recentes, cada nação criou sua própria mitologia nacional, enquanto movimentos como o comunismo, o fascismo e o liberalismo modelaram elaborados credos que se autorreforçam. Diz-se que Joseph Goebbels, o maestro da propaganda nazista, e talvez o mais realizado mago da mídia da era moderna, explicou seu método sucintamente declarando que "uma mentira dita uma vez continua uma mentira, mas uma mentira dita mil vezes torna-se verdade".[7] Em *Mein Kampf*, Hitler escreveu que "a mais brilhante técnica de propaganda não vai ter sucesso a menos que se leve sempre em conta um princípio fundamental — ela tem de se limitar a alguns pontos e repeti-los sem parar".[8] Será que algum vendedor de *fake news* atual é capaz de fazer melhor do que isso?

A máquina de propaganda soviética foi igualmente ágil com a verdade, reescrevendo a história de tudo, desde guerras inteiras até fotografias individuais. Em 29 de junho de 1936, o jornal oficial *Pravda* ("verdade", em russo) trazia na primeira página uma foto de um sorridente Josef Stálin abraçando Gelya Markizova, uma menina de sete anos. A imagem tornou-se um ícone stalinista, consagrando Stálin como o Pai da Nação e idealizando a "Feliz Infância Soviética". Gráficas e fábricas por todo o país produziram milhões de pôsteres, esculturas e mosaicos da cena, que foram exibidos em instituições públicas de uma extremidade da União Soviética a outra. Assim como nenhuma igreja ortodoxa russa está completa sem um ícone da Virgem Maria segurando o menino Jesus, nenhuma escola soviética poderia dispensar um ícone de papai Stálin segurando a pequena Gelya.

Infelizmente, no império de Stálin a fama era quase sempre um convite à catástrofe. Um ano depois da foto, o pai de Gelya foi preso sob a espúria acusação de que era um espião japonês e um terrorista trotskista. Em 1938 foi executado, uma das milhões de vítimas do terror stalinista. Gelya e sua mãe foram exiladas para o Cazaquistão, onde a mãe logo morreu em circunstâncias misteriosas. O que fazer agora com os incontáveis ícones mostrando o Pai da Nação com a filha de um condenado "inimigo do povo"? Sem problema. Daquele momento em diante, Gelya Markizova desapareceu, e a "Feliz Criança Soviética" na imagem ubíqua foi identificada como Mamlakat Nakhangova — uma menina tadjique de treze anos que recebeu a Ordem de Lênin colhendo diligentemente grandes quantidades de algodão nos campos (se alguém achasse que a menina na foto não parecia ter treze anos, pensava duas vezes antes de mencionar tal heresia antirrevolucionária).[9]

A máquina de propaganda soviética era tão eficiente que conseguiu esconder as atrocidades monstruosas em casa ao mesmo tempo que projetava uma visão utópica no exterior. Hoje os ucranianos se queixam de que Putin conseguiu enganar grande parte da mídia ocidental quanto às ações da Rússia na Crimeia e em Donbas. Mas na arte da enganação ele dificilmente se equipara a Stálin. No início da década de 1930, jornalistas e intelectuais ocidentais de esquerda louvavam a União Soviética como uma sociedade ideal, enquanto ucranianos e outros cidadãos soviéticos morriam de fome aos milhões por causa das políticas orquestradas por Stálin. Apesar de, na era do Facebook e do Twitter, ser às vezes difícil decidir em quais versões de um acontecimento acreditar, pelo menos já não é mais possível um regime matar milhões sem que o mundo saiba.

Além de religiões e de ideologias, empresas comerciais também se apoiam em ficção e *fake news*. Divulgar uma marca envolve recontar a mesma narrativa ficcional várias vezes, até as pessoas ficarem convencidas de sua veracidade. Que imagens ocorrem quando você pensa em Coca-Cola? Você pensa em pessoas jovens e saudáveis praticando esportes e se divertindo? Ou pensa em pessoas com diabetes e sobrepeso deitadas numa cama de hospital? Beber Coca-Cola não te deixará mais jovem, mais saudável, nem mais atlético — e sim mais propenso a sofrer de obesidade e diabetes. Mas durante décadas a Coca-Cola investiu bilhões de dólares associando sua imagem a juventude, saúde e esportes — e bilhões de humanos subconscientemente acreditam nessa associação.

O fato é que a verdade nunca teve papel de destaque na agenda do *Homo sapiens*. Muita gente supõe que se uma determinada religião ou ideologia não representa a realidade, cedo ou tarde seus adeptos acabarão descobrindo, porque não serão capazes de competir com rivais mais esclarecidos. Bem, esse é apenas mais um mito reconfortante. Na prática, o poder da cooperação humana depende de um delicado equilíbrio entre a verdade e a ficção.

Se você distorcer demais a realidade, isso na verdade vai enfraquecê-lo, fazendo-o agir de maneira irrealista. Por exemplo, em 1905 um médium da África Oriental chamado Kinjikitile Ngwale alegou estar possuído pelo espírito da cobra Hongo. O novo profeta tinha uma mensagem revolucionária para o povo da colônia alemã da África Oriental: unam-se e expulsem os alemães. Para tornar a mensagem mais atraente, Ngwale proveu seus seguidores de remédios mágicos que, supostamente, transformariam as balas dos alemães em água (*maji*, em suaíli). Isso deu início à Rebelião Maji Maji. Ela fracassou. Porque no campo de batalha as balas alemãs não se transformaram em água. Em vez disso, elas rasgaram impiedosamente o corpo dos mal armados rebeldes.[10] Dois mil anos antes, a Grande Revolta Judaica contra os romanos foi inspirada, de forma parecida, por uma ardente crença de que Deus lutaria pelos judeus e os ajudaria a derrotar o aparentemente invencível Império Romano. Isso fracassou também, levando à destruição de Jerusalém e ao exílio dos judeus.

Por outro lado, você não será capaz de organizar com eficiência grandes massas sem se apoiar em alguma mitologia. Se ficar preso à realidade crua, poucas pessoas o seguirão. Sem mitos, teria sido impossível organizar não só as revoltas Maji Maji e judaicas, mas também as muito mais bem-sucedidas rebeliões dos Mahdi e dos Macabeus.

As histórias falsas têm uma vantagem intrínseca em relação à verdade quando se trata de unir pessoas. Se você quer calibrar a lealdade de um grupo, pedir às pessoas que acreditem num absurdo é um teste muito melhor do que pedir que acreditem na verdade. Se um grande chefe disser "o sol nasce no leste e se põe no oeste" não se requer lealdade para aplaudi-lo. Mas se o chefe disser "o sol nasce no oeste e se põe no leste" apenas os que lhe forem verdadeiramente leais baterão palmas. Da mesma forma, se todos os seus vizinhos acreditarem na mesma história absurda, você pode contar com eles em momentos de crise. Se só aceitam acreditar em fatos comprovados, o que isso prova?

Poder-se-ia alegar que, ao menos em alguns casos, é possível organizar pessoas mediante acordos consensuais e não por meio de ficções e mitos. Assim, na esfera econômica, dinheiro e corporações unem pessoas muito mais efetivamente do que qualquer deus ou livro sagrado, apesar de todos saberem que isso é apenas uma convenção criada por humanos. No caso do livro sagrado, um verdadeiro crente diria "eu acredito que o livro é sagrado", enquanto no caso do dólar, um verdadeiro crente diria apenas que "eu acredito que *outras pessoas* acreditam que o dólar tem valor". É óbvio que o dólar é apenas uma criação humana, porém pessoas do mundo inteiro o respeitam. Se é assim, por que os humanos não são capazes de abandonar todos os mitos e ficções, e se organizar com base em convenções consensuais, como o dólar?

Essas convenções, no entanto, não são claramente diferentes de ficção. A diferença entre livros sagrados e dinheiro, por exemplo, é muito menor do que pode parecer à primeira vista. Quando veem uma nota de dólar, a maioria das pessoas esquece que aquilo é apenas uma convenção humana. Quando veem o pedaço de papel verde com a figura do homem branco que já morreu, elas o veem como algo valioso em si mesmo e por si mesmo. Dificilmente pensam: "Na verdade, isto é um pedaço de papel sem valor, mas, como outras pessoas o consideram valioso, posso fazer uso dele". Se você observar um cérebro humano num escâner de ressonância magnética funcional, verá que quando se mostra a alguém uma mala cheia de cédulas de cem dólares, as partes do cérebro que começam a zumbir excitadamente não são as partes céticas ("outras pessoas acreditam que isto é valioso") e sim as partes gananciosas ("Puta merda! Eu quero isso!"). Inversamente, na grande maioria dos casos, as pessoas só começam a santificar a Bíblia ou os Vedas ou o Livro dos Mórmons após uma longa e repetida exposição a outras pessoas que os consideram sagrados. Aprendemos a respeitar livros sagrados da mesmíssima maneira que aprendemos a respeitar notas de dinheiro.

Daí que, na prática, não existe uma divisão clara entre "saber que algo é apenas uma convenção humana" e "crer que algo é inerentemente valioso". Em muitos casos, as pessoas são ambíguas ou desatentas a essa divisão. Para dar outro exemplo, se você sentar e tiver uma profunda discussão filosófica sobre isso, quase todo mundo concordaria que corporações são narrativas ficcionais criadas por seres humanos. A Microsoft não é os prédios que possui, as pessoas que emprega ou os acionistas aos quais ela serve — e sim uma intricada ficção legal tecida por legisladores e advogados. Mas em 99% do tempo não estamos engajados em profundas discussões filosóficas, e tratamos as corporações como se fossem entidades reais no mundo, assim como tigres ou humanos.

Embaçar a linha entre ficção e realidade pode servir a muitos propósitos, começando com "divertimento", até "sobrevivência". Você não pode jogar jogos ou ler romances a menos que suspenda sua descrença, ao menos por um momento. Para realmente curtir o futebol, você tem de aceitar as regras do jogo, e esquecer, ao menos durante noventa minutos, que elas são apenas invenções humanas. Se não fizer isso, vai achar ridículo que 22 pessoas fiquem correndo atrás de uma bola. O futebol pode começar como diversão, mas depois se tornar coisa muito mais séria, como qualquer *hooligan* inglês ou nacionalista argentino atestará. O futebol pode ajudar a formar identidades pessoais, pode cimentar comunidades em grande escala e pode até mesmo ensejar motivos para violência. Nações e religiões são times de futebol hipertrofiados.

Humanos têm a notável capacidade de saber e não saber ao mesmo tempo. Ou, mais corretamente, eles são capazes de saber alguma coisa quando de fato pensam sobre ela, mas na maior parte do tempo não pensam sobre ela, por isso não sabem. Se realmente se concentrar, você se dará conta de que dinheiro é ficção. Mas normalmente você não se concentra. Se lhe perguntam sobre o futebol, você sabe que é uma invenção humana. Mas no calor de um jogo, ninguém lhe perguntará sobre isso. Se dedicar tempo e energia, você poderá descobrir que nações são elaboradas invencionices. Mas em meio a uma guerra você não tem tempo nem energia. Se você exigir a verdade suprema, constatará que a história de Adão e Eva é um mito. Mas quão frequentemente você exige a verdade suprema?

Verdade e poder podem andar juntos só até certo ponto. Cedo ou tarde vão seguir caminhos separados. Se você quer poder, em algum momento terá de disseminar mentiras. Se quiser saber a verdade sobre o mundo, em algum momento terá de renunciar ao poder. Terá de admitir coisas — como as origens de seu poder, por exemplo — que vão enfurecer aliados, desengajar seguidores e minar a harmonia social. Não há nada de místico nessa lacuna entre verdade e poder. Como testemunho disso, apenas encontre um típico americano protestante, anglo-saxão, branco e levante a questão de raça, localize um israelense da corrente majoritária e mencione a Ocupação, ou tente falar com um sujeito comum sobre patriarcado.

Ao longo da história, eruditos depararam com esse dilema repetidamente. Deveriam servir ao poder ou à verdade? Deveriam manter as pessoas unidas, garantindo que todas acreditassem na mesma narrativa, ou deveriam deixar que soubessem a verdade, mesmo ao preço da desunião? Os intelectualmente mais poderosos — fossem sacerdotes cristãos, mandarins confucianos ou ideólogos comunistas — puseram a união acima da verdade. E justamente por isso eram tão poderosos.

Como espécie, os humanos preferem o poder à verdade. Dedicamos muito mais tempo e esforço tentando controlar o mundo do que tentando compreendê-lo —, e mesmo quando tentamos compreendê-lo, normalmente fazemos isso na esperança de que compreender o mundo fará com que nos seja mais fácil controlá-lo. Por isso, se você sonha com uma sociedade na qual a verdade reina suprema e os mitos são ignorados, não pode esperar muito do *Homo sapiens*. Melhor tentar a sorte com os chipanzés.

ESCAPANDO DA MÁQUINA DE LAVAGEM CEREBRAL

Tudo isso não significa que as *fake news* não sejam um problema sério, ou que políticos e sacerdotes tenham liberdade total para mentir descaradamente. Também seria errado concluir que tudo são apenas *fake news*, que toda tentativa de descobrir a verdade está destinada ao fracasso e que não existe diferença entre jornalismo sério e propaganda. Subjacentes a todas as *fake news* existem fatos reais e sofrimentos reais. Na Ucrânia, por exemplo, soldados russos estão realmente combatendo, milhares já morreram de verdade e centenas de milhares perderam seus lares. O sofrimento humano pode ser causado por crença na ficção, mas o sofrimento em si ainda é real.

Portanto, em vez de aceitar *fake news* como a norma, deveríamos reconhecer que é um problema muito mais difícil do que supomos, e que deveríamos nos esforçar ainda mais para distinguir a realidade da ficção. Que não se espere perfeição. Uma das maiores ficções de todas é negar a complexidade do mundo e pensar em termos absolutos numa pureza imaculada contra o mal satânico. Nenhum político diz toda a verdade e nada além da verdade, mas alguns políticos são bem melhores que outros. Se pudesse escolher, eu confiaria muito mais em Churchill do que em Stálin, embora o primeiro-ministro britânico não deixasse de dourar a pílula quando isso lhe era conveniente. Da mesma forma, nenhum jornal está livre de vieses e erros, mas alguns fazem um esforço honesto de descobrir a verdade, enquanto outros são uma máquina de lavagem cerebral. Se eu tivesse vivido na década de 1930, gostaria de ter tido o bom senso de acreditar mais no *New York Times* do que no *Pravda* e no *Der Stürmer*.

É responsabilidade de todos nós investir tempo e esforço para expor nossos vieses e preconceitos, e para verificar nossas fontes de informação. Como observado em capítulos anteriores, não somos capazes de investigar tudo sozinhos. Mas exatamente por causa disso precisamos ao menos investigar com cuidado nossas fontes de informação preferidas — seja um jornal, um site, uma rede de televisão ou uma pessoa. No capítulo 20 vamos explorar com muito mais profundidade como evitar a lavagem cerebral e como distinguir realidade de ficção. Aqui, gostaria de oferecer de improviso duas regras gerais simples.

Primeira: se você quer uma informação confiável — pague por ela. Se obtiver suas notícias gratuitamente, talvez o produto seja você. Suponha que um obscuro bilionário lhe ofereça o seguinte negócio: "Vou lhe pagar trinta dólares por mês, e em troca você permitirá que todo dia eu lhe faça uma lavagem cerebral durante uma hora, instalando em seu cérebro quaisquer vieses políticos ou comerciais que eu queira". Você aceitaria esse acordo?

Poucas pessoas mentalmente sãs o fariam. Assim, o obscuro milionário oferece um acordo um pouco diferente: "Você permitirá que eu lhe faça uma lavagem cerebral diariamente, e em troca não vou lhe cobrar nada pelo serviço". Agora o acordo soa tentador para centenas de milhões de pessoas. Não vá por esse caminho.

A segunda regra geral é que se algum assunto parece ser importante para você, faça o esforço de ler literatura científica relevante sobre ele. E o que entendo por literatura científica são artigos avaliados por pares, livros publicados por editoras acadêmicas bem conhecidas e textos de professores de instituições respeitáveis. Obviamente, a ciência tem suas limitações e se envolveu com muitas coisas erradas no passado. Ainda assim, a comunidade científica tem sido nossa fonte mais confiável de conhecimento, durante séculos. Se você acha que a comunidade científica está errada quanto a alguma coisa, isso é bem possível, mas pelo menos conheça as teorias científicas que está rejeitando, e apresente alguma evidência empírica que sustente sua alegação.

Os cientistas, por sua vez, precisam estar muito mais envolvidos nos debates públicos atuais. Não deveriam ter medo de se fazer ouvir quando o debate se estender a seu campo de especialidade, seja a medicina ou a história. Silêncio não é neutralidade, é apoio ao *status quo*. É claro que é extremamente importante continuar a fazer pesquisa científica e publicar os resultados em revistas científicas que só uns poucos especialistas leem. Mas é igualmente importante comunicar as últimas teorias científicas ao público em geral por meio de livros de divulgação científica e até mesmo mediante o uso inteligente da arte e da ficção.

Isso significa que cientistas deveriam começar a escrever livros de ficção científica? Não seria má ideia. A arte desempenha um papel fundamental na maneira pela qual as pessoas concebem o mundo, e no século XXI a ficção científica é sem dúvida o gênero mais importante de todos, pois ela expressa como a maioria das pessoas compreende coisas como a IA, a bioengenharia e a mudança climática. De fato precisamos de boa ciência, mas de uma perspectiva política, um bom filme de ficção científica vale muito mais do que um artigo na *Science* ou na *Nature*.

18. Ficção científica
O futuro não é o que você vê nos filmes

Os humanos controlam o mundo porque são capazes de cooperar melhor do que qualquer outro animal, e são capazes de cooperar tão bem porque acreditam em ficções. Poetas, pintores e dramaturgos são, portanto, pelo menos tão importantes quanto soldados e engenheiros. As pessoas vão à guerra e constroem catedrais porque acreditam em Deus, e acreditam em Deus porque leram poemas sobre Deus, porque viram imagens que representam Deus e porque ficaram hipnotizadas ao assistir a peças teatrais sobre Deus. Da mesma forma, nossa crença na moderna mitologia do capitalismo é sustentada pelas criações artísticas de Hollywood e pela indústria pop. Acreditamos que comprar mais coisas vai nos fazer felizes, porque vemos o paraíso capitalista com nossos próprios olhos, na televisão.

No início do século XXI, talvez o gênero artístico mais importante seja a ficção científica. Muito pouca gente leu os artigos mais recentes nos campos do aprendizado de máquina ou da engenharia genética. Em vez disso, filmes como *Matrix* e *Ela* e séries de televisão como *Westworld* e *Black Mirror* expressam como as pessoas entendem os mais importantes desenvolvimentos tecnológicos, sociais e econômicos de nossos tempos. Isso significa também que a ficção precisa ser muito mais responsável quanto ao modo como descreve realidades científicas, do contrário poderá incutir nas pessoas ideias erradas, ou focar sua atenção nos problemas errados.

Como observado em um capítulo anterior, talvez o maior pecado da ficção científica atual seja a tendência a confundir inteligência com consciência. Como resultado, está preocupada demais com uma possível guerra entre robôs e humanos, quando na realidade devemos temer um conflito entre uma pequena elite de super-humanos com poderes ampliados por algoritmos e uma vasta subclasse de *Homo sapiens* sem nenhum poder. Quando se pensa no futuro da IA, Karl Marx ainda é um guia melhor que Steven Spielberg.

De fato, muitos filmes sobre inteligência artificial são tão divorciados da realidade científica que se pode suspeitar serem só alegorias de preocupações completamente diferentes. Assim, o filme *Ex Machina: instinto artificial* parece ser sobre um especialista em IA que se apaixona por uma robô e acaba sendo enganado e manipulado por ela. Mas na verdade não é um filme sobre o medo que humanos têm de robôs inteligentes. É um filme sobre o medo que o homem tem de uma mulher inteligente, em especial o medo de que liberação feminina possa levar à dominação dos homens. Sempre que você assiste a um filme sobre IA no qual a IA é mulher e o cientista é homem, provavelmente é um filme sobre o feminismo, e não sobre cibernética. Pois por que cargas d'água uma IA teria uma identidade sexual ou de gênero? O sexo é uma característica de seres orgânicos multicelulares. O que poderia significar para um ser cibernético não orgânico?

VIVER NUMA CAIXA

Um assunto que a ficção científica explorou com muito mais discernimento diz respeito ao perigo de a tecnologia ser usada para manipular e controlar seres humanos. O filme *Matrix* descreve um mundo no qual quase todos os humanos estão aprisionados num ciberespaço, e tudo o que eles vivenciam é configurado por um algoritmo mestre. *O show de Truman* concentra-se num único indivíduo que é o astro involuntário de um reality show na televisão. Sem que ele saiba, todos os seus amigos e conhecidos — inclusive sua mãe, sua mulher e seu melhor amigo — são atores; tudo o que acontece com ele segue um roteiro bem trabalhado; e tudo o que ele diz e faz é gravado por câmeras ocultas e avidamente acompanhado por milhões de fãs.

No entanto, ambos os filmes — não obstante seu brilhantismo — no fim se distanciam de tudo o que implicam seus cenários. Presumem que os humanos presos na armadilha da matrix têm um "eu" autêntico, que permanece intocado por todas as manipulações tecnológicas, e que além da matrix está à espera uma realidade autêntica, que os heróis podem acessar se se esforçarem. A matrix é só uma barreira artificial que separa seu autêntico "eu" interior do autêntico mundo exterior. Após muitas tentativas e atribulações, os dois heróis — Neo em *Matrix* e Truman em *O show de Truman* — conseguem transcender e escapar da rede de manipulações, descobrir seu "eu" autêntico e alcançar a autêntica terra prometida.

Muito curiosamente, essa autêntica terra prometida é idêntica em todos os aspectos importantes à inventada matrix. Quando Truman escapa do estúdio de televisão, ele busca se reencontrar com a namorada da época do ensino médio, que o diretor do programa tinha banido do elenco. Mas, se Truman realizasse sua fantasia romântica, sua vida seria exatamente como o perfeito sonho de Hollywood que *O Show de Truman* vendeu a milhões de espectadores em todo o mundo — com direito a férias nas ilhas Fiji. O filme não nos dá uma dica sequer sobre que tipo de vida alternativa Truman poderia encontrar no mundo real.

Da mesma forma, quando Neo sai da matrix engolindo a famosa pílula vermelha, ele descobre que o mundo de fora não é diferente do mundo de dentro. Tanto fora como dentro há conflitos violentos e pessoas movidas por medo, luxúria, amor e inveja. O filme deveria terminar quando dizem a Neo que a realidade que ele acessou é só uma matrix maior, e que se ele quiser escapar para o "verdadeiro mundo real", terá de escolher novamente entre a pílula azul e a vermelha.

A atual revolução tecnológica e científica implica não que indivíduos autênticos e realidades autênticas podem ser manipulados por algoritmos e câmeras de televisão, e sim que a autenticidade é um mito. As pessoas têm medo de ficar presas numa armadilha dentro de uma caixa, mas não se dão conta de que já estão presas dentro de uma caixa — seu cérebro — que está trancada dentro de uma caixa maior — a sociedade humana com suas incontáveis ficções. Quando você escapa da matrix, a única coisa que descobre é uma matrix maior. Quando camponeses e trabalhadores se revoltaram contra o tsar em 1917, eles acabaram com Stálin; e, quando você começa a explorar as múltiplas maneiras com que o mundo o manipula, no fim você constata que sua identidade mais íntima é uma ilusão completa criada por redes neurais.

As pessoas têm medo de que, ao estarem presas dentro de uma caixa, perderão todas as maravilhas do mundo. Enquanto Neo está preso na matrix, e Truman está preso no estúdio de televisão, eles nunca visitarão as ilhas Fiji, ou Paris, ou Machu Picchu. Mas, na verdade, tudo o que você experimentar na vida está dentro de seu próprio corpo e sua própria mente. Escapar da matrix ou ir para Fiji não fará nenhuma diferença. Não é que em algum lugar de sua mente exista um baú de ferro com uma grande placa advertindo em vermelho "Abra apenas em Fiji!", e quando você finalmente viajar para o Pacífico Sul vai poder abrir o baú e vivenciar todos as emoções e sensações especiais que só se pode ter em Fiji. E se nunca visitar Fiji em sua vida, então você perdeu para sempre essas sensações especiais. Não. O que quer que você seja capaz de sentir em Fiji, você é capaz de sentir em qualquer lugar do mundo; até mesmo dentro da matrix.

Talvez estejamos vivendo dentro de uma gigantesca simulação de computador, no estilo de *Matrix*. Isso estaria em contradição com todas as nossas narrativas nacionais, religiosas e ideológicas. Mas nossas experiências mentais ainda seriam reais. Se se descobrir que a história humana é uma elaborada simulação conduzida num supercomputador por ratos cientistas do planeta Zircon, isso seria bastante embaraçoso para Karl Marx e para o Estado Islâmico. Mas esses ratos cientistas ainda teriam de responder pelo genocídio armênio e por Auschwitz. Como isso teria passado pelo comitê de ética da Universidade de Zircon? Mesmo que as câmaras de gás tenham sido apenas sinais elétricos em chips de silício, as experiências da dor, do medo e do desespero não teriam sido nem um pouco menos excruciantes.

Dor é dor, medo é medo, e amor é amor — mesmo na matrix. Não importa se o medo que você sente seja inspirado por um conjunto de átomos ou por sinais elétricos manipulados por um computador. O medo continua a ser real. Assim, se você quiser explorar a realidade de sua mente, poderá fazer isso dentro ou fora da matrix.

A maioria dos filmes de ficção científica na verdade conta uma narrativa muito antiga: a vitória da mente sobre a matéria. Trinta mil anos atrás, a narrativa era: "Mente imagina uma faca de pedra — mão cria a faca — humano mata mamute". Mas a verdade é que os humanos ganharam o controle do mundo não tanto por terem inventado facas e matado mamutes quanto por manipularem mentes humanas. A mente não é o sujeito que modela a seu bel-prazer ações históricas e realidades biológicas — a mente é um objeto que está sendo modelado pela história e pela biologia. Mesmo nossos ideais mais profundos — liberdade, amor, criatividade — são como uma faca de pedra que alguém modelou para matar algum mamute. Segundo as melhores teorias científicas e as mais atualizadas ferramentas tecnológicas, a mente nunca está livre de manipulação. Não existe um "eu" autêntico esperando ser libertado da carapaça da manipulação.

Você tem alguma ideia de quantos filmes, romances e poemas consumiu ao longo dos anos, e como esses artefatos esculpiram e aguçaram sua noção de o que é o amor? Comédias românticas estão para o amor assim como filmes pornográficos estão para o sexo e Rambo está para a guerra. E, se você pensa que pode apertar algum botão "delete" e erradicar todo traço de Hollywood de seu subconsciente e de seu sistema límbico, está iludindo a si mesmo.

Gostamos da ideia de modelar facas de pedra, mas não gostamos da ideia de sermos, nós mesmos, facas de pedra. Assim, a variante da matrix para a antiga história do mamute é algo assim: "Mente imagina um robô — mão cria um robô — robô mata terroristas mas também tenta controlar a mente — mente mata robô". Mas essa narrativa é falsa. O problema não é que a mente não seja capaz de matar o robô. O problema, para começo de conversa, é que a mente que imaginou o robô já era o produto de manipulações muito anteriores. Por isso matar o robô não vai nos libertar.

A DISNEY PERDE A FÉ NO LIVRE-ARBÍTRIO

Em 2015, os estúdios Pixar e Walt Disney lançaram uma animação sobre a condição humana muito realista e perturbadora e que rapidamente tornou-se um grande sucesso entre crianças e adultos. *Divertida mente* conta a história de uma menina de onze anos, Riley Anderson, que muda com seus pais de Minnesota para San Francisco. Com saudade dos amigos e de sua cidade natal, ela tem dificuldade para se adaptar à nova vida, e tenta fugir de volta para Minnesota. Porém, sem que Riley saiba, um drama muito maior está acontecendo. Riley não é uma estrela involuntária de um reality show, e não está presa na matrix. A própria Riley é a matrix, e há algo preso dentro dela.

Disney construiu seu império recontando um mito repetidas vezes. Em vários de seus filmes, os heróis enfrentam dificuldades e perigos, mas triunfam no final, encontrando seu verdadeiro eu e seguindo sua livre escolha. *Divertida mente* desmonta esse mito por completo. Adota a mais recente visão neurobiológica dos humanos e leva os espectadores numa jornada para dentro do cérebro de Riley, para revelar que ela não tem um eu autêntico e que nunca fez quaisquer escolhas livres. Riley é na verdade um enorme robô manejado por um conjunto de mecanismos bioquímicos em conflito, os quais o filme personifica na forma de simpáticos personagens de animação: a amarela e alegre Alegria, a azul e morosa Tristeza, o vermelho e irascível Raiva, e assim por diante. Manipulando uma série de botões e alavancas no Quartel--General, enquanto observam cada movimento de Riley numa enorme tela de televisão, esses personagens controlam todos os humores, decisões e ações de Riley.

O fracasso de Riley em se adaptar a sua nova vida em San Francisco resulta de uma confusão no Quartel-General que ameaça pôr o cérebro de Riley totalmente fora de equilíbrio. Para corrigir as coisas, Alegria e Tristeza partem numa jornada épica pelo cérebro de Riley, viajando no trem do pensamento, explorando a prisão do subconsciente e visitando o estúdio interno onde uma equipe de neurônios artistas está ocupada na fabricação de sonhos. Enquanto percorremos esses mecanismos bioquímicos personalizados nas profundezas do cérebro de Riley, nunca encontramos uma alma, um autêntico eu ou um livre-arbítrio. De fato, o momento de revelação no qual toda a trama se articula acontece não quando Riley descobre seu único e autêntico eu, e sim quando fica evidente que Riley não pode ser identificada por um núcleo único, e que seu bem-estar depende da interação de muitos mecanismos diferentes.

No começo, os espectadores são levados a identificar Riley com a personagem líder — a amarela e contente Alegria. Mas depois constata-se que esse foi o erro crucial que ameaçou arruinar a vida de Riley. Pensando que ela é, sozinha, a essência autêntica de Riley, Alegria intimida todos os outros personagens interiores, rompendo o delicado equilíbrio do cérebro. A catarse acontece quando Alegria percebe seu erro e — junto com os espectadores — constata que Riley não é Alegria, ou Tristeza ou qualquer um dos outros personagens. Riley é uma narrativa complexa produzida pelos conflitos e pela colaboração de todos os personagens bioquímicos juntos.

O mais espantoso é não só que a Disney ousou lançar no mercado um filme com uma mensagem tão radical — mas que ele tenha se tornado um sucesso no mundo todo. Talvez tenha sido assim porque *Divertida mente* é uma comédia com final feliz, e é bem capaz que a maioria dos espectadores não tenha captado seu significado neurológico e suas sinistras implicações.

Não se pode dizer o mesmo do mais profético livro de ficção científica do século xx. Não é possível deixar de perceber sua natureza sinistra. Foi escrito quase um século atrás, mas torna-se mais relevante a cada ano que passa. Aldous Huxley escreveu *Admirável Mundo Novo* em 1931, com o comunismo e o fascismo entrincheirados na Rússia e na Itália, o nazismo em ascensão na Alemanha, um Japão militarista dando início a sua guerra de conquista na China e o mundo inteiro tomado pela Grande Depressão. Mas Huxley conseguiu enxergar através de todas essas nuvens escuras e prever uma sociedade sem guerras, fome e epidemias, usufruindo de paz, prosperidade e saúde ininterruptas. É um mundo consumista, que deixa reinar livremente o sexo, as drogas e o rock 'n' roll, e cujo valor supremo é a felicidade. O pressuposto que subjaz no livro é que os humanos são algoritmos bioquímicos, que a ciência é capaz de hackear o algoritmo humano e que a tecnologia pode ser usada para manipulá-lo.

Nesse admirável mundo novo, o Governo Mundial utiliza biotecnologia avançada e engenharia social para garantir que todos estejam sempre contentes e que ninguém tenha nenhum motivo para se rebelar. É como se Alegria, Tristeza e outros personagens no cérebro de Riley tivessem se tornado agentes leais ao governo. Não há, portanto, necessidade de uma polícia secreta, ou de campos de concentração, ou de um ministério do amor, à la *1984*, de Orwell. Na verdade, o genial em Huxley consiste em demonstrar que é possível controlar pessoas com muito mais segurança mediante amor e prazer do que por medo e violência.

Quando se lê *1984* fica claro que Orwell está descrevendo um assustador mundo de pesadelo, e a única questão deixada em aberto é "Como evitamos chegar a um estado tão terrível?". Ler *Admirável Mundo Novo* é uma experiência muito mais desconcertante e desafiadora, porque é difícil identificar exatamente o que o faz distópico. O mundo é pacífico e próspero, e todos estão satisfeitos o tempo todo. O que poderia estar errado?

Huxley faz essa pergunta diretamente, no momento de clímax do romance: o diálogo entre Mustafá Mond, o Controlador do Mundo para a Europa ocidental, e John, o Selvagem, que viveu toda sua vida numa reserva nativa no Novo México, e que é o único homem em Londres que nunca ouviu falar em Shakespeare ou Deus.

Quando John, o Selvagem, tenta incitar o povo de Londres a se rebelar contra o sistema que os controla, eles reagem a seu chamado com apatia total, mas a polícia o prende e o traz à presença de Mustafá Mond. O Controlador do Mundo tem uma agradável conversa com John, explicando que se ele insiste em ser antissocial deveria retirar-se para algum lugar isolado e viver como um eremita. John então questiona as ideias que sustentam a ordem global, e acusa o Governo Mundial de que, na busca da felicidade, ele eliminou não só a verdade e a beleza, mas tudo o que é nobre e heroico na vida.

"Meu jovem querido amigo", diz Mustafá Mond, "a civilização não precisa de nobreza ou heroísmo. Essas coisas são sintomas de ineficiência política. Numa sociedade bem organizada como a nossa, ninguém tem qualquer oportunidade para ser nobre ou herói. As condições teriam de ser totalmente instáveis para que surgisse uma situação como essa. Onde há guerras, onde há divisão de lealdades, onde há tentações às quais resistir, objetos de amor pelos quais lutar ou os quais defender — lá, obviamente, nobreza e heroísmo fazem algum sentido. Mas aqui não há guerras hoje. Tomam-se grandes cuidados para impedir que você ame alguém demais. Não existe essa coisa de lealdade dividida; você está tão condicionado que não pode evitar fazer o que deve fazer. E o que você deve fazer é tão prazeroso, tantos são os impulsos naturais aos quais se permite livre manifestação, que na verdade não há quaisquer tentações às quais resistir. E se alguma vez, por algum infeliz acaso, algo desagradável de algum modo acontecesse, bem, sempre temos *soma* [a droga] para você tirar umas férias dos fatos. E sempre tem *soma* para aplacar sua raiva, reconciliá-lo com seus inimigos, fazer com que seja paciente e estoico. No passado você só poderia realizar essas coisas fazendo um grande esforço e após anos de rigoroso treinamento moral. Agora, você engole dois ou três tabletes de meia grama, e pronto. Agora qualquer um pode ser virtuoso. Você pode levar pelo menos metade de sua moralidade num frasco. Cristianismo sem lágrimas — é isso que *soma* é."

"Mas as lágrimas são necessárias. Não se lembra do que disse Otelo? 'Se após cada tempestade vêm tais calmarias, que soprem os ventos até terem despertado a morte.' Há uma história que um desses velhos índios costumava nos contar, sobre a Garota de Mátsaki. O jovem que quisesse casar com ela teria de fazer a capina matinal em seu jardim. Parecia fácil; mas havia moscas e mosquitos, mágicos. A maioria dos jovens simplesmente não conseguia aguentar as mordidas e picadas. Mas aquele que conseguiu — conseguiu a garota."

"Encantador! Mas em países civilizados", disse o Controlador, "você pode ter garotas sem capinar por elas; e não há quaisquer moscas ou mosquitos para picar você. Livramo-nos de todos eles séculos atrás."

O Selvagem assentiu, franzindo a testa. "Vocês se livraram deles. Sim, isso é típico de vocês. Livrando-se de tudo o que é desagradável em vez de aprender a suportá-lo. Saber se é mais nobre na mente suportar as pedradas e flechas da fortuna atroz ou tomar armas contra as vagas de aflições e, ao afrontá-las, dar-lhes fim... Mas vocês não fazem nenhum dos dois. Nem sofrer nem se opor. Vocês apenas aboliram os estilingues e as flechas. É fácil demais... O que vocês precisam", continuou o Selvagem, "é de algo *com* lágrimas, para variar... Viver perigosamente não tem sua graça?"

"Muita", replicou o Controlador. "Homens e mulheres devem ter suas suprarrenais estimuladas de vez em quando... É uma das condições para uma saúde perfeita. É por isso que fizemos com que os tratamentos S.P.V. sejam compulsórios."

"S.P.V.?"

"'Substituto da Paixão Violenta.' Uma vez por mês inundamos todo o sistema de adrenalina. É o exato equivalente fisiológico do medo e da raiva. Todos os efeitos tônicos de assassinar Desdêmona e ser assassinada por Otelo sem nenhuma das inconveniências."

"Mas eu gosto de inconveniências."

"Nós não", disse o Controlador. "Preferimos fazer as coisas confortavelmente."

"Mas eu não quero conforto. Eu quero Deus, quero poesia, quero perigo real, quero liberdade. Quero bondade. Quero pecado."

"Na verdade", disse o Controlador, "você está reivindicando o direito de ser infeliz."

"Tudo bem, então", disse o Selvagem, desafiador. "Estou reivindicando o direito de ser infeliz."

"Sem falar no direito de ficar velho, feio e impotente; o direito de ter sífilis e câncer; o direito de ter muito pouco o que comer; o direito de ser horrível; o direito de viver em constante apreensão quanto ao que vai acontecer amanhã; o direito de pegar tifo; o direito de ser torturado por dores indizíveis de todo tipo."

Houve um longo silêncio.

"Reivindico tudo isso", disse o Selvagem afinal.

Mustafá Mond deu de ombros. "Disponha", disse ele.[1]

John, o Selvagem, retira-se para um deserto desabitado e vive lá como um eremita. Os anos que passou na reserva indígena recebendo lavagem cerebral sobre Shakespeare e religião o condicionaram a rejeitar todas as bênçãos da modernidade. Mas as palavras de um sujeito tão incomum e excitante espalham-se rapidamente, e as pessoas acorrem para vê-lo e registram tudo o que faz, e logo ele se torna uma celebridade. Enjoado até a alma com essa atenção indesejada, o Selvagem foge da matrix civilizada, não engolindo uma pílula vermelha, mas se enforcando.

Diferentemente dos criadores de *Matrix* e de *O show de Truman*, Huxley duvidava da possibilidade de fuga, porque questionava se haveria alguém disposto a fugir. Uma vez que seu cérebro e seu eu são parte da matrix, para fugir dela você tem de fugir de seu eu. No entanto, é uma possibilidade que vale a pena explorar. Escapar da definição estreita do eu pode bem se tornar uma habilidade para sobrevivência necessária no século XXI.

PARTE V
Resiliência

*Como viver numa era de perplexidade,
quando as narrativas antigas desmoronaram
e não surgiu nenhuma nova para substituí-las?*

19. Educação
A mudança é a única constante

O gênero humano está enfrentando revoluções sem precedentes, todas as nossas antigas narrativas estão ruindo e nenhuma narrativa nova surgiu até agora para substituí-las. Como podemos nos preparar e a nossos filhos para um mundo repleto de transformações sem precedentes e de incertezas tão radicais? Um bebê nascido hoje terá trinta anos por volta de 2050. Se tudo correr bem, esse bebê ainda estará por aí em 2100, e até poderá ser um cidadão ativo no século XXII. O que deveríamos ensinar a esse bebê que o ajude, ou a ajude, a sobreviver e progredir no mundo de 2050 ou no século XXII? De que tipo de habilidades ele ou ela vai precisar para conseguir um emprego, compreender o que está acontecendo a sua volta e percorrer o labirinto da vida?

Infelizmente, como ninguém sabe qual será o aspecto do mundo em 2050 — muito menos 2100 —, não temos resposta para essas perguntas. É claro que os humanos nunca serão capazes de predizer o futuro com exatidão. Mas hoje isso está mais difícil do que nunca, porque uma vez tendo a tecnologia nos capacitado a projetar e construir corpos, cérebros e mentes, não podemos mais ter certeza de nada — inclusive coisas que antes pareciam ser fixas e eternas.

Mil anos atrás, em 1018, havia muitas coisas que as pessoas não sabiam quanto ao futuro, mas assim mesmo estavam convencidas de que as características básicas da sociedade humana não iriam mudar. Se você vivesse na China em 1018, saberia que em 1050 o Império Song poderia ruir, que os Kitais poderiam invadir a partir do norte e que epidemias poderiam matar milhões. Contudo, para você estava claro que mesmo em 1050 a maioria das pessoas ainda estaria trabalhando como agricultores e tecelões, governantes ainda contariam com humanos para equipar seus exércitos e suas burocracias, os homens ainda dominariam as mulheres, a expectativa de vida ainda seria de mais ou menos quarenta anos e o corpo humano seria exatamente o mesmo. Por isso, em 1018 pais chineses pobres ensinavam seus filhos a plantar arroz ou tecer seda, e pais ricos ensinavam seus meninos a ler os clássicos confucianos, escrever em caligrafia chinesa ou lutar a cavalo — e ensinavam suas meninas a serem donas de casa recatadas e obedientes. Era óbvio que essas aptidões ainda seriam necessárias em 1050.

Em contraste, hoje não temos ideia de que aspecto terão a China e o resto do mundo em 2050. Não sabemos o que as pessoas farão para ganhar a vida e não sabemos como vão funcionar exércitos ou burocracias, e não sabemos como serão as relações entre os gêneros. Algumas pessoas provavelmente viverão muito mais do que se vive hoje, e o próprio corpo humano poderá ter passado por uma revolução sem precedentes graças à bioengenharia e a interfaces cérebro-computador diretas. Daí ser provável que muito do que as crianças aprendem hoje seja irrelevante em 2050.

Atualmente, é enorme a quantidade de escolas que se concentram em abarrotar os estudantes de informação. No passado isso faria sentido, porque a informação era escassa, e mesmo o lento gotejar da informação existente era repetidamente bloqueado pela censura. Se você vivesse, digamos, numa pequena cidade provinciana do México em 1800, teria dificuldade para saber muito sobre o resto do mundo. Não havia rádio, televisão, jornais diários ou bibliotecas públicas.[1] Mesmo se você fosse letrado e tivesse acesso a uma biblioteca privada, não havia muito o que ler além de romances e tratados religiosos. O Império Espanhol censurava todos os textos impressos localmente, e só permitia que fosse importada do exterior uma pequena quantidade de publicações previamente examinadas.[2] Muito disso valia também para algumas cidades provincianas na Rússia, na Índia, na Turquia ou na China. Quando vieram as escolas modernas, ensinando toda criança a ler e escrever e repassando os fatos básicos da geografia, da história e da biologia, elas representaram uma melhora imensa.

No século xxi, estamos inundados por enormes quantidades de informação, e nem mesmo os censores tentam bloqueá-la. Em vez disso, estão ocupados disseminando informações falsas ou nos distraindo com irrelevâncias. Se você vive em alguma cidade do interior do México e tem um smartphone, pode passar a vida consultando a Wikipedia, assistindo a TED Talks e fazendo cursos gratuitos on-line. Nenhum governo pode ter esperança de esconder toda informação da qual ele não gosta. Por outro lado, é alarmantemente fácil inundar o público com relatos conflitantes e pistas falsas. Pessoas em todo mundo estão a um clique de distância dos últimos relatos sobre o bombardeio de Alepo, ou das calotas de gelo derretendo no Ártico, mas há tantos relatos contraditórios que é difícil saber em qual acreditar. Além disso, inúmeras outras coisas estão a um clique de distância, o que faz com que seja difícil concentrar-se, e quando a política ou a ciência parecem complicadas demais, é tentador mudar para alguns vídeos engraçados sobre gatos, fofocas de celebridades ou pornografia.

Num mundo assim, a última coisa que um professor precisa dar a seus alunos é informação. Eles já têm informação demais. Em vez disso, as pessoas precisam de capacidade para extrair um sentido da informação, perceber a diferença entre o que é importante e o que não é, e acima de tudo combinar os muitos fragmentos de informação num amplo quadro do mundo.

Na verdade, esse tem sido o ideal da educação liberal ocidental durante séculos, porém até agora a maioria das escolas ocidentais tem sido bem negligente em seu cumprimento. Professores se permitem despejar dados enquanto incentivam os alunos a "pensar por si mesmos". Devido a seu medo do autoritarismo, escolas liberais têm um horror particular às grandes narrativas. Elas supõem que, enquanto dermos aos estudantes grandes quantidades de dados e um mínimo de liberdade, eles formarão sua própria imagem do mundo, e mesmo que esta geração não seja capaz de sintetizar todos os dados em uma narrativa do mundo coerente e com sentido, haverá muito tempo para construir uma boa síntese no futuro. E agora o nosso tempo se esgotou. As decisões que tomarmos nas próximas poucas décadas vão moldar o próprio futuro da vida, e só podemos tomar essas decisões com base na visão atual do mundo. Se esta geração não tiver uma visão abrangente do cosmos, o futuro da vida será decidido aleatoriamente.

A CHAPA ESTÁ ESQUENTANDO

Além de informação, a maioria das escolas também se concentra demasiadamente em prover os alunos de um conjunto de habilidades predeterminadas, como a de resolver equações diferenciais, escrever programas de computador em C++, identificar substâncias químicas num tubo de ensaio ou conversar em chinês. Mas, como não temos ideia de como o mundo e o mercado de trabalho serão em 2050, na realidade não sabemos de quais habilidades específicas vamos precisar. Podemos estar investindo muito esforço para ensinar as crianças como programar em C++ ou como falar chinês para descobrir em 2050 que a IA pode programar softwares muito melhor que humanos, e que um novo aplicativo de tradução do Google o habilita a conduzir uma conversa num mandarim, cantonês ou hakka quase impecáveis, mesmo que você só saiba dizer "*Ni hao*".

Então, o que deveríamos estar ensinando? Muitos especialistas em pedagogia alegam que as escolas deveriam passar a ensinar "os quatro Cs" — pensamento crítico, comunicação, colaboração e criatividade.[3] Num sentido mais amplo, as escolas deveriam minimizar habilidade técnicas e enfatizar habilidades para propósitos genéricos na vida. O mais importante de tudo será a habilidade para lidar com mudanças, aprender coisas novas e preservar seu equilíbrio mental em situações que não lhe são familiares. Para poder acompanhar o mundo de 2050 você vai precisar não só inventar novas ideias e produtos — acima de tudo, vai precisar reinventar a você mesmo várias e várias vezes.

Pois à medida que o ritmo das mudanças aumenta, é provável que não apenas a economia, mas o próprio sentido de "ser humano" mude. Já em 1848 o *Manifesto comunista* declarou que "tudo o que é sólido desmancha no ar". No entanto, Marx e Engels estavam pensando principalmente em estruturas sociais e econômicas. Em 2048, estruturas físicas e cognitivas também desmancharão no ar, ou numa nuvem de bits de dados.

Em 1848 milhões de pessoas estavam perdendo seus empregos no campo e indo trabalhar em fábricas nas cidades grandes. Mas, ao chegarem à cidade grande, era improvável que mudassem de gênero ou desenvolvessem um sexto sentido. E, se achassem trabalho em alguma indústria têxtil, podiam esperar permanecer naquela profissão pelo resto da vida.

Em 2048, as pessoas poderão ter de lidar com migrações para o ciberespaço, com identidades de gênero fluidas e com novas experiências sensoriais geradas por implantes de computador. Se acharem trabalho e sentido projetando versões atualizadíssimas de um jogo de realidade virtual em 3-D, uma década depois não só essa profissão em particular como todos os empregos que exijam esse nível de criação artística poderão ser tomados pela IA. Assim, com 25 anos, você se apresentaria num site de encontros como "mulher heterossexual de 25 anos de idade que vive em Londres e trabalha numa loja de roupas". Aos 35 você diz que é "uma pessoa de gênero não específico que está passando por um ajuste de idade, cuja atividade neocortical ocorre principalmente no mundo virtual do NovoCosmos e cuja missão na vida é chegar aonde nenhum designer de moda chegou antes". Aos 45 tanto "encontros" como "descrições de si mesmo" são coisas do passado. Você apenas espera que um algoritmo encontre (ou crie) a pessoa perfeita para ser seu par. Quanto a extrair um sentido da arte de desenhar moda, você está tão irrevogavelmente superado pelos algoritmos que olhar para suas máximas conquistas da década anterior causa-lhe mais constrangimento que orgulho. E aos 45 você ainda tem a sua frente muitas décadas de mudanças radicais.

Por favor, não tome esse cenário literalmente. Ninguém pode prever as mudanças específicas que vamos testemunhar. É provável que qualquer cenário particular esteja longe da verdade. Se alguém lhe fizer uma descrição do mundo em meados do século XXI e ela soar como ficção científica, provavelmente é falsa. Mas se alguém lhe fizer uma descrição do mundo em meados do século XXI e ela *não* soar como ficção científica — certamente é falsa. Não podemos estar certos quanto às especificidades, mas a mudança em si mesma é a única certeza.

Uma mudança tão profunda pode transformar a estrutura básica da vida, fazendo da descontinuidade sua característica mais proeminente. Desde tempos imemoriais a vida foi dividida em duas partes complementares: um período de estudo seguido de um período de trabalho. Na primeira parte da vida você acumulou informação, desenvolveu aptidões, formou uma visão de mundo e construiu uma identidade estável. Mesmo que aos quinze anos você tenha passado a maior parte do dia trabalhando no campo de arroz da família (e não numa escola formal), a coisa mais importante que estava fazendo foi aprender a cultivar arroz, como conduzir negociações com os gananciosos comerciantes da cidade grande e como resolver com outros aldeões conflitos sobre terra e água. Na segunda parte da vida confiou em suas habilidades acumuladas para percorrer o mundo, ganhar a vida e contribuir para a sociedade. É claro que mesmo aos cinquenta você continuou a aprender coisas novas sobre arroz, sobre comerciantes e sobre conflitos, mas foram apenas pequenos ajustes em habilidades bem buriladas.

Em meados do século XXI, mudanças aceleradas e vida mais longa tornarão o modelo tradicional obsoleto. A vida se esgarçará, e haverá cada vez menos continuidade entre os diferentes períodos de vida. "Quem sou eu?" será uma pergunta mais urgente e complicada do que jamais foi.[4]

É provável que isso envolva imensos níveis de estresse. Pois mudanças são quase sempre estressantes, e após uma certa idade a maioria das pessoas simplesmente não gosta de mudar. Quando você tem quinze anos, toda a sua vida é mudança. Seu corpo está crescendo, sua mente se desenvolvendo, seus relacionamentos se aprofundando. Tudo está fluindo, e tudo é novo. Você está ocupado inventando a si mesmo. A maioria dos adolescentes acha isso assustador, mas ao mesmo tempo excitante. Novos panoramas abrem-se diante de você, e você tem o mundo inteiro para conquistar.

Aos cinquenta anos, você não quer mudar, e a maioria das pessoas desistiu de conquistar o mundo. Já esteve lá, já fez o que fez. E prefere a estabilidade. Investiu tanto em sua carreira, sua identidade e sua visão de mundo que não quer começar tudo de novo. Quanto mais duro trabalhou para construir alguma coisa, mais difícil é deixá-la ir embora e abrir espaço para algo novo. Você poderia até mesmo apreciar novas experiências e pequenos ajustes, mas a maioria das pessoas aos cinquenta anos não está disposta a rever as estruturas profundas de sua identidade e personalidade.

Há razões neurológicas para isso. Embora o cérebro adulto seja mais flexível e volátil do que se imaginava, ele ainda é menos maleável do que o cérebro de um adolescente. Reconectar neurônios e religar sinapses é um trabalho duríssimo.[5] Mas no século XXI dificilmente você pode se permitir ter estabilidade. Se tentar se agarrar a alguma identidade, algum emprego ou alguma visão de mundo estáveis, estará se arriscando a ser deixado para trás quando o mundo passar voando por você. Como a expectativa de vida aumentará, você poderia ter de passar muitas décadas como um fóssil. Para continuar a ser relevante — não só economicamente, mas acima de tudo socialmente — você vai precisar aprender e se reinventar o tempo inteiro, numa idade tão jovem como a dos cinquenta anos.

À medida que a estranheza se torna o novo normal, suas experiências passadas, assim como de toda a humanidade, passarão a ser guias menos confiáveis. Humanos como indivíduos e o gênero humano como um todo terão de lidar cada vez mais com coisas nunca antes encontradas, como máquinas superinteligentes, corpos projetados e formados pela engenharia, algoritmos que podem manipular suas emoções com incrível precisão, fulminantes cataclismos climáticos criados pelo homem e a necessidade de mudar de profissão a cada década. Qual é a coisa certa a fazer ao enfrentar uma situação totalmente sem precedentes? Como você deve agir quando estiver inundado por enormes quantidades de informação e não houver meios de absorvê-la e analisá-

-la? Como viver num mundo em que uma profunda incerteza não é um bug, e sim uma característica?

Para sobreviver e progredir num mundo assim, você vai precisar de muita flexibilidade mental e de grandes reservas de equilíbrio emocional. Terá que abrir mão daquilo que sabe melhor e sentir-se à vontade com o que não sabe. Infelizmente, ensinar crianças a abraçar o desconhecido e manter seu equilíbrio mental é muito mais difícil do que ensinar uma equação ou as causas da Primeira Guerra Mundial. Você não será capaz de desenvolver resiliência lendo um livro ou ouvindo uma aula. Aos próprios professores falta a flexibilidade mental que o século XXI exige, pois eles mesmos são produto do antigo sistema educacional.

A Revolução Industrial deixou-nos como legado a teoria da linha de produção da educação. No meio da cidade existe um grande prédio de concreto dividido em muitas salas idênticas, cada sala equipada com fileiras de mesas e cadeiras. Ao soar uma campainha você vai para uma dessas salas junto com outras trinta crianças que nasceram, todas, no mesmo ano que você. A cada hora, entra um adulto e começa a falar. São pagos pelo governo para fazer isso. Um deles lhe fala sobre o formato da Terra, outro sobre o passado humano e um terceiro sobre o corpo humano. É fácil rir desse modelo, e quase todo mundo concorda que, a despeito de suas conquistas do passado, ele está falido. Mas até agora não criamos uma alternativa viável, muito menos uma alternativa adaptável, que possa ser implementada no México rural, e não apenas nos sofisticados subúrbios da Califórnia.

HACKEANDO HUMANOS

Assim, o melhor conselho que eu poderia dar a um jovem de quinze anos enfiado numa escola desatualizada em algum lugar do México, da Índia ou do Alabama é: não confie demais nos adultos. A maioria deles tem boas intenções, mas eles não compreendem o mundo. No passado, era relativamente seguro apostar em seguir os adultos, porque eles conheciam as coisas bastante bem, e o mundo se transformava lentamente. Mas o século XXI será diferente. Devido ao ritmo cada vez mais acelerado das mudanças, você nunca terá certeza se aquilo que os adultos estão lhe dizendo é fruto de uma sabedoria atemporal ou de um preconceito ultrapassado.

Então, em quem você pode confiar? Na tecnologia, talvez? É uma aposta ainda mais arriscada. A tecnologia pode ajudá-lo muito, mas, se ela exercer demasiado poder em sua vida, você pode acabar como um refém. Milhares de anos atrás, os humanos inventaram a agricultura, mas essa tecnologia só enriqueceu uma pequena elite, enquanto escravizava a maioria dos humanos. A maior parte das pessoas acabou trabalhando do nascer ao pôr do sol arrancando ervas daninhas, carregando baldes com água e colhendo milho sob o sol ardente. Isso pode acontecer com você também.

A tecnologia não é uma coisa ruim. Se você souber o que deseja na vida, ela pode ajudá-lo a conseguir. Mas se você não sabe, será muito fácil para a tecnologia moldar por você seus objetivos e assumir o controle de sua vida. E, à medida que a tecnologia adquire uma melhor compreensão dos humanos, você poderia se ver servindo a ela cada vez mais, em vez de ela servir a você. Você já viu esses zumbis que vagueiam pelas ruas com o rosto grudado em seus smartphones? Você acha que eles estão controlando a tecnologia ou é a tecnologia que os está controlando?

Então, você deve confiar em si mesmo? Isso soa muito bem na *Vila Sésamo* ou num filme antigo da Disney, mas na vida real nem tanto. Até mesmo a Disney está começando a se dar conta disso. Assim como Riley Andersen, a maioria das pessoas quase não conhece a si mesma, e quando tenta "ouvir-se a si mesma" torna-se presa fácil de manipulações externas. A voz que ouvimos dentro de nossa cabeça nunca foi confiável, porque sempre refletiu propaganda oficial, lavagem cerebral ideológica e publicidade comercial, sem falar nos bugs bioquímicos.

À medida que a biotecnologia e o aprendizado de máquina se aprimoram, ficará mais fácil manipular as mais profundas emoções e desejos, e será mais perigoso que nunca seguir seu coração. Quando a Coca-Cola, a Amazon, a Baidu ou o governo sabem como manipular seu coração e controlar seu cérebro, você ainda pode dizer qual é a diferença entre seu próprio eu e os especialistas em marketing que trabalham para eles?

Para ser bem-sucedido numa tarefa tão intimidadora, você terá de trabalhar muito duro para conhecer melhor seu sistema operacional. Para saber quem você é, e o que deseja da vida. Este é o mais antigo conselho registrado: conheça a si mesmo. Por milhares de anos filósofos e profetas instaram as pessoas a conhecerem a si mesmas. Mas esse conselho nunca foi mais urgente do que é no século XXI, pois diferentemente da época de Lao Zi ou Sócrates, agora você tem uma séria concorrência. Coca-Cola, Amazon, Baidu e o governo estão todos correndo para hackear você. Não seu smartphone, nem seu computador, nem sua conta bancária — eles estão numa corrida para hackear *você* e seu sistema operacional orgânico. Você pode ter ouvido dizer que estamos vivendo numa era de hackeamento de computadores, mas isso não é nem metade da verdade. A verdade é que estamos vivendo na era do hackeamento de humanos.

Neste exato momento os algoritmos estão observando você. Estão observando aonde você vai, o que compra, com quem se encontra. Logo vão monitorar todos os seus passos, todas as suas respirações, todas as batidas de seu coração. Estão se baseando em Big Data e no aprendizado de máquina para conhecer você cada vez melhor. E, assim que esses algoritmos o conhecerem melhor do que você se conhece, serão capazes de controlar e manipular você, e não haverá muito que fazer. Você estará vivendo na matrix, ou no *Show de Truman*. Afinal, é uma simples questão empírica: se os algoritmos realmente compreenderem melhor que você o que está acontecendo dentro de você, a autoridade passará para eles.

É claro que você poderia ser feliz cedendo toda a autoridade para os algoritmos e confiando neles para que decidam por você e pelo resto do mundo. Se é assim, apenas relaxe e aproveite a viagem. Você não precisa fazer nada a respeito. Os algoritmos cuidarão de tudo. Se, no entanto, você quiser manter algum controle sobre sua existência pessoal e o futuro de sua vida, terá de correr mais rápido que os algoritmos, mais rápido que a Amazon e o governo, e conseguir conhecer a si mesmo melhor do que eles conhecem. Para correr tão rápido, não leve muita bagagem consigo. Deixe para trás suas ilusões. Elas são pesadas demais.

20. Sentido
A vida não é uma história

Quem sou eu? O que deveria fazer na vida? Qual o significado da existência? Humanos têm feito estas perguntas desde tempos imemoriais. Cada geração precisa de uma nova resposta, porque o que sabemos ou não sabemos está em constante mudança. Considerando tudo o que sabemos e não sabemos sobre a ciência, sobre Deus, sobre política e sobre religião — qual é a melhor resposta que podemos dar hoje?

Que tipo de resposta as pessoas esperam? Em quase todos os casos, quando pessoas perguntam sobre o significado da vida, elas esperam que lhes contem uma história. O *Homo sapiens* é um animal contador de histórias, que pensa em narrativas e não em números ou gráficos, e acredita que o próprio universo funciona como uma narrativa, repleta de heróis e vilões, conflitos e soluções, clímaces e finais felizes. Quando buscamos o sentido da vida, queremos uma narrativa que explique o que quer dizer realidade e qual é meu papel particular no drama cósmico. Esse papel faz com que eu me torne parte de algo maior, e dá significado a todas as minhas experiências e escolhas.

Uma história popular que se contou durante milhares de anos a bilhões de humanos ansiosos explica que somos todos parte de um ciclo eterno que abrange e conecta todos os seres. Cada ser tem uma função distinta a preencher no ciclo. Compreender o significado da vida quer dizer compreender qual é a sua função, que é única, e viver uma boa vida quer dizer cumprir essa função.

A epopeia hindu *Bhagavad Gita* conta como, em meio a uma sangrenta guerra civil, o grande príncipe guerreiro Arjuna é consumido pela dúvida. Vendo seus amigos e parentes no exército adversário, ele hesita em lutar e matar e começa a refletir sobre a natureza do bem e do mal e sobre a finalidade da vida humana. O deus Krishna explica então a Arjuna que dentro do grande ciclo cósmico cada ser possui um "darma" único, o caminho que se tem de percorrer e os deveres que se têm de cumprir. Se você seguir seu darma, não importa quão difícil possa ser o caminho, você usufruirá de paz de espírito e se livrará de todas as dúvidas. Caso se recuse a seguir seu darma e tente adotar algum outro caminho — ou vaguear sem nenhum —, você irá perturbar o equilíbrio cósmico e nunca será capaz de encontrar paz ou alegria. Não faz diferença qual seja seu caminho particular, desde que você o siga. Uma lavadeira que segue com devoção o rumo de uma lavadeira é muito superior a um príncipe que se desvia do caminho de um príncipe. Tendo compreendido o significado da vida, Arjuna continua a seguir *seu* darma como um guerreiro. Ele mata seus amigos e parentes, lidera seu exército para a vitória e torna-se um dos mais estimados e amados heróis do mundo hindu.

A epopeia de Disney de 1994 *O rei leão* reformula essa narrativa antiga para audiências modernas, com o jovem leão Simba no lugar de Arjuna. Quando Simba quer saber o significado da existência, seu pai — o rei leão Mufasa — conta-lhe sobre o grande Ciclo da Vida. Mufasa explica que os antílopes comem capim, leões comem antílopes, e quando os leões morrem seu corpo se decompõe e alimenta o capim. É assim que a vida continua de geração em geração, contanto que cada animal desempenhe seu papel no drama. Tudo está conectado, e cada um depende do outro, assim, quando até mesmo uma folha de capim deixa de seguir sua vocação, todo o Ciclo da Vida pode se desmanchar. A vocação de Simba, diz Mufasa, é governar o reino dos leões após a morte de Mufasa e manter a ordem entre os outros animais.

No entanto, quando Mufasa é prematuramente assassinado por seu malvado irmão Scar, o jovem Simba culpa a si mesmo pela catástrofe e, torturado pela culpa, abandona o reino dos leões e seu destino real e vagueia pelo deserto. Lá conhece dois outros proscritos, um suricato e um javali, e juntos passam alguns anos à toa num lugar distante e desconhecido. Sua filosofia antissocial significa que eles respondem a todo problema cantando *Hakuna matata* — esqueça os seus problemas.

Mas Simba não consegue escapar de seu darma. À medida que amadurece, fica cada vez mais perturbado, sem saber quem é e o que deve fazer. No momento de clímax do filme, o espírito de Mufasa revela-se a Simba numa visão, e lembra a ele o Ciclo da Vida e sua identidade real. Simba descobre também que em sua ausência o vil Scar assumira o trono e governava mal o reino, que agora sofria muito com desarmonia e fome. Simba finalmente compreende quem ele é e o que deveria fazer. Retorna ao reino dos leões, mata o tio, torna-se rei e restabelece a harmonia e a prosperidade. O filme termina com um orgulhoso Simba apresentando seu herdeiro recém-nascido aos animais reunidos, garantindo a continuidade do grande Ciclo da Vida.

O Ciclo da Vida apresenta o drama cósmico como uma narrativa circular. Pois tudo o que Simba e Arjuna sabem é que leões comem antílopes e guerreiros lutam em batalhas durante incontáveis éons, e continuarão a fazer isso para sempre. Essa eterna repetição empresta poder à narrativa, sugerindo que esse é o curso natural das coisas, e que se Arjuna abandonar o combate ou se Simba recusar-se a ser rei, estarão se rebelando contra as próprias leis da natureza.

Se eu acredito em alguma versão da narrativa do Ciclo da Vida, isso quer dizer que tenho uma identidade fixa e verdadeira, que determina meus deveres. Por muitos anos posso duvidar dessa identidade ou ignorá-la, mas um dia, em algum grande momento, ela será revelada e compreenderei meu papel no drama cósmico, e, mesmo que eu possa subsequentemente deparar com muitas provações a atribulações, estarei livre de dúvidas e de desespero.

Outras religiões e ideologias acreditam num drama cósmico linear, que tem um início que o define, um meio não muito longo e um final definitivo. Por exemplo, a narrativa muçulmana diz que no começo Alá criou o universo inteiro e estabeleceu suas leis. Depois revelou essas leis aos humanos no Corão. Infelizmente, pessoas ignorantes e malvadas rebelaram-se contra Alá e tentaram destruir e ocultar essas leis, e cabe aos muçulmanos virtuosos e leais mantê-las e disseminar seu conhecimento. No Dia do Julgamento, Alá avaliará a conduta de cada indivíduo, recompensando os justos com a felicidade eterna no paraíso e lançando os maus nos poços ardentes do inferno.

Essa grande narrativa implica que meu papel pequeno, porém importante, na vida é seguir os mandamentos de Alá, disseminar o conhecimento de Suas leis e assegurar que se obedeça a Suas vontades. Se acreditar na narrativa muçulmana, encontrarei significado em rezar cinco vezes por dia, doar dinheiro para a construção de uma nova mesquita e lutar contra apóstatas e infiéis. Até mesmo as atividades mais mundanas — lavar as mãos, beber vinho, fazer sexo — ficam imbuídas de significado cósmico.

O nacionalismo também sustenta uma narrativa linear. A história sionista começa com as aventuras e realizações do povo judeu, relata 2 mil anos de exílio e perseguição, atinge um clímax com o Holocausto e o estabelecimento do Estado de Israel e anseia pelo dia em que Israel usufruirá de paz e prosperidade e se tornará um farol moral e espiritual para o mundo inteiro. Se eu acredito na narrativa sionista, concluo que minha missão na vida é promover os interesses da nação judaica protegendo a pureza da língua hebraica, lutando para recuperar território judeu ou talvez tendo e criando uma nova geração de filhos israelenses leais.

Nesse caso, até mesmo empreendimentos prosaicos são infundidos de significado. No Dia da Independência, as crianças entoam juntas na escola uma canção popular hebraica que louva toda ação feita em benefício da pátria. Uma criança canta: "Construí uma casa na terra de Israel", outra: "Plantei uma árvore na terra de Israel", uma terceira entra com: "Escrevi um poema na terra de Israel", até que finalmente se juntam todas em coro cantando: "E assim temos uma casa, e uma árvore, e um poema [e o que mais você queira acrescentar] na terra de Israel".

O comunismo conta uma narrativa análoga, mas ressaltando classe e não etnicidade. O *Manifesto do Partido Comunista* começa proclamando que:

> Até hoje, a história de toda sociedade é a história das lutas de classe.
> Homem livre e escravo, patrício e plebeu, senhor e servo, mestre de corporação e aprendiz — em suma, opressores e oprimidos sempre estiveram em oposição, travando luta ininterrupta, ora velada, ora aberta, uma luta que sempre terminou ou com a reconfiguração revolucionária de toda a sociedade ou com o ocaso conjunto das classes em luta.[1]

O manifesto em seguida explica que nos tempos modernos, "toda a sociedade se divide mais e mais em dois grandes campos inimigos, em duas classes frontalmente opostas: a burguesia e o proletariado".[2] Sua luta vai terminar com a vitória do proletariado, que sinalizará o fim da história e o estabelecimento do paraíso comunista na Terra, no qual ninguém será dono de nada, e todos serão totalmente livres e felizes.

Se acreditar na narrativa comunista, concluirei que a missão de minha vida é acelerar a revolução global escrevendo panfletos inflamados, organizando greves e manifestações, ou talvez assassinando capitalistas gananciosos e lutando contra seus lacaios. A narrativa empresta significado até aos menores gestos, como o boicote a uma marca que explora operários têxteis em Bangladesh, ou discutir com o porco capitalista do meu sogro na ceia de Natal.

Ao contemplar a quantidade de narrativas que buscam definir minha verdadeira identidade e dar sentido a minhas ações, é impressionante constatar que sua escala tem pouca importância. Algumas narrativas, como a do Ciclo da Vida de Simba, parecem estender-se até a eternidade. É somente contra o pano de fundo do universo inteiro que posso saber quem sou. Outras narrativas, como a maioria dos mitos nacionalistas e tribais, são minúsculas, em comparação. O sionismo consagra as aventuras de cerca de 0,2% do gênero humano em 0,005% da superfície da Terra, durante uma pequeníssima fração da duração do tempo. A narrativa sionista não chega a atribuir qualquer significado aos impérios chineses, às tribos da Nova Guiné e à galáxia Andrômeda, bem como aos incontáveis éons que se passaram antes da existência de Moisés, Abraão e da evolução dos macacos.

Essa miopia pode ter sérias repercussões. Por exemplo, um dos maiores obstáculos para qualquer tratado de paz entre israelenses e palestinos é que os israelenses não querem dividir a cidade de Jerusalém. Alegam que a cidade é "a capital eterna do povo judeu" — e certamente não se pode contemporizar com uma coisa que é eterna.[3] O que são uns poucos mortos comparados com a eternidade? Isso é com certeza um contrassenso. Eternidade quer dizer no mínimo 13,8 bilhões de anos — a idade atual do universo. O planeta Terra foi formado há cerca de 4,5 bilhões de anos, e os humanos existem há pelo menos 2 milhões de anos. Em contraste, a cidade de Jerusalém só foi estabelecida 5 mil anos atrás, e o povo judeu tem no máximo 3 mil anos de existência. Isso dificilmente se qualifica como eternidade.

Quanto ao futuro, a física nos diz que o planeta Terra será absorvido por um Sol em expansão dentro de cerca de 7,5 bilhões de anos,[4] e que nosso universo continuará a existir por pelo menos mais 13 bilhões de anos. Será que alguém acredita seriamente que o povo judeu, o Estado de Israel ou a cidade de Jerusalém ainda existirão dentro de 13 mil anos, que dirá 13 bilhões de anos? Olhando para o futuro, o sionismo tem um horizonte que não passa de alguns séculos, mas é suficiente para exaurir a imaginação da maioria dos israelenses e de algum modo ser qualificado como "eternidade". E há pessoas dispostas a fazer em benefício da "cidade eterna" sacrifícios que provavelmente se recusariam a fazer por um efêmero conjunto de casas.

Quando adolescente em Israel, eu também fui cativado no início pela promessa nacionalista de me tornar parte de algo maior que eu mesmo. Queria acreditar que se dedicasse minha vida à nação, viveria para sempre ali. Mas não conseguia atinar com o que significava "viver para sempre na nação". Essa expressão soava muito profunda, mas o que significava de fato? Lembro-me de uma cerimônia no Dia da Memória israelense, quando eu tinha cerca de treze ou catorze anos. Enquanto nos Estados Unidos o Dia da Memória é marcado principalmente por grandes promoções nas lojas, em Israel é um evento solene e importante. Nesse dia as escolas realizam cerimônias em memória dos soldados que caíram nas muitas guerras de Israel. As crianças vestem-se de branco, recitam poemas, entoam canções, depositam grinaldas e agitam bandeiras. Lá estava eu, vestido de branco na cerimônia de nossa escola, e, entre acenos de bandeiras e recitação de poemas, eu naturalmente pensava comigo mesmo que quando crescesse ia querer ser também um soldado caído. Afinal, se eu fosse um heroico soldado que sacrificou sua vida por Israel, eu teria todas essas crianças recitando poemas e agitando bandeiras em minha homenagem.

Mas depois pensei: "Espere um instante. Se eu estiver morto, como vou saber que essas crianças estavam realmente recitando poemas em minha homenagem?". Tentei então imaginar-me morto. E imaginei-me estendido sob alguma lápide branca num bem cuidado cemitério militar, ouvindo poemas que vinham de cima, acima do solo. Mas então pensei: "Se estou morto não poderei ouvir os poemas, porque não terei orelhas, e não terei cérebro, e não poderei ouvir ou sentir nada. Então para que isso?".

Pior ainda, na época em que tinha treze anos eu sabia que o universo tinha alguns bilhões de anos de idade, e provavelmente continuaria a existir por mais bilhões de anos. Seria realista eu esperar que Israel existisse por tanto tempo? Será que crianças *Homo sapiens* vestidas de branco ainda vão recitar poemas em minha homenagem daqui a 200 milhões de anos? Havia algo duvidoso em toda essa história.

Se você por acaso é palestino, não seja presunçoso. É igualmente improvável que haja palestinos dentro de 200 milhões de anos. Na verdade, provavelmente tampouco haverá qualquer mamífero. Outros movimentos nacionais têm a mesma estreiteza de mente e visão. O nacionalismo sérvio pouco se importa com os eventos na era jurássica, enquanto os nacionalistas coreanos acreditam que uma pequena península na costa oriental da Ásia é a única parte do cosmos que realmente interessa no grande esquema das coisas.

É claro que nem mesmo Simba — com toda a sua devoção ao perene Ciclo da Vida — contempla o fato de que leões, antílopes e capim não são realmente eternos. Simba não leva em conta o que era o universo antes da evolução dos mamíferos, nem qual será o destino de sua amada savana africana depois que os humanos matarem todos os leões e cobrirem todas as campinas com asfalto e concreto. Isso tornará a vida de Simba totalmente sem significado?

Toda narrativa é incompleta. Assim, para poder construir uma identidade viável para mim mesmo e emprestar sentido a minha vida, na realidade eu não preciso de uma narrativa completa desprovida de pontos cegos e contradições internas. Para dar sentido a minha vida, uma narrativa precisa satisfazer apenas duas condições: primeiro, tem de dar *a mim* algum papel a desempenhar. Não é provável que um membro de uma tribo na Nova Guiné acredite no sionismo ou no nacionalismo sérvio, porque essas narrativas não têm nada a ver com a Nova Guiné e seu povo. Assim como estrelas do cinema, os humanos só gostam dos roteiros que reservam papéis importantes para eles.

Segundo, uma boa narrativa, embora não precise se estender até o infinito, tem de se estender além de meus horizontes. A narrativa me prové de uma identidade e dá sentido a minha vida ao me incorporar a algo maior do que eu mesmo. Mas sempre existe um perigo de que eu comece a me perguntar o que dá sentido a esse "algo maior". Se o sentido de minha vida for ajudar o proletariado ou a nação polonesa, o que exatamente dá significado ao proletariado ou à nação polonesa? Tem a história de um homem que afirmava que o mundo se mantém no lugar porque repousa nas costas de um enorme elefante. Quando lhe perguntaram sobre em que se apoiava o elefante, ele respondeu que nas costas de uma grande tartaruga. E a tartaruga? Nas costas de uma tartaruga maior ainda. E essa tartaruga maior? O homem perdeu a paciência e disse: "Não se preocupem com isso. Daí em diante é tudo tartaruga".

A maioria das histórias bem-sucedidas não se fecha. Nunca precisam explicar de onde afinal vem o sentido, por serem tão boas em captar a atenção das pessoas e mantê-las numa zona de segurança. Assim, ao explicar que o mundo repousa nas costas de um grande elefante, você deve antecipar-se a quaisquer perguntas mais difíceis descrevendo com grande detalhe que quando as gigantescas orelhas do elefante se agitam elas provocam furacões, e quando o elefante treme de raiva terremotos sacodem a superfície da Terra. Se você tecer uma narrativa boa o bastante, não ocorrerá a ninguém perguntar sobre o que o elefante se apoia. Da mesma forma, o nacionalismo encanta-nos com histórias de heroísmo, nos leva às lágrimas relatando catástrofes do passado e desencadeia nossa fúria detendo-se nas injustiças que nossa nação sofreu. Ficamos tão absorvidos nessa epopeia nacional que começamos a avaliar tudo o que acontece no mundo pelo impacto que causa em nossa nação, e dificilmente nos ocorre perguntar o que faz nossa nação ser tão importante, para começar.

Quando você acredita numa determinada história, você se interessa por seus mínimos detalhes, ficando cego a tudo o que esteja fora desse escopo. Comunistas devotados podem passar incontáveis horas debatendo se é permitido fazer uma aliança com social-democratas nos estágios iniciais de uma revolução, mas raramente param para pensar sobre o lugar do proletariado na evolução da vida mamífera no planeta Terra, ou na disseminação de vida orgânica pelo cosmos. Uma conversa fiada dessas é considerada desperdício de fôlego revolucionário.

Embora algumas narrativas se deem ao trabalho de abranger a todo o espaço e o tempo, a capacidade de controlar a atenção permite que muitas outras narrativas de sucesso se mantenham num escopo muito mais modesto. Uma lei crucial da arte de contar histórias é que, contanto que a ela consiga estender-se além do horizonte de sua audiência, seu escopo total importa pouco. As pessoas podem manifestar o mesmo fanatismo mortífero por uma nação de mil anos que manifestam por um deus de 1 bilhão de anos. As pessoas não são boas com números grandes. Na maioria dos casos, é preciso muito pouco para exaurir nossa imaginação.

Considerando tudo o que sabemos sobre o universo, parece impossível a qualquer pessoa mentalmente sã acreditar que a verdade definitiva sobre o universo e a existência humana é a narrativa do nacionalismo israelense, alemão ou russo — na verdade, do nacionalismo em geral. Uma narrativa que ignora quase a totalidade do tempo e do espaço, o Big Bang, a física quântica e a evolução da vida é no máximo uma minúscula parte da verdade. Mas as pessoas de algum modo conseguem não enxergar além disso.

Na verdade, bilhões de pessoas ao longo da história acreditaram que para que suas vidas tenham sentido elas nem mesmo precisam estar absorvidas numa nação ou num grande movimento ideológico. Basta que "deixem alguma coisa após sua passagem", assegurando-se com isso que suas histórias pessoais continuem após a morte. Essa "alguma coisa" que eu deixo após minha passagem é minha alma, ou minha essência pessoal. Se eu vou renascer num novo corpo após a morte de meu corpo atual, então a morte não é o fim. É meramente o espaço entre dois capítulos, e o enredo que começa num capítulo vai continuar no próximo. Muitas pessoas têm ao menos uma vaga fé nessa teoria, mesmo que não a baseiem em alguma teologia específica. Elas não precisam de um dogma elaborado — só precisam de um sentimento reconfortante de que sua narrativa continua além do horizonte da morte.

Essa teoria da vida como uma epopeia que nunca termina é extremamente atraente e comum, mas padece de dois problemas principais. Primeiro, ao estender minha história pessoal eu não estou tornando-a de fato mais significativa, apenas mais longa. Na verdade, as duas grandes religiões que abraçam a ideia do ciclo interminável de nascimento e morte — o hinduísmo e o budismo

— compartilham o horror pela futilidade de tudo. Milhões e milhões de vezes eu aprendo a andar, cresço, brigo com minha sogra, fico doente, morro — e depois faço tudo de novo. Qual é o sentido disso? Se eu acumulasse todas as lágrimas derramadas em minhas vidas anteriores elas preencheriam o oceano Pacífico; se eu juntasse todos os dentes e cabelos que perdi, formariam uma montanha mais alta que os Himalaias. E o que ganho com isso? Não é de admirar que os sábios hindus e budistas tenham concentrado grande parte de seus esforços em encontrar um meio de se livrar desse carrossel e não de perpetuá-lo.

O segundo problema com essa narrativa é a pobreza de evidência comprobatória. Que prova tenho de que na vida pregressa fui um camponês medieval, um caçador neandertal, um tiranossauro rex ou uma ameba (se realmente vivi milhões de vidas, devo ter sido um dinossauro e uma ameba a certa altura, pois os humanos só existem nos últimos 2,5 milhões de anos)? Quem garante que no futuro vou renascer como um ciborgue, um explorador galáctico ou até mesmo um sapo? Basear minha vida nessa promessa é um pouco como vender minha casa em troca de um cheque pré-datado a sacar num banco acima das nuvens.

As pessoas que duvidam de que algum tipo de alma ou espírito realmente sobrevive a sua morte, esforçam-se, por isso, para deixar alguma coisa um pouco mais tangível. Essa "coisa tangível" poderia tomar uma de duas formas: cultural ou biológica. Posso deixar um poema, digamos, ou alguns de meus preciosos genes. Minha vida tem sentido porque as pessoas ainda vão ler meu poema daqui a cem anos, ou porque meus filhos e netos estarão por aí. E qual é o sentido da vida deles? Bem, isso é problema deles, não meu. O sentido da vida é assim um pouco como brincar com uma granada. Uma vez a tendo passado para outra pessoa, você está seguro.

Infelizmente, essa modesta esperança de apenas "deixar alguma coisa" raramente se realiza. A maior parte dos organismos que já existiram se extingue sem deixar nenhuma herança genética. Quase todos os dinossauros, por exemplo. Ou uma família neandertal que foi extinta quando o *Homo sapiens* assumiu o controle. Ou o clã de minha avó polonesa. Em 1934 minha avó imigrou para Jerusalém com seus pais e duas irmãs, mas a maioria de seus parentes ficou para trás, nas cidades polonesas de Chmielnik e Czestochowa. Poucos anos depois os nazistas chegaram e os aniquilaram até a última criança.

Tentativas de deixar algum legado cultural raramente são mais exitosas. Nada restou de minha avó polonesa, exceto alguns rostos desbotados no álbum de família, e aos 96 anos nem mesmo ela é capaz de associar os nomes a seus rostos. Até onde sei, eles não deixaram nenhuma criação cultural — nem um poema, nem um diário, nem mesmo uma lista de compras no armazém. Você poderia alegar que eles participam na herança coletiva do povo judeu ou do movimento sionista, mas isso dificilmente confere sentido a suas vidas pessoais. Além disso, como você sabe que todos eles prezavam sua identidade judaica ou concordavam com o movimento sionista? Talvez um deles tivesse sido um comunista de carteirinha, que sacrificou sua vida espionando para os soviéticos? Quem sabe outro não quis outra coisa senão assimilar-se à sociedade polonesa, serviu como oficial no Exército polonês, e foi morto pelos soviéticos no massacre de Katyn? E pode ser que uma terceira fosse uma feminista radical, que repudiou todas as identidades tradicionais, religiosas e nacionais? Como não deixaram nada, é muito fácil recrutá-los postumamente para esta ou aquela causa, e eles nem podem protestar.

Se não pudermos deixar algo tangível — como um gene ou um poema —, quem sabe seria suficiente apenas tornar o mundo um pouco melhor? Você pode ajudar alguém, e essa pessoa poderá ajudar outra, e você terá contribuído, portanto, para a melhora geral do mundo, e acrescentar uma pequena conexão na grande corrente da bondade. Quem sabe você sirva como tutor de uma criança difícil mas brilhante, que ainda será um médico que salva centenas de pessoas? E se ajudar uma senhora idosa a atravessar a rua e alegrar uma hora de sua vida? Embora tenha seus méritos, a grande corrente da bondade é um pouco como a grande corrente de tartarugas — está longe de ser claro de onde vem seu sentido. Perguntaram a um homem idoso e sábio o que tinha aprendido sobre o sentido da vida. "Bem", ele respondeu, "aprendi que estou aqui na Terra para ajudar outras pessoas. O que ainda não descobri é por que as outras pessoas estão aqui."

Para os que não confiam em grandes correntes, legados futuros ou epopeias coletivas, talvez a narrativa mais segura e parcimoniosa para qual podem se voltar é o romance. Ele não busca ir além do aqui e agora. Inúmeros poemas de amor atestam que quando você está amando, o universo inteiro se reduz ao lóbulo, o cílio ou o mamilo da pessoa amada. Ao contemplar Julieta com o queixo apoiado na mão, Romeu exclama: "Quisera eu ser, naquela mão macia, uma luva, roçando a doce face que sobre a mão repousa". Ao se conectar com um único corpo aqui e agora, você se sente conectado com todo o cosmos.

Na verdade, a pessoa que você ama é apenas outro humano, não diferente em essência das multidões que você ignora todo dia no trem e no supermercado. Mas, para você, ele ou ela parece infinito, e você está feliz em se perder nesse infinito. Poetas místicos de todas as tradições frequentemente confundem amor romântico com união cósmica, escrevendo sobre Deus como um amante. Poetas românticos retribuem o cumprimento escrevendo sobre suas pessoas amadas como se fossem deuses. Se você está realmente apaixonado por uma pessoa, não se preocupa com o sentido da vida.

E se não estiver apaixonado? Bem, se você acredita na narrativa romântica, mas não está apaixonado, pelo menos sabe qual é o objetivo de sua vida: encontrar o verdadeiro amor. Você viu isso em inúmeros filmes e leu sobre isso em inúmeros livros. Sabe que um dia vai conhecer esse alguém especial, verá o infinito em dois olhos brilhantes, sua vida inteira subitamente fará sentido, e todas as perguntas que sempre fez serão respondidas ao repetir um nome mais e mais uma vez, como Tony em *Amor, sublime amor* ou Romeu ao ver Julieta olhando para ele da sacada.

O PESO DO TELHADO

Ainda que uma boa narrativa tenha de atribuir a mim um papel, e se estender além de meu horizonte, ela não precisa ser verdadeira. Uma história pode ser pura ficção e ainda assim prover-me de uma identidade e fazer-me sentir que minha vida tem sentido. De fato, até onde vai nosso melhor entendimento científico, nenhuma dos milhares de narrativas que diferentes culturas, religiões e tribos inventaram ao longo da história é verdadeira. São todas apenas invenções humanas. Se você perguntar qual é o verdadeiro sentido da vida e obter como resposta uma narrativa, saiba que esta é a resposta errada. Os detalhes precisos não têm importância. *Toda* história está errada, simplesmente por ser uma história. O universo não funciona como uma história.

Assim, por que pessoas acreditam nessas ficções? Um motivo é que sua identidade está construída com base em uma narrativa. As pessoas são ensinadas a acreditar nessa narrativa desde a mais tenra infância. Elas a ouvem de seus pais, seus professores, seus vizinhos e da cultura geral antes de terem desenvolvido a independência intelectual e emocional necessária para questionar e verificar essas narrativas. Quando seu intelecto amadurece, estão tão pesadamente imbuídas da narrativa que é muito mais provável que usem seu intelecto para racionalizá-la do que para duvidar dela. A maioria das pessoas que vão em busca de uma identidade são como crianças numa caça ao tesouro. Só descobrem o que seus pais esconderam.

E, segundo, não somente nossas identidades pessoais como também nossas instituições coletivas estão embutidas na narrativa. Consequentemente, é muito assustador duvidar dela. Em muitas sociedades, quem tenta fazer isso é banido ou perseguido. Mesmo se não, é preciso ter nervos fortes para questionar a própria tessitura da sociedade. Porque se realmente a história for falsa, então todo o mundo, como o conhecemos, não faz sentido. Leis do Estado, normas sociais, instituições econômicas — tudo pode desmoronar.

A maior parte das narrativas é mantida junta pelo peso de seu telhado e não pela solidez de suas fundações. Considere a narrativa cristã. Tem a mais frágil das fundações. Que evidência temos de que o filho do Criador de todo o universo nasceu na forma de uma vida à base de carbono, em algum lugar da Via Láctea cerca de 2 mil anos atrás? Que evidência temos de que isso aconteceu na Galileia, e que Sua mãe era virgem? No entanto, instituições enormes foram construídas sobre essa narrativa, e seu peso pressiona com tamanha força que elas mantêm essa história no lugar. Guerras inteiras foram travadas pela mudança de uma única palavra na narrativa. O cisma de mil anos entre os cristãos ocidentais e os cristãos ortodoxos do leste, que se manifestou recentemente na carnificina mútua de croatas por sérvios e de sérvios por croatas, começou devido a uma única palavra, *filioque* ("e do filho" em latim). Os cristãos do Ocidente queriam introduzir essa palavra na profissão de fé cristã, enquanto os cristãos do Oriente se opunham veementemente. (As implicações teológicas do acréscimo dessa palavra são tão enigmáticas que seria impossível explicá-las aqui de algum modo significativo. Se está curioso, pergunte ao Google.)

Quando identidades pessoais e sistemas sociais são construídos sobre uma narrativa, torna-se impensável duvidar dela, não devido a uma evidência que a sustenta, mas porque seu colapso desencadearia um cataclismo pessoal e social. Na história, o telhado é às vezes mais importante que as fundações.

HOCUS POCUS E A INDÚSTRIA DA CRENÇA

As narrativas que nos proveem de sentido e identidade são todas ficcionais, mas os humanos precisam acreditar nelas. Então como fazer que a narrativa *pareça* real? É óbvio *por que* humanos querem acreditar na narrativa, mas *como* vão efetivamente fazer isso? Já milhares de anos atrás sacerdotes e xamãs acharam a resposta: rituais. Um ritual é um ato mágico que faz o abstrato virar concreto e o ficcional, real. A essência do ritual é o feitiço mágico "Hocus pocus, X é Y!".[5]

Como fazer com que Cristo seja real para seus devotos? Na cerimônia da missa, o padre toma um pedaço de pão e uma taça de vinho e proclama que o pão é o corpo de Cristo, o vinho é o sangue de Cristo, e que ao comê-lo e bebê-lo o fiel alcança a comunhão. O que poderia ser mais real do que provar Cristo em sua boca? Tradicionalmente, o padre fazia essas ousadas proclamações em latim, a antiga língua da religião, da lei e dos segredos da vida. Diante dos olhos assombrados dos aldeões reunidos o padre erguia bem alto o pedaço de pão de exclamava "*Hoc est corpus*" — Este é o corpo! — e o pão torna-se supostamente o corpo de Cristo. Nas mentes de camponeses iletrados, que não falam latim, "*Hoc est corpus*" se confundia com "hocus pocus", e assim nasceu um poderoso feitiço que pode transformar um sapo num príncipe e uma abóbora numa carruagem.[6]

Mil anos antes do nascimento do cristianismo, os antigos

hindus valiam-se do mesmo truque. O *Brihadaranyaka Upanishad* interpreta o sacrifício ritual de um cavalo como uma realização de toda a história do cosmos. O texto segue a estrutura do "Hocus pocus, X é Y!", dizendo que: "A cabeça do cavalo sacrificial é o alvorecer, seu olho é o sol, sua força vital o ar, sua boca aberta o fogo chamado Vaisvanara e o corpo do cavalo sacrificial é o ano... seus membros são as estações, suas articulações os meses e as quinzenas, seus pés os dias e as noites, seus ossos as estrelas, e sua carne as nuvens... seu bocejo é relâmpago, o sacudir de seu corpo é o trovão, sua urina é chuva e seu relincho é voz".[7] Assim um cavalo se torna todo o cosmos.

Quase tudo pode ser transformado num ritual, ao se dar a gestos mundanos, como acender velas, tocar um sino ou contar contas um profundo significado religioso. O mesmo vale para gesticulações físicas, como curvar a cabeça, prostrar-se de corpo inteiro, ou juntar as mãos. Várias formas de cobrir a cabeça, do turbante Sikh ao *hijab* muçulmano, têm sido tão carregadas de significado que provocaram apaixonados embates durante séculos.

O alimento também pode ser carregado de sentido espiritual bem além de seu valor nutricional, sejam ovos da Páscoa, que simbolizam uma nova vida e a ressurreição de Cristo, ou as ervas amargas e o pão ázimo que os judeus têm de comer no Pessach para relembrar seu tempo de escravidão no Egito e sua miraculosa fuga. Quase não há um prato no mundo que não tenha sido interpretado como símbolo de alguma coisa. Assim, no dia do Ano-Novo judaico judeus religiosos comem mel para que o ano que começa seja doce, comem cabeça de peixe para que sejam férteis como peixes e se movam para frente e não para trás, e comem romãs para que suas boas ações se multipliquem como as muitas sementes da romã.

Rituais semelhantes também têm sido usados para finalidades políticas. Durante milhares de anos, coroas, tronos e cetros representaram reinos e impérios inteiros, e milhões de pessoas morreram em guerras brutais travadas pela posse do "trono" ou da "coroa". As cortes reais cultivavam protocolos extremamente elaborados, que correspondem às cerimônias religiosas mais complicadas. Entre os militares, disciplina e ritual são inseparáveis, e os soldados, da Roma antiga até o presente, passam horas sem conta marchando em formação, saudando seus superiores e lustrando botas. Napoleão observou que poderia fazer com que homens sacrificassem a vida por uma faixa de pano colorida.

Talvez ninguém tenha entendido a importância política dos rituais melhor do que Confúcio, que considerava a observância estrita de ritos (*li*) a chave da harmonia social e da estabilidade política. Clássicos confucianos como *O livro dos ritos*, *Os ritos de Zhou* e *O livro de etiqueta e ritos* registraram nos mínimos detalhes qual rito deveria ser realizado em qual ocasião oficial, até o número de vasos rituais usados na cerimônia, o tipo de instrumentos musicais que deveria ser tocado e as cores das túnicas a serem vestidas. Sempre que a China era atingida por alguma crise, os sábios confucianos eram rápidos em culpá-la por negligenciar os ritos, como um primeiro-sargento que atribui a culpa de uma derrota militar a soldados negligentes que não lustraram suas botas.[8]

No Ocidente moderno, a obsessão confuciana com rituais foi vista quase sempre como sinal de superficialidade e arcaísmo. Na verdade, isso provavelmente atesta a profunda e intemporal apreciação que Confúcio tinha pela natureza humana. Talvez não seja coincidência que as culturas confucianas — primeiro e principalmente na China, mas também nos vizinhos Coreia, Vietnã e Japão — produziram estruturas sociais e políticas de longa duração. Se você quer saber qual é a verdade definitiva da vida, os ritos e os rituais são um grande obstáculo. Mas, se está interessado — como Confúcio — em estabilidade e harmonia social, a verdade é frequentemente um risco, enquanto os ritos e rituais estão entre seus melhores aliados.

Isso é tão relevante no século XXI quanto era na antiga China. O poder do *Hocus pocus* está vivo e bem de saúde em nosso moderno mundo industrial. Para muitas pessoas, em 2018, dois pedaços de madeira pregados um no outro são Deus, um pôster colorido na parede é a Revolução, e um pedaço de pano drapejando ao vento é a Nação. Você não consegue ver ou ouvir a França, porque ela só existe em sua imaginação, mas certamente pode ver a bandeira tricolor e ouvir *A Marselhesa*. Assim, ao agitar uma bandeira colorida e ao cantar um hino você transforma uma narrativa abstrata numa realidade tangível.

Milhares de anos atrás hindus devotos sacrificavam cavalos preciosos — hoje eles investem em produzir dispendiosas bandeiras. A bandeira nacional da Índia é conhecida como Tiranga (literalmente, tricolor), porque consiste em três faixas com as cores açafrão, branco e verde. O Código da Bandeira da Índia de 2002 proclama que ela "representa as esperanças e aspirações do povo da Índia. É o símbolo de nosso orgulho nacional. Durante as últimas cinco décadas, várias pessoas, inclusive membros das Forças Armadas, deram a vida para manter a tricolor voando em toda a sua glória".[9] O Código da Bandeira cita Sarvepalli Radhakrishnan, o segundo presidente da Índia, que explicou:

> A cor açafrão denota renúncia, ou desinteresse. Nossos líderes têm de ser indiferentes a ganhos materiais e dedicar-se a seu trabalho. O branco no centro é luz, o caminho da verdade para guiar nossa conduta. O verde mostra nossa relação com o solo, nossa relação com a vida das plantas aqui, da qual depende qualquer outra vida. A roda de Asoka no centro do branco é a roda da lei do darma. Verdade ou Satya, darma ou virtude têm de ser os princípios que controlam todos que trabalham sob esta bandeira.[10]

Em 2017 o governo nacionalista da Índia hasteou uma das maiores bandeiras do mundo em Attari, na fronteira indo-paquistanesa, num gesto calculado para inspirar não renúncia, nem desinteresse, e sim a inveja paquistanesa. Aquela Tiranga específica tinha 36 metros de comprimento e 24 de largura, e foi hasteada num mastro de 110 metros de altura (o que diria Freud sobre isso?). A bandeira podia ser vista de Lahore, uma metrópole paquistanesa. Infelizmente, fortes ventos rasgavam a bandeira, e o orgulho nacional exigiu que se a costurasse vezes e vezes seguidas, com grande custo para os contribuintes indianos.[11] Por que o governo indiano investiu recursos escassos para tecer bandeiras enormes em vez de construir sistemas de esgoto nas favelas de Delhi? Porque a bandeira faz a Índia real de uma maneira que os sistemas de esgoto não fazem.

De fato, o próprio custo da bandeira torna o ritual mais eficaz. De todos os rituais, o sacrifício é o mais potente, porque de todas as coisas do mundo, o sofrimento é o mais real. Você nunca consegue ignorá-lo ou duvidar dele. Se você quer fazer com que as pessoas realmente acreditem em alguma ficção, seduza-as a fazer um sacrifício por ela. Se você sofrer por uma história, normalmente isso é suficiente para convencê-lo de que a história é real. Se você jejua porque Deus lhe ordenou que faça isso, a tangível sensação de fome, mais do que qualquer estátua ou ícone, faz com que Deus esteja presente. Se você perder as pernas numa guerra patriótica, seus cotos e a cadeira de rodas tornam a nação mais real do que qualquer poema ou hino. Ou, num nível menos grandioso, ao preferir comprar uma massa local inferior a uma massa de alta qualidade importada da Itália, você pode estar fazendo um pequeno sacrifício diário que faz a nação parecer real até no supermercado.

É claro que isso é uma falácia lógica. Se você sofrer por causa de sua crença em Deus ou na nação, isso não prova que suas crenças são verdadeiras. Quem sabe você só esteja pagando o preço de sua credulidade? Contudo, a maioria das pessoas não gosta de admitir que são tolas. Consequentemente, quanto mais sacrifícios fazem por uma determinada crença, mais forte é sua fé. Essa é a misteriosa alquimia do sacrifício. Para nos trazer ao âmbito de seu poder, o sacerdote que faz o sacrifício não precisa nos dar nada — nem chuva, nem dinheiro, nem vitória na guerra. O que ele precisa fazer é tirar alguma coisa. Uma vez tendo nos convencido a fazer algum sacrifício doloroso, estamos presos na armadilha.

Isso funciona no mundo comercial também. Se você compra um Fiat usado por 2 mil dólares, é provável que você vá reclamar dele a quem quiser ouvir. Mas, se comprar uma Ferrari novinha por 200 mil, vai entoar loas em alto e bom som, não porque seja um carro tão bom, mas porque pagou uma fortuna por ele e tem de acreditar que é a coisa mais maravilhosa do universo. Até mesmo no romance, todo aquele que aspira a ser um Romeu ou um Werther sabe que sem sacrifício não existe amor verdadeiro. O sacrifício não é apenas um modo de convencer a pessoa amada de que seu amor é sério — mas um meio de convencer a si mesmo de que está realmente apaixonado. Por que você acha que mulheres pedem a seus ou suas amantes que lhes deem anéis de diamante? Uma vez o/a amante tendo feito tal sacrifício financeiro, terá de convencer a si mesmo de que foi por uma causa digna.

O autossacrifício é extremamente convincente não apenas para os próprios mártires, mas também para os espectadores. Poucos deuses, nações ou revoluções são capazes de se sustentar sem mártires. Se você ousar questionar o drama divino, o mito nacionalista ou a saga revolucionária, será imediatamente repreendido: "Mas e os abençoados mártires morreram por isso! Você ousa dizer que eles morreram por nada? Você acha que esses heróis foram tolos?".

Para muçulmanos xiitas o drama do cosmos atingiu seu momento de clímax no dia da Ashura, que foi o décimo dia do mês de muarrã, 61 anos após a hégira (10 de outubro de 680, segundo o calendário cristão). Nesse dia, em Karbala, no Iraque, soldados do vil usurpador Yazid massacraram Hussein ibn Ali, neto do profeta Maomé, juntamente com um pequeno grupo de seguidores. Para os xiitas, o martírio de Hussein veio simbolizar a eterna luta do bem contra o mal e a dos oprimidos contra a injustiça. Assim como os cristãos reencenam repetidamente a crucificação e representam a paixão de Cristo, os xiitas reencenam o drama da Ashura e representam a paixão de Hussein. Milhões de xiitas juntam-se todos os anos numa peregrinação ao santuário de Karbala, estabelecido no local em que Hussein foi martirizado, e no dia da Ashura os xiitas em todo o mundo realizam rituais matinais, em alguns casos flagelando-se e se cortando com facas e correntes.

Mas a importância da Ashura não se limita a um lugar e um dia. O aiatolá Ruhollah Khomeini e numerosos outros líderes xiitas dizem repetidamente a seus seguidores que "todo dia é Ashura e todo lugar é Karbala".[12] O martírio de Hussein em Karbala empresta, assim, significado a todo evento, em qualquer lugar, a qualquer hora, e até mesmo as decisões mais mundanas devem ser consideradas como tendo impacto na grande luta cósmica entre o bem e o mal. Se você ousar duvidar dessa narrativa imediatamente vão lembrá-lo de Karbala — e duvidar ou zombar do martírio de Hussein é um dos piores delitos que você pode cometer.

Por outro lado, se mártires são escassos e as pessoas não estão dispostas a se sacrificar, os sacerdotes sacrificadores podem cooptá-los para que sacrifiquem outros em vez deles. Você pode sacrificar um humano para um vingativo deus Baal, queimar um herege na estaca para maior glória de Jesus Cristo, executar mulheres adúlteras porque assim disse Alá, ou enviar inimigos da classe para o gulag. Feito isso, uma alquimia do sacrifício ligeiramente diferente começa a exercer sua mágica em você. Quando você inflige sofrimento a si mesmo em nome da alguma narrativa, isso lhe dá uma escolha: "Ou a narrativa é verdadeira ou eu sou crédulo e tolo". Quando você inflige sofrimento a outros, você também tem uma escolha: "Ou a narrativa é verdadeira ou sou um vilão cruel". E, assim como não queremos admitir que somos tolos, tampouco queremos admitir que somos vilões, preferimos acreditar que a narrativa é verdadeira.

Em março de 1839, na cidade iraniana de Mashhad, disseram a uma mulher judia que padecia de uma doença de pele que se ela matasse um cão e lavasse a mão com seu sangue, ficaria curada. Mashhad é uma cidade santa xiita, e aconteceu que a mulher realizou essa sinistra terapia no dia da Ashura. Foi observada por alguns xiitas, que acreditam — ou alegaram ter acreditado — que a mulher matou o cão como zombaria ao martírio de Karbala. A notícia desse impensável sacrilégio espalhou-se rapidamente pelas ruas de Mashhad. Instigada por um imã local, uma irada multidão entrou no bairro judeu, incendiou a sinagoga e assassinou 36 judeus ali mesmo. A todos os judeus sobreviventes de Mashhad foi oferecida uma dura escolha: converter-se imediatamente ao Islã ou ser morto. O sórdido episódio não chegou a prejudicar a reputação de Mashhad como a "capital espiritual do Irã".[13]

Quando pensamos em sacrifício humano geralmente temos em mente rituais horríveis em templos canaanitas ou astecas, e é comum alegar que o monoteísmo deu fim a essa terrível prática. Na verdade, os monoteístas praticavam o sacrifício humano em escala muito maior que a maioria dos cultos politeístas. O cristianismo e o Islã mataram muito mais gente em nome de Deus que os seguidores de Baal ou Huitzilopochtli. Ao mesmo tempo que os conquistadores espanhóis davam fim a todos os sacrifícios humanos aos deuses astecas e incas, em casa, na Espanha, a Inquisição queimava hereges aos montes.

Sacrifícios podem vir em todos os formatos e tamanhos. Nem

sempre envolvem sacerdotes empunhando facas ou pogroms sangrentos. O judaísmo, por exemplo, proíbe que se trabalhe ou viaje no dia sagrado do Shabat (o significado literal da palavra *shabat* é "ficar imóvel" ou "descansar"). O Shabat começa ao pôr do sol na sexta-feira, e vai até o pôr do sol no sábado, e entre os dois os judeus ortodoxos não fazem nenhum tipo de trabalho, inclusive o de rasgar papel higiênico do rolo, no banheiro. (Tem havido alguma discussão sobre isso entre os rabinos mais instruídos, e eles concluíram que rasgar papel higiênico romperia o tabu do Shabat, e consequentemente os judeus mais devotos que quiserem se limpar no Shabat têm de preparar antecipadamente um esconderijo com papel higiênico já rasgado.)[14]

Em Israel, judeus religiosos tentam frequentemente obrigar judeus seculares, e até mesmo ateus, a seguir esses tabus. Como os partidos ortodoxos geralmente são o fiel da balança na política israelense, no decorrer dos anos eles conseguiram aprovar leis que banem todo tipo de atividade no Shabat. Embora não tenham conseguido banir o uso de veículos privados no Shabat, conseguiram banir o transporte público. O sacrifício religioso em âmbito nacional atinge principalmente os setores mais fracos da sociedade, especialmente porque sábado é o único dia na semana em que pessoas da classe trabalhadora estão livres para viajar e visitar parentes distantes, amigos e atrações turísticas. Uma avó rica não terá problema, vai dirigir seu carro novinho para visitar seus netos em outra cidade, mas uma avó pobre não terá como fazer isso, porque não há ônibus ou trens.

Ao impor essas dificuldades a centenas de milhares de cidadãos, os partidos religiosos comprovam e consolidam sua inabalável fé no judaísmo. Embora nenhum sangue seja derramado, o bem-estar de muita gente está ainda assim sendo sacrificado. Se o judaísmo é apenas uma narrativa ficcional, então é algo cruel e impiedoso impedir uma avó de visitar seus netos ou impedir um estudante pobre de procurar alguma diversão na praia. Ao, apesar disso, agir assim, os partidos religiosos estão dizendo ao mundo — e a si mesmos — que realmente acreditam nessa narrativa judaica. Afinal, você acha que eles têm prazer em prejudicar pessoas sem motivo algum?

O sacrifício não apenas fortalece sua fé na narrativa, mas muitas vezes é um substituto de todas as suas outras obrigações para com ela. A maior parte das grandes histórias do gênero humano estabeleceu ideais que a maioria das pessoas não é capaz de realizar. Quantos são os cristãos que realmente cumprem os Dez Mandamentos ao pé da letra, e nunca mentem ou cobiçam? Quantos budistas atingiram até agora o estágio de ausência de ego? Quantos socialistas trabalham com sua máxima capacidade sem receber mais do que realmente necessitam?

Incapazes de corresponder ao ideal, as pessoas voltam-se para o sacrifício como uma solução. Um hindu pode fraudar seus impostos, sair com uma prostituta de vez em quando e tratar mal seus pais idosos, mas depois convence a si mesmo de que é uma pessoa muito piedosa, porque apoia a destruição da mesquita Babri em Ayodhya e até doa dinheiro para a construção de um templo hindu em seu lugar. Assim como na antiguidade, também no século XXI a busca humana por sentido acaba frequentemente numa sucessão de sacrifícios.

O PORTFÓLIO DA IDENTIDADE

Os antigos egípcios, canaanitas e gregos diversificavam seus sacrifícios. Eles tinham muitos deuses, e, se um deles falhasse, esperavam que outro ainda lhes valesse. Assim, sacrificavam ao sol pela manhã, à deusa da terra ao meio-dia e a um grupo misto de fadas e demônios à noite. Isso tampouco mudou muito. Todas as histórias de deuses em que as pessoas hoje acreditam — seja Iahweh, Mamon, a Nação ou a Revolução — estão incompletas, cheias de buracos e eivadas de contradições. Por isso as pessoas raramente depositam toda sua fé numa única narrativa. Em vez disso, mantêm um portfólio com várias narrativas e diversas identidades, passando de uma para outra quando surge necessidade. Essas dissonâncias cognitivas são inerentes a quase todas as sociedades e movimentos.

Considere um típico adepto do Tea Party que de algum modo concilia isso com uma fé ardente em Jesus Cristo, com uma firme objeção a políticas de bem-estar social do governo e um firme apoio à National Rifle Association. Jesus não foi mais incisivo quanto a ajudar os pobres do que quanto a armar você até os dentes? Isso pode parecer incompatível, mas o cérebro humano tem muitos nichos e compartimentos, e alguns neurônios simplesmente não falam com outros. Da mesma forma, você é capaz de encontrar muitos apoiadores de Bernie Sanders que têm uma vaga crença numa futura revolução, ao mesmo tempo que acreditam também na importância de investir sensatamente seu dinheiro. Eles são capazes de passar com facilidade de uma discussão sobre a distribuição injusta de riqueza no mundo para uma discussão sobre o desempenho de seus investimentos em Wall Street.

Quase ninguém tem apenas uma identidade. Ninguém é só um muçulmano, ou só um italiano, ou só um capitalista. Mas de vez em quando surge um credo fanático e insiste que as pessoas deveriam acreditar em apenas uma única narrativa e ter somente uma identidade. Nas gerações recentes o mais fanático desses credos foi o fascismo. O fascismo insistia que as pessoas não deveriam acreditar em nenhuma narrativa a não ser a nacionalista, e não deveriam ter nenhuma identidade, exceto sua identidade nacional. Nem todos os nacionalistas são fascistas. A maioria dos nacionalistas têm uma grande fé na história de sua nação e enfatizam o mérito exclusivo de sua nação e as obrigações que têm exclusivamente para com ela — no entanto reconhecem que no mundo há mais do que sua nação. Posso ser um italiano leal com obrigações especiais para com a nação italiana, e ainda assim ter outras identidades. Posso ser também socialista, católico, marido, pai, cientista e vegetariano, e cada uma dessas identidades envolve obrigações adicionais. Às vezes várias de minhas identidades puxam-me para diferentes direções, e algumas de minhas obrigações entram em conflito uma com a outra. Mas quem disse que a vida é fácil?

Fascismo é aquilo que acontece quando o nacionalismo quer tornar a vida fácil demais para ele, negando todas as outras identidades e obrigações. Recentemente tem havido muita confusão quanto ao significado exato de fascismo. Pessoas chamam quase todas as pessoas das quais não gostam de "fascistas". O termo corre o risco de degenerar num insulto genérico. Então, o que ele realmente significa? Em resumo, enquanto o nacionalismo me ensina que minha nação é uma só e que tenho obrigações especiais em relação a ela, o fascismo diz que minha nação é suprema, e que devo a ela obrigações exclusivas. Nunca devo preferir os interesses de qualquer grupo ou indivíduo aos interesses de minha nação, não importam quais sejam as circunstâncias. Mesmo que minha nação se disponha a obter uma vantagem insignificante ao infligir muita miséria sobre milhões de estrangeiros numa terra distante não devo ter escrúpulos em apoiar minha nação. De outro modo, sou um traidor desprezível. Se minha nação exigir que eu mate milhões de pessoas — devo matar milhões de pessoas. Se minha nação exigir que eu traia a verdade e a beleza — devo trair a verdade e a beleza.

Como um fascista avalia a arte? Como um fascista sabe se um filme é bom? É muito simples. Só existe um parâmetro. Se o filme atende aos interesses nacionais — é um bom filme. Se não atende aos interesses nacionais — é um filme ruim. E como um fascista decide o que se deve ensinar às crianças na escola? Ele emprega o mesmo parâmetro. Ensinar às crianças tudo o que atenda aos interesses da nação; a verdade não tem importância.[15]

O culto à nação é extremamente atraente, não só porque simplifica muitos dilemas difíceis, mas também porque faz as pessoas pensarem que pertencem à coisa mais importante e mais bela no mundo — sua nação. Os horrores da Segunda Guerra Mundial e o Holocausto mostram as terríveis consequências dessa linha de pensamento. Infelizmente, quando pessoas falam sobre os males do fascismo, elas muitas vezes fazem um trabalho ruim, porque tendem a descrever o fascismo como um monstro oculto, sem explicar o que é tão sedutor nele. Por isso, hoje em dia, as pessoas às vezes adotam ideias fascistas sem se dar conta disso. Elas pensam: "Ensinaram-me que o fascismo é feio, e quando olho no espelho vejo algo muito bonito, então não posso ser um fascista".

É um pouco como o erro cometido por filmes de Hollywood ao apresentar os vilões — Voldemort, lorde Sauron, Darth Vader — como homens feios. Geralmente são cruéis e detestáveis, mesmo para seus mais leais apoiadores. O que nunca entendi quando assistia a esses filmes é como alguém poderia ser tentado a seguir um canalha nojento como Voldemort?

O problema com o mal é que, na vida real, ele não é necessariamente feio. Pode ser muito bonito na aparência. O cristianismo sabia disso melhor do que Hollywood, por isso a arte cristã tradicional tendia a representar o diabo como um galã. Por isso é tão difícil resistir às suas tentações. É por isso que também é difícil lidar com o fascismo. Quando você olha o espelho fascista, o que vê lá não é feio. Quando os alemães olhavam o espelho fascista na década de 1930 eles viam a Alemanha como a coisa mais bonita no mundo. Se os russos olharem hoje o espelho fascista, verão a

Rússia como a coisa mais bonita do mundo. E se israelenses olharem o espelho fascista, verão Israel como a coisa mais bonita no mundo. Eles vão querer se perder dentro desse lindo coletivo.

A palavra "fascismo" vem do latim *fascis*, que significa "feixe de varas". Isso soa como um símbolo sem nenhum glamour para uma das mais ferozes e mortais ideologias na história do mundo. Mas ele tem um significado profundo e sinistro. Uma vara isolada é muito fraca, e você pode facilmente quebrá-la em dois. No entanto, quando você junta muitas varas num *fascis*, é quase impossível quebrá-las. Isso implica que um indivíduo é uma coisa irrelevante, mas enquanto o coletivo estiver unido ele será muito poderoso.[16] Portanto, os fascistas acreditam no ato de privilegiar os interesses do coletivo aos de qualquer indivíduo, e exigem que nenhuma vara isolada ouse quebrar a unidade do feixe.

É óbvio que nunca está claro onde um "feixe de varas" humano termina e outro começa. Por que deveria eu ver a Itália como o feixe de varas ao qual pertenço? Por que não minha família, ou a cidade de Florença, ou a província da Toscana, ou o continente da Europa, ou a espécie humana inteira? As formas mais amenas de nacionalismo vão me dizer que posso ter obrigações com minha família, Florença, Europa e todo o gênero humano, assim como com a Itália. Em contraste, fascistas italianos vão exigir lealdade absoluta à Itália somente.

Apesar dos melhores esforços de Mussolini e seu partido fascista, a maioria dos italianos permaneceu bem morna ante a ideia de pôr a Itália à frente de sua *famiglia*. Na Alemanha a máquina de propaganda nazista fez um trabalho muito mais meticuloso, mas nem mesmo Hitler conseguiu que o povo esquecesse todas as narrativas alternativas. Até nos dias mais sombrios da era nazista, as pessoas mantinham algumas narrativas alternativas, em acréscimo à história oficial. Isso ficou patente em 1945. Poder-se-ia pensar que, após doze anos de lavagem cerebral nazista, muitos alemães seriam totalmente incapazes de encontrar algum sentido em suas vidas no pós-guerra. Tendo depositado toda a sua fé numa única e grande narrativa, o que fazer quando essa narrativa se desfez? Mas a maioria dos alemães recuperou-se com incrível velocidade. Em algum lugar de suas mentes tinham mantido outras narrativas sobre o mundo, e Hitler mal havia disparado uma bala na cabeça e pessoas em Berlim, Hamburgo e Munique já se adaptavam a novas identidades e encontravam novos significados para suas vidas.

É verdade que 20% dos gauleiters nazistas — os líderes regionais do partido — cometeram suicídio, assim como 10% dos generais.[17] Mas isso significa que 80% dos gauleiters e 90% dos generais estavam felizes de estar vivos. A vasta maioria dos nazistas de carteirinha e até mesmo os soldados da ss nem enlouqueceram nem se mataram. Continuaram a ser agricultores, professores, médicos e corretores de seguro produtivos.

Na verdade, mesmo o suicídio não prova ter havido um comprometimento absoluto com uma única narrativa. Em 13 de novembro de 2015, o Estado Islâmico orquestrou vários ataques suicidas em Paris, que mataram 130 pessoas. O grupo extremista explicou que fez isso como vingança pelo bombardeio a ativistas do Estado Islâmico na Síria e no Iraque pela Força Aérea francesa, na esperança de demover a França de realizar esses ataques no futuro.[18] No mesmo alento, o Estado Islâmico declarou também que todos os muçulmanos mortos pela Força Aérea francesa eram mártires, que agora usufruíam da felicidade eterna no céu.

Alguma coisa aqui não faz sentido. Se de fato os mártires mortos pela Força Aérea francesa estão agora no céu, por que deveria alguém buscar vingança em Paris? Vingança pelo quê, exatamente? Por mandar pessoas para o céu? Se você acabasse de ouvir que seu querido irmão ganhou 1 milhão de dólares na loteria, você começaria a explodir casas lotéricas como vingança? Então por que ir praticar violência em Paris só porque a Força Aérea francesa deu a alguns de seus irmãos um bilhete só de ida para o paraíso? Seria ainda pior se você de fato conseguisse demover a França de realizar mais bombardeios na Síria. Pois neste caso poucos muçulmanos iriam para o céu.

Podemos ficar propensos a concluir que os ativistas do Estado Islâmico na verdade não acreditam que mártires vão para o céu. Por isso ficam furiosos quando são bombardeados e mortos. Mas se assim é, por que alguns deles vestem cinturões explosivos e voluntariamente se explodem? Muito provavelmente, a resposta é que eles se agarram a duas narrativas contraditórias, sem pensar muito nas inconsistências. Como já observado, alguns neurônios simplesmente não estão falando uns com os outros.

Oito séculos antes de a Força Aérea francesa bombardear as fortificações do Estado Islâmico na Síria e no Iraque, outro Exército francês invadia o Oriente Médio, no que ficou conhecido para a posteridade como "a Sétima Cruzada". Liderados pelo rei santo Luís IX, os cruzados esperavam conquistar o vale do Nilo e transformar o Egito num baluarte cristão. No entanto, foram derrotados na batalha de El Mansoura, e a maior parte dos cruzados foi feita prisioneira. Um cavaleiro cruzado, Jean de Joinville, escreveu depois em suas memórias que quando a batalha estava perdida e eles resolveram se render, um de seus homens disse: "Não posso concordar com essa decisão. Meu conselho é que deveríamos todos nos deixar matar, pois assim iremos para o paraíso". Joinville comenta secamente que "nenhum de nós seguiu seu conselho".[19]

Joinville não explica por que se recusaram. Afinal, eram homens que tinham deixado seus confortáveis castelos na França por uma longa e perigosa aventura no Oriente Médio em grande parte porque acreditavam na promessa de salvação eterna. Por que, então, quando estavam a um momento da perene felicidade do paraíso, preferiram o cativeiro muçulmano em vez disso? Aparentemente, embora os cruzados acreditassem na salvação e no paraíso, no momento da verdade optaram por reconsiderar suas apostas.

O SUPERMERCADO EM ELSINORE

Ao longo da história, quase todos os humanos acreditaram em diversas narrativas ao mesmo tempo, e nunca estavam absolutamente convencidos da verdade de qualquer uma delas. Essa incerteza incomodava a maioria das religiões, que por isso consideravam a fé uma virtude cardinal e que a dúvida estava entre os piores pecados possíveis. Como se houvesse algo intrinsecamente bom em acreditar em coisas sem evidência. Com a ascensão da cultura moderna, no entanto, a mesa foi virada. A fé parecia cada vez mais uma escravidão mental, enquanto a dúvida passou a ser vista como uma pré-condição para a liberdade.

Em algum momento entre 1599 e 1602, William Shakespeare escreveu sua versão de *O rei leão*, mais conhecida como *Hamlet*. Porém, diferentemente de Simba, Hamlet não completa o Ciclo da Vida. Ele permanece cético e ambivalente até o fim, sem descobrir o sentido da existência nem resolver em sua mente se é melhor ser ou não ser. Nisso, Hamlet é o paradigma do herói moderno. A modernidade não rejeita a pletora de narrativas que ela herda do passado. E sim, abre um supermercado para elas. O humano moderno está livre para experimentá-las todas, escolhendo e combinando a seu gosto.

Algumas pessoas não aguentam tanta liberdade e incerteza. Os movimentos totalitários modernos, como o fascismo, reagiram violentamente contra o supermercado de ideias duvidosas, e superaram até mesmo religiões tradicionais na exigência de fé absoluta numa única narrativa. A maioria das pessoas modernas, no entanto, começou a gostar do supermercado. O que você faz quando não sabe qual o sentido da vida nem em qual narrativa acreditar? Você santifica a própria capacidade para escolher. Você está para sempre no corredor do supermercado, com a liberdade de escolher o que quiser, examinando os produtos que tem diante de si, e... congela este quadro, corte, fim. Créditos finais.

Segundo a mitologia liberal, se você ficar por bastante tempo nesse grande supermercado, cedo ou tarde vai vivenciar a epifania liberal e se dará conta do verdadeiro significado da vida. Todas as histórias nas prateleiras do supermercado são falsas. O significado da vida não é um produto que já vem pronto para uso. Não há um roteiro divino, e nada que está fora de mim pode emprestar significado a minha vida. Sou eu quem imbuo significado em tudo mediante minhas livres escolhas e meus próprios sentimentos.

No filme de fantasia *Willow* — um típico conto de fadas dirigido por George Lucas — o herói epônimo é um anão comum que sonha em se tornar um grande feiticeiro e dominar os segredos da existência. Um dia, um desses feiticeiros passa pelo vilarejo do anão à procura de um aprendiz. Willow e dois outros esperançosos anões se apresentam, e o feiticeiro passa aos candidatos um teste simples. Ele estende a mão direita, abre os dedos e numa voz tipo Yoda pergunta: "Em que dedo está o poder para controlar o mundo?". Cada um dos três anões pega um dedo — mas um dedo errado. Não obstante, o feiticeiro nota algo em Willow, e mais tarde pergunta-lhe: "Quando eu mostrei os dedos, qual foi seu primeiro impulso?". "Bem, foi algo bem idiota", diz Willow embaraçado, "pegar meu próprio dedo." "Aha!", exclama o feiticeiro, triunfante, "esta era a resposta correta! Vocês não tiveram confiança em vocês mesmos." A mitologia liberal nunca se cansa de repetir esta lição.

Foram nossos próprios dedos que escreveram a Bíblia, o Corão e os Vedas, e são nossas mentes que conferem poder a essas narrativas. Sem dúvida são belas histórias, mas sua beleza está nos olhos de quem as contempla. Jerusalém, Meca, Varanasi e Bodh Gaya são lugares santos, mas somente devido aos sentimentos que os humanos experimentam quando vão até eles. Em si mesmo, o universo é apenas uma miscelânea de átomos. Nada é bonito, sagrado ou sexy — mas os sentimentos humanos fazem com que seja. São apenas os sentimentos humanos que fazem com que uma maçã vermelha seja sedutora, e um cocô, nojento. Retire os sentimentos humanos, e você fica com um bando de moléculas.

Esperamos encontrar um significado nos encaixando em alguma narrativa pré-fabricada sobre o universo, mas, segundo a interpretação liberal do mundo, a verdade é exatamente o oposto. O universo não me fornece um sentido. *Eu* dou um sentido ao universo. Esta é minha vocação cósmica. Não tenho um destino ou darma pré-fixado. Se estiver no lugar de Simba ou de Arjuna, poderei optar por lutar pela coroa de um reino, mas não sou obrigado a isso. Da mesma forma posso me juntar a um circo ambulante, ir cantar num musical da Broadway ou me mudar para o Vale do Silício e começar uma empresa. Estou livre para criar meu próprio darma.

Assim, como todas as outras narrativas cósmicas, a narrativa liberal também começa com uma narrativa de criação. Ela diz que a criação ocorre a todo momento, e que eu sou o criador. Qual é então o objetivo de minha vida? Criar sentido sentindo, pensando, desejando e inventando. Qualquer coisa que limite a liberdade humana de sentir, pensar, desejar e inventar está limitando o sentido do universo. Por isso, a libertação dessas limitações é o ideal supremo.

Em termos práticos, os que acreditam na narrativa liberal vivem sob a luz de dois mandamentos: criar e lutar pela liberdade. A criatividade pode se manifestar na escrita de um poema, na exploração da sexualidade, na invenção de um novo aplicativo, ou na descoberta de uma substância química até então desconhecida. A luta pela liberdade inclui tudo o que liberte as pessoas de repressões sociais, biológicas e físicas, seja fazendo demonstrações contra ditadores brutais, ensinando meninas a ler, descobrindo uma cura para o câncer ou construindo uma nave espacial. O panteão liberal de heróis abriga Rosa Parks e Pablo Picasso, ao lado de Pasteur e os irmãos Wright.

Em teoria, isto soa excitante e profundo. Infelizmente, a liberdade e a criatividade humanas não são o que a narrativa liberal imagina. Até onde vai nosso entendimento científico, não existe mágica por trás de nossas escolhas e criações. Elas são produto de bilhões de neurônios que trocam entre si sinais bioquímicos, e, mesmo que você libere humanos do jugo da Igreja católica e da União Soviética, suas escolhas ainda serão ditadas por algoritmos bioquímicos tão implacáveis quanto a Inquisição e a KGB.

A narrativa liberal me instrui a buscar a liberdade de me expressar e me realizar. Mas tanto o "eu" quanto a liberdade são quimeras mitológicas tomadas dos contos de fadas dos tempos antigos. O liberalismo tem uma noção particularmente confusa do "livre-arbítrio". Humanos, obviamente, têm um arbítrio, têm vontades, e às vezes estão livres para realizar seus desejos. Se por "livre-arbítrio" você entende a liberdade de fazer o que desejar — então, sim, humanos têm livre-arbítrio. Mas se por "livre-arbítrio" você entende a liberdade de escolher o que desejar — então não, humanos não têm livre-arbítrio.

Se eu sinto atração sexual por homens, posso estar livre para realizar minhas fantasias, mas não estou livre para sentir atração por mulheres. Em alguns casos, posso decidir reprimir meus desejos sexuais ou até mesmo tentar uma terapia de "conversão sexual", mas o desejo mesmo de mudar minha orientação sexual é algo forçado em mim por meus neurônios, talvez instigados por meus vieses culturais e religiosos. Por que uma pessoa se sentiria envergonhada de sua sexualidade e se esforçaria por alterá-la, enquanto outra pessoa celebra os mesmos desejos sexuais sem nenhum sinal de culpa? Você poderia dizer que o primeiro talvez tenha sentimentos religiosos mais fortes do que o segundo. Mas as pessoas escolhem livremente ter sentimentos religiosos fortes ou fracos? Da mesma forma, uma pessoa pode decidir ir à igreja todo domingo, num esforço consciente para fortalecer seus fracos sentimentos religiosos — mas por que uma aspira a ser mais religiosa, enquanto outra está perfeitamente satisfeita por permanecer ateia? Isso pode resultar de quaisquer disposições culturais e genéticas, mas nunca é resultado de um "livre-arbítrio".

O que vale para o desejo sexual, vale para todos os desejos, na verdade para todos os sentimentos e pensamentos. Considere o próximo pensamento que surgir em sua mente. De onde ele vem? Você escolheu livremente pensar isso, e só depois pensou? Certamente não. O processo de autoexploração começa com coisas simples, e torna-se progressivamente mais difícil. Primeiro, constatamos que não controlamos o mundo exterior. Eu não decido quando chove. Depois constatamos que não controlamos o que está acontecendo dentro de nosso próprio corpo. Eu não controlo minha pressão arterial. Depois, compreendemos que não controlamos nem mesmo nosso cérebro. Eu não disparo meus neurônios. Por fim, nos damos conta de que não controlamos nossos desejos, ou mesmo nossas reações a esses desejos.

Constatar isso pode nos ajudar a ser menos obsessivos quanto a nossas opiniões, sentimentos e desejos. Não temos livre-arbítrio, mas podemos ficar um pouco mais livres da tirania de nossa vontade. Humanos normalmente dão tanta importância a seus desejos que tentam controlar e moldar o mundo inteiro de acordo com esses desejos. Em busca da realização desses desejos, humanos voam até a Lua, travam guerras mundiais e desestabilizam o ecossistema. Se entendermos que nossos desejos não são manifestações mágicas de livre escolha, e sim o produto de processos bioquímicos (influenciados por fatores culturais que também estão fora de nosso controle), poderemos nos preocupar menos com eles. É melhor compreender a nós mesmos, nossa mente e nossos desejos que realizar qualquer fantasia que pipoque em nossa cabeça.

E, para entender a nós mesmos, um passo crucial é reconhecer que o eu é uma narrativa ficcional que os intricados mecanismos de nossa mente estão o tempo inteiro fabricando, atualizando e reescrevendo. Em minha mente existe um contador de histórias que explica quem eu sou, de onde venho, para onde vou e o que está acontecendo agora. Assim como porta-vozes que dão sua versão distorcida das últimas turbulências políticas, o narrador interior repetidamente entende as coisas errado, mas raramente, se é que alguma vez, o admite. E assim como o governo constrói mitos nacionais com bandeiras, ícones e paradas, minha máquina de propaganda interna constrói um mito pessoal com memórias valorizadas e traumas de estimação que quase nunca se parecem com a verdade.

Na era do Facebook e do Instagram pode-se observar esse processo de construção de mitos mais claramente que nunca, porque parte dele foi terceirizado da mente para o computador. É fascinante e assustador contemplar pessoas que passam incontáveis horas on-line construindo e embelezando um eu perfeito, agarrados a sua própria criação e tomando-a erroneamente como a verdade sobre elas mesmas.[20] É assim que um feriado em família cheio de engarrafamentos, discussões bobas e silêncios tensos torna-se uma coleção de lindos panoramas, jantares perfeitos e rostos sorridentes; 99% do que vivenciamos nunca se torna parte da narrativa do eu.

Vale a pena notar, particularmente, que nosso eu fantasioso tende a ser muito visual, enquanto nossas experiências reais são corpóreas. Na fantasia, você observa a cena com o olho da mente ou na tela do computador. Você vê a si mesmo numa praia tropical, o mar azul ao fundo, um grande sorriso no rosto, um coquetel em uma das mãos, o outro braço em torno da cintura da pessoa amada. Paraíso. O que a imagem não mostra é o mosquito irritante que pica a sua perna, o estômago revirando por causa daquela sopa de peixe estragada, a tensão em sua mandíbula quando você finge um amplo sorriso e a briga feia do casal cinco minutos atrás. Se apenas conseguíssemos sentir o que as pessoas nas fotos estavam sentindo quando elas foram tiradas!

Por isso, se você realmente quer compreender a si mesmo, não deveria se identificar com sua conta no Facebook ou com a narrativa interior do eu. Em vez disso, você deve observar o fluxo real do corpo e da mente. Você verá pensamentos, emoções e desejos aparecerem e desaparecerem, sem muita razão e sem nenhum comando de sua parte, como o vento que sopra desta ou daquela direção e desmancha seus cabelos. E, assim como você não é o vento, você também não é a mistura de pensamentos, emoções e desejos que experimenta, e certamente não é a narrativa purificada que você conta sobre eles em retrospecto. Você os vivencia a todos, mas não os controla, não os possui, e não é eles. As pessoas perguntam "quem sou eu?" e esperam que alguém lhes conte uma história. A primeira coisa que precisa saber sobre si mesmo é que você não é uma história.

NENHUMA HISTÓRIA

O liberalismo deu um passo radical ao negar todos os dramas cósmicos, mas depois recriou o drama dentro do ser humano — o universo não segue um enredo, assim cabe aos humanos criar um enredo, e esta é nossa vocação e o sentido de nossa vida.

Milhares de anos antes de nossa era liberal, o budismo antigo foi mais além ao negar não apenas os dramas cósmicos, mas até mesmo o drama interior da criação humana. O universo não tem sentido, tampouco os sentimentos humanos. Eles não são parte de alguma grande narrativa cósmica, são apenas vibrações efêmeras, que aparecem e desaparecem sem propósito específico. Essa é a verdade. Trate de superar isto.

O *Brihadaranyaka Upanishad* nos diz que "a cabeça do cavalo sacrificial é o alvorecer, seu olho é o sol... seus membros são as estações, suas articulações os meses e as quinzenas, seus pés os dias e as noites, seus ossos as estrelas, e sua carne as nuvens". Em contraste, o *Mahasatipaatthana Sutta,* um texto budista fundamental, explica que quando um humano medita, ele ou ela observa seu corpo cuidadosamente, reparando que "neste corpo há os cabelos da cabeça, os pelos da pele, unhas, dentes, pele, carne, tendões, ossos, medula, rim, coração... saliva, muco nasal, fluido sinovial e urina. Fica assim observando o corpo... Agora sua compreensão está estabelecida: 'Isto é um corpo!'".[21] Os cabelos, os ossos ou a urina não representam outra coisa. São exatamente o que são.

Uma passagem depois da outra, o texto explica que, não importa o que a pessoa que medita observa no corpo ou na mente, ela só entende cada coisa pelo que realmente é. Assim, quando respira, "tomando um profundo alento, compreende corretamente: 'estou respirando uma respiração profunda'. Quando respira superficialmente, compreende: 'estou respirando numa respiração superficial'".[22] A respiração mais longa não representa as estações, e a respiração curta não representa os dias. São apenas vibrações no corpo.

Buda ensinou que há três realidades básicas do universo, e que tudo está em constante mudança, nada tem uma essência duradoura, e nada é totalmente satisfatório. Você pode explorar os mais longínquos alcances da galáxia, de seu corpo, de sua mente

— porém nunca encontrará algo que não mude, que tenha uma essência eterna e que o satisfaça completamente.

O sofrimento surge porque as pessoas não conseguem entender isso. Acreditam que em algum lugar existe alguma essência eterna e que se apenas pudessem encontrá-la e se conectar com ela, ficariam completamente satisfeitas. Essa essência eterna às vezes é chamada de Deus, às vezes de nação, às vezes de alma, às vezes de eu autêntico e às vezes de amor verdadeiro — e quanto mais as pessoas aderem a ela, mais decepcionadas e infelizes ficam por não conseguirem encontrá-la. Pior ainda, quanto maior a ligação, maior o ódio que essas pessoas desenvolvem em relação a qualquer pessoa, grupo ou instituição que pareça estar entre elas e seu objetivo desejado.

Segundo Buda, então, a vida não tem sentido, e as pessoas não precisam criar nenhum sentido. Precisam apenas se dar conta de que não há sentido, e assim estão liberadas do sofrimento causado por nossas ligações e nossa identificação com fenômenos vazios. "O que devo fazer?", perguntam as pessoas, e Buda aconselha: "Não façam nada. Absolutamente nada". O problema é que estamos o tempo inteiro fazendo alguma coisa. Não necessariamente no nível físico — podemos ficar sentados e imóveis com os olhos fechados por horas —, mas no nível mental estamos ocupados criando narrativas e identidades, combatendo em batalhas e conquistando vitórias. Não fazer realmente nada significa que a mente também não está fazendo nada, nem criando nada.

Infelizmente, isso também, muito facilmente, se torna uma epopeia heroica. Mesmo que esteja sentado com os olhos fechados e observando a respiração que entra e sai por suas narinas, você bem poderia começar a construir narrativas sobre isso. "Minha respiração está um pouco forçada, e se eu respirar com mais calma, ficarei mais saudável", ou "se eu apenas ficar observando minha respiração sem fazer nada, ficarei iluminado, e serei a pessoa mais sábia e feliz no mundo!". Depois a epopeia começa a se expandir, e as pessoas embarcam numa busca não só da libertação de seus próprios apegos mas também para convencer os outros a fazer o mesmo. Tendo aceitado que a vida não tem significado, eu encontro significado no ato de explicar isso a outros, discutindo com os incréus, dando aulas aos céticos, doando dinheiro para construir mosteiros e assim por diante. "Nenhuma história" pode tornar-se facilmente apenas uma outra narrativa.

A narrativa do budismo oferece mil exemplos de como pessoas que acreditam na transiência e na vacuidade de todos os fenômenos, e na importância do desapego, são capazes de discutir e lutar pelo governo de um país, a posse de um prédio ou mesmo o significado de uma palavra. Lutar com outras pessoas porque você acredita na glória de um Deus eterno é lamentável mas compreensível; lutar com outras pessoas porque você acredita na vacuidade de todos os fenômenos é realmente bizarro — mas muito humano.

No século XVIII, as dinastias reais da Birmânia e do vizinho Sião orgulhavam-se de sua devoção a Buda, e ganharam legitimidade ao proteger a fé budista. Os reis dotavam mosteiros, construíam pagodes e ouviam eloquentes sermões de monges sábios sobre os cinco compromissos morais básicos de todo ser humano: abster-se de matar, de roubar, de abusar sexualmente, de fraudar e de se intoxicar. Não obstante, os dois reinos lutaram um contra o outro implacavelmente. Em 7 de abril de 1767 o exército do rei birmanês Hsinbyushin invadiu a capital do Sião, após longo cerco. As tropas vitoriosas mataram, saquearam, estupraram e provavelmente se embebedaram aqui e ali. Depois incendiaram grande parte da cidade, com seus palácios, mosteiros e pagodes, e levaram para casa milhares de escravos e carroças cheias de ouro e joias.

Não que o rei Hsinbyushin fosse relapso em seu budismo. Sete anos após sua grande vitória, ele fez um périplo real descendo o grande rio Irauádi, realizando cultos nos importantes pagodes pelo caminho, e pedindo a Buda que abençoasse seus exércitos com mais vitórias. Quando Hsinbyushin chegou a Rangum, reconstruiu e expandiu a estrutura mais sagrada de toda a Birmânia — o pagode Shwedagon. Depois recobriu o prédio com o equivalente a seu próprio peso em ouro, e erigiu um pináculo no topo do pagode e o guarneceu com pedras preciosas (talvez saqueadas do Sião). Também aproveitou a ocasião para executar o rei cativo de Pegu, seu irmão e seu filho.[23]

No Japão da década de 1930, as pessoas descobriam maneiras criativas até de combinar doutrinas budistas com nacionalismo, militarismo e fascismo. Pensadores budistas radicais como Nissho Inoue, Ikki Kita e Tanaka Chigaku afirmavam que para poder desfazer seus apegos egoístas, as pessoas deveriam dedicar-se completamente ao imperador, livrar-se de todas as considerações pessoais e observar uma lealdade total à nação. Várias organizações ultranacionalistas inspiravam-se nessas ideias, inclusive um grupo militar fanático que buscava derrubar o sistema político conservador do Japão com uma campanha de assassinatos. Eles assassinaram o ex-ministro das finanças, o diretor-geral da corporação Mitsui e posteriormente o primeiro-ministro Inukai Tsuyoshi. Com isso, apressaram a transformação do Japão numa ditadura militar. Quando depois os militares embarcaram na guerra, sacerdotes budistas e mestres da meditação Zen pregaram uma obediência abnegada à autoridade do Estado e recomendaram autossacrifício no esforço de guerra. Em contraste, os ensinamentos budistas de compaixão e não violência foram de algum modo esquecidos, e não tiveram influência perceptível no comportamento das tropas em Nanquim, Manila e Seul.[24]

Hoje em dia, a situação dos direitos humanos em Mianmar, país budista, está entre as piores no mundo, e um monge budista, Ashin Wirathu, lidera o movimento antimuçulmano no país. Ele alega que quer apenas proteger Mianmar e o budismo de conspirações jihadistas muçulmanas, mas seus sermões e artigos são tão inflamatórios que em fevereiro de 2018 o Facebook removeu sua página, citando a proibição a expressões de ódio. Durante uma entrevista ao *The Guardian* em 2017, o monge pregou compaixão por um mosquito, mas, confrontado com alegações de que mulheres muçulmanas tinham sido estupradas por militares de Mianmar, ele riu e disse: "Impossível. Os corpos delas são repulsivos demais".[25]

Há pouquíssima probabilidade de que a paz mundial e a harmonia global sejam conquistadas quando 8 bilhões de pessoas começarem a meditar regularmente. Respeitar a verdade sobre você mesmo é tão difícil! Mesmo que se consiga fazer com que a maioria dos humanos tente isso, muitos de nós, ao descobrir a verdade, vamos distorcê-la e transformá-la em alguma história com heróis, vilões e inimigos, e achar pretextos realmente bons para ir à guerra.

O TESTE DA REALIDADE

Apesar de essas grandes histórias serem ficções geradas por nossa própria mente, não há razão para desespero. A realidade ainda está lá. Você não pode desempenhar um papel em todo drama de faz de conta, mas o que gostaria de fazer então, para começar? A grande questão que se põe para os humanos não é "Qual o sentido da vida?", mas "Como acabar com o sofrimento?". Se abandonar as narrativas ficcionais, você será capaz de observar a realidade com muito mais clareza que antes, e se realmente conhecer a verdade sobre si mesmo e sobre o mundo, nada poderá te deprimir. Mas é claro, é mais fácil falar do que fazer.

Nós humanos conquistamos o mundo graças a nossa capacidade de criar narrativas ficcionais e acreditar nelas. Somos, portanto, particularmente ruins em perceber a diferença entre ficção e realidade. Ignorar essa diferença tem sido para nós uma questão de sobrevivência. Porque a coisa mais real no mundo é o sofrimento.

Quando você tem diante de si uma grande história, e quer saber se é real ou imaginária, uma das questões-chave é se o herói é capaz de sofrer. Por exemplo, se alguém lhe contar a história da nação polonesa, reserve um momento para pensar se a Polônia é capaz de sofrer. Adam Mickiewicz, o grande poeta romântico e pai do nacionalismo polonês moderno, chamou a Polônia de "Cristo das nações". Escrevendo em 1832, décadas após a Polônia ter sido dividida entre Rússia, Prússia e Áustria, e pouco depois de o levante polonês de 1830 ter sido brutalmente esmagado pelos russos, Mickiewicz explicou que o terrível sofrimento da Polônia era um sacrifício em prol de toda a humanidade, comparável ao sacrifício de Cristo, e que, assim como Cristo, a Polônia ressuscitaria dos mortos.

Numa passagem famosa Mickiewicz escreveu que:

> A Polônia disse [ao povo da Europa]: "Todo aquele que vier a mim será livre e igual, pois eu sou a LIBERDADE". Porém os reis, quando ouviram isso, ficaram assustados, e crucificaram a nação polonesa e a depositaram em seu túmulo, gritando: "Matamos e enterramos a Liberdade". Mas gritaram tolamente... Porque a Nação Polonesa não morreu... No Terceiro Dia, a Alma voltará ao Corpo, e a Nação se erguerá e libertará todos os povos da Europa da Escravidão.[26]

Pode uma nação realmente sofrer? Uma nação tem olhos, mãos, sentidos, afeições e paixões? Se você a espetar, ela sangrará? Obviamente não. Se for derrotada numa guerra, perder uma província, ou mesmo perder a independência, mesmo assim não sentirá dor, tristeza ou qualquer outro tipo de sofrimento, porque não tem corpo, nem mente, nem sentimentos, quaisquer que sejam. Na verdade, ela é apenas uma metáfora. Somente na imaginação de certos humanos a Polônia é uma entidade real capaz de sofrer. A Polônia perdura porque esses humanos lhe emprestam seus corpos — não só servindo como soldados no Exército polonês como também encarnando as alegrias e as tristezas da nação. Quando em maio de 1831 chegaram a Varsóvia as notícias da derrota polonesa na batalha de Ostrołęka, estômagos humanos se reviraram angustiados, peitos humanos arfaram de dor, olhos humanos encheram-se de lágrimas.

Tudo isso não justifica a invasão russa, é claro, nem mina o direito dos poloneses de estabelecer um país independente e decidir quais são suas próprias leis e seus próprios costumes. Mas isso significa que, afinal, a realidade não pode ser a história da nação polonesa, porque a própria existência da Polônia depende de imagens em mentes humanas.

Em contraste, considere a sina de uma mulher de Varsóvia que foi roubada e estuprada pelas tropas russas invasoras. Diferentemente do sofrimento metafórico da nação polonesa, o sofrimento dessa mulher foi muito real. Pode muito bem ter sido causado por crenças humanas em várias ficções, como no nacionalismo russo, no cristianismo Ortodoxo e no heroísmo machista, todos os quais inspiraram muitos dos estadistas e soldados russos. No entanto, o sofrimento resultante foi ainda assim cem por cento real.

Sempre que políticos começarem a falar em termos místicos, tenha cuidado. Podem estar tentando disfarçar e desculpar sofrimento real, escondendo-o sob palavras grandes e incompreensíveis. Em especial, tenha cuidado com as seguintes quatro palavras: sacrifício, eternidade, pureza, redenção. Se ouvir qualquer uma delas, faça soar o alarme. E se acaso você vive num país cujo líder diz rotineiramente coisas como "Seu sacrifício vai redimir a pureza de nossa nação eterna" — saiba que você está em grandes apuros. Para salvar sua sanidade, tente sempre traduzir essa tolice para termos reais: um soldado gritando em agonia, uma mulher espancada e brutalizada, uma criança tremendo de medo.

Assim, se você quer saber a verdade sobre o universo, sobre o significado da vida e sobre sua própria identidade, o melhor modo de começar é observando o sofrimento e explorando o que ele é.

A resposta não é uma história.

21. Meditação
Apenas observe

Tendo criticado tantas narrativas, religiões e ideologias, nada mais justo do que eu me colocar também na linha de fogo e explicar como alguém tão cético ainda é capaz de acordar bem-humorado de manhã. Hesito em fazer isso, em parte por medo de ser autoindulgente, e em parte porque não quero dar a impressão errada de que se funciona comigo vai funcionar com todo mundo. Estou muito consciente de que as peculiaridades de meus genes, neurônios, história pessoal e darma não são compartilhadas por todo mundo. Mas talvez seja bom que os leitores pelo menos saibam quais matizes colorem as lentes pelas quais eu vejo o mundo, distorcendo com isso minha visão e minha escrita.

Eu fui um adolescente perturbado e inquieto. O mundo não fazia sentido para mim, e eu não obtinha respostas para as grandes perguntas que fazia sobre a vida. Em particular, eu não compreendia por que havia tanto sofrimento no mundo e em minha própria vida, e o que poderia ser feito quanto a isso. Tudo o que obtive das pessoas a minha volta e dos livros que lia eram elaboradas ficções: mitos religiosos sobre deuses e paraísos, mitos nacionalistas sobre a pátria e sua missão histórica, mitos românticos sobre amor e aventura ou mitos capitalistas sobre crescimento econômico e sobre como comprar e consumir me faria feliz. Eu tinha bom senso suficiente para me dar conta de que todos eles eram provavelmente ficção, mas não tinha ideia de como achar a verdade.

Quando entrei na universidade, pensei que ela seria o lugar ideal para achar respostas. Mas fiquei desapontado. O mundo acadêmico me proveu de ferramentas poderosas para desconstruir todos os mitos humanos jamais criados, mas não ofereceu respostas satisfatórias para as grandes questões da vida. Pelo contrário, ele incentivou-me a me focar em questões cada vez mais restritas. Posteriormente eu me vi escrevendo uma tese de doutorado na Universidade de Oxford sobre textos autobiográficos de soldados medievais. Por hobby eu lia um monte de livros de filosofia e participava de um monte de debates filosóficos, porém ainda que isso constituísse um infindável entretenimento intelectual, não trazia um insight verdadeiro. Era extremamente frustrante.

Finalmente meu grande amigo Ron sugeriu que ao menos por alguns dias eu deixasse os livros e as discussões intelectuais de lado e tentasse um curso de meditação Vipassana. ("Vipassana" significa "introspecção" na língua pali da Índia antiga.) Pensei que fosse alguma bobagem de Nova Era, e, uma vez que não tinha interesse em ouvir mais uma mitologia, resolvi não ir. Mas após um ano de paciente insistência, em abril de 2000 ele conseguiu que eu fosse para um retiro Vipassana por dez dias.[1]

Antes disso eu sabia muito pouco sobre meditação, e supunha que devia envolver todo tipo de teoria mística. Fiquei espantado com quão prático acabou sendo o aprendizado. O professor do curso, S. N. Goenka, instruiu os estudantes a se sentarem com pernas cruzadas e olhos fechados, e concentrarem sua atenção na respiração entrando e saindo por suas narinas. "Não façam nada", ele dizia, "não tentem controlar a respiração ou respirar de uma determinada maneira. Apenas observem a realidade do momento presente, qualquer que seja. Quando a respiração está entrando, vocês só têm consciência de que agora a respiração está entrando. Quando a respiração está saindo, vocês só têm consciência de que agora a respiração está saindo. E quando perderem a concentração e sua mente começar a vagar por memórias e fantasias, vocês terão consciência de que agora minha mente está se afastando da respiração." Essa foi a coisa mais importante que alguém jamais me disse.

Quando as pessoas fazem as grandes perguntas da vida, normalmente elas não têm interesse em saber quando sua respiração está penetrando em suas narinas e quando está saindo. E, sim, querem saber coisas como o que acontece depois que se morre. Mas o real enigma da vida não é o que acontece depois que se morre, e sim o que acontece antes de morrer. Se você quer compreender a morte, precisa compreender a vida.

As pessoas perguntam: "Quando eu morrer, eu simplesmente desapareço por completo? Irei para o céu? Renascerei num novo corpo?". Essas perguntas fundamentam-se na suposição de que existe um eu que perdura do nascimento até a morte, e a pergunta é: "O que acontece com este eu na morte?". Mas o que é que perdura do nascimento até a morte? O corpo muda a cada momento, o cérebro muda a cada momento, a mente muda a cada momento. Quanto mais de perto você se observa, mais óbvio fica que nada perdura, mesmo que de um momento para o momento seguinte. Então o que dá unidade à vida? Se você não sabe qual é a resposta para isso, não compreende a vida, e certamente não compreenderá a morte. Se e quando você alguma vez descobrir o que dá unidade à vida, a resposta à grande questão da morte também ficará aparente.

As pessoas dizem: "A alma perdura do nascimento até a

morte e portanto dá unidade à vida" — mas isso é só uma narrativa. Você alguma vez já observou uma alma? Você é capaz de explorar isso a qualquer momento, não só no momento da morte. Se for capaz de compreender o que acontece com você quando um momento termina e outro começa — você também compreenderá o que vai acontecer com você no momento da morte. Se for realmente capaz de observar a si mesmo na duração de uma única respiração — você vai compreender tudo isso.

A primeira coisa que aprendi observando minha respiração foi que não obstante os livros que li e as aulas às quais assisti na universidade, eu não sabia quase nada quanto a minha mente, e tinha muito pouco controle sobre ela. Apesar de meus melhores esforços, não fui capaz de observar a realidade de minha respiração entrando e saindo por minhas narinas por mais de dez segundos antes que minha mente se afastasse, vagueando. Durante anos vivi com a impressão de que era o senhor da minha vida, e o presidente executivo da minha própria marca pessoal. Mas poucas horas de meditação foram suficientes para me mostrar que eu quase não tinha controle sobre mim mesmo. Eu não era o presidente executivo — mal era o guarda no portão de entrada. Tinham me dito para me postar no portão de meu corpo — as narinas — e apenas observar o que entrava e o que saía. Mas após alguns momentos perdi meu foco e abandonei meu posto. Foi uma experiência que abriu meus olhos.

À medida que o curso prosseguia, os estudantes foram ensinados a observar não só sua respiração, mas as sensações em seu corpo. Não sensações especiais de felicidade ou êxtase, e sim as mais mundanas e comuns das sensações: calor, pressão, dor e assim por diante. A técnica de Vipassana baseia-se no conceito de que o fluxo mental é intimamente interligado com as sensações do corpo. Entre mim e o mundo há sempre sensações corporais. Eu nunca reajo aos acontecimentos no mundo lá fora; sempre reajo às sensações de meu próprio corpo. Quando a sensação é desagradável, reajo com aversão. Quando a sensação é agradável, reajo com vontade de ter mais. Mesmo quando pensamos que estamos reagindo ao que fez outra pessoa, ao último tuíte do presidente Trump ou a uma longínqua memória da infância, a verdade é que sempre reagimos a nossas sensações corporais imediatas. Se estamos injuriados porque alguém insultou nossa nação ou nosso deus, o que faz o insulto ser insuportável são as sensações de ardência na boca do estômago e a faixa de dor que aperta nosso coração. Nossa nação não sente nada, mas nosso corpo realmente dói.

Quer saber o que é a raiva? Bem, apenas observe as sensações que surgem em seu corpo e o percorrem quando você está com raiva. Eu tinha 24 anos quando fui para o retiro, e tinha sentido raiva provavelmente umas 10 mil vezes antes disso, mas nunca me dera ao trabalho de observar qual é realmente a sensação de raiva. Sempre que ficava com raiva, eu me focava no objeto de minha raiva — algo que alguém tinha feito ou dito —, e não na realidade sensorial da raiva.

Penso que aprendi mais sobre mim mesmo e sobre seres humanos em geral observando minhas sensações naqueles dez dias do que tinha aprendido em minha vida inteira até aquele momento. E para isso eu não tive de aceitar nenhuma narrativa, teoria ou mitologia. Tive apenas de observar a realidade tal como ela é. A coisa mais importante que constatei foi que a origem mais profunda de meu sofrimento está nos padrões de minha própria mente. Quando quero alguma coisa e ela não acontece, minha mente reage gerando sofrimento. Sofrimento não é uma condição objetiva no mundo exterior. É uma reação mental gerada por minha própria mente. Aprender isso é o primeiro passo para cessar a geração de mais sofrimento.

Desde esse primeiro curso, em 2000, comecei a meditar durante duas horas por dia, e todo ano faço um longo retiro por um ou dois meses. Não é uma fuga da realidade. É entrar em contato com a realidade. Durante no mínimo duas horas por dia eu efetivamente observo a realidade como ela é, enquanto nas outras 22 horas eu fico assoberbado com e-mails e tuítes e vídeos de cãezinhos fofos. Sem o foco e a clareza que essa prática propicia, eu não poderia ter escrito *Sapiens* e *Homo Deus*. Para mim, pelo menos, a meditação nunca entrou em conflito com a pesquisa científica. Antes, tem sido outro instrumento valioso na caixa de ferramentas científica, especialmente quando se tenta compreender a mente humana.

PERFURANDO DE AMBAS AS EXTREMIDADES

A ciência tem dificuldade em decifrar os mistérios da mente em grande parte porque nos faltam instrumentos eficazes. Muita gente, inclusive muitos cientistas, tende a confundir a mente com o cérebro, mas são duas coisas muito distintas. O cérebro é uma rede material feita de neurônios, sinapses e substâncias bioquímicas. A mente é um fluxo de experiências subjetivas, como a dor, o prazer, a raiva e o amor. Os biólogos supõem que o cérebro, de algum modo, produz a mente, e que reações bioquímicas em bilhões de neurônios produzem de algum modo experiências como as da dor e do amor. Contudo, até agora não temos nenhuma explicação para o modo como a mente emerge do cérebro. Como é que quando bilhões de neurônios disparam sinais elétricos num determinado padrão eu sinto dor e quando disparam num padrão diferente eu sinto amor? Não temos nenhuma pista. Daí que, mesmo que a mente de fato emerja do cérebro, ao menos por enquanto estudar a mente é um empreendimento diferente de estudar o cérebro.

A neurociência está progredindo a todo vapor, graças à ajuda de microscópios, escâneres cerebrais e computadores poderosos. Mas não podemos ver a mente num microscópio ou num escâner. Esses dispositivos nos permitem detectar atividades bioquímicas e elétricas no cérebro, porém não nos dão acesso às experiências subjetivas associadas a essas atividades. No ano de 2018, a única mente que sou capaz de acessar é a minha própria. Se quiser saber o que outros seres sencientes estão experimentando, só posso fazer isso baseado em relatos em segunda mão, os quais, naturalmente, padecem de numerosas distorções e limitações.

Sem dúvida poderíamos colher muitos relatos em segunda mão de várias pessoas, e empregar estatística para identificar padrões recorrentes. Esses métodos capacitaram psicólogos e neurocientistas não só a compreender muito melhor o cérebro, mas também melhorar e até salvar a vida de milhões. No entanto, é difícil ir além de um certo ponto usando apenas relatos em segunda mão. Na ciência, quando se investiga determinado fenômeno, o melhor é observá-lo diretamente. Antropólogos, por exemplo, fazem extenso uso de fontes secundárias, mas, se você quiser compreender realmente a cultura samoana, cedo ou tarde terá de fazer as malas e visitar Samoa.

É claro que visitar não é suficiente. Um blog escrito por um mochileiro que percorre Samoa não seria considerado um estudo antropológico científico porque falta à maioria dos mochileiros os instrumentos e a formação necessários. Suas observações são aleatórias e enviesadas. Para nos tornarmos antropólogos confiáveis, temos de aprender como observar as culturas humanas de maneira metódica e objetiva, livre de suposições e preconceitos. É isso que se estuda no departamento de antropologia, e é isso que capacita os antropólogos a desempenhar um papel tão vital construindo pontes sobre as lacunas que existem entre culturas diferentes.

O estudo científico da mente quase nunca segue esse modelo antropológico. Enquanto antropólogos relatam suas visitas a ilhas distantes e países misteriosos, os estudiosos da consciência empreendem essas jornadas pessoais aos reinos da mente. Porque a única mente que posso observar diretamente é a minha, e, por mais difícil que seja observar a cultura samoana sem viés e sem preconceito, mais difícil ainda é observar objetivamente minha própria mente. Após mais de um século de trabalho duro, os antropólogos dispõem hoje de poderosos procedimentos para uma observação objetiva. Em contraste, ainda que cientistas do cérebro tenham desenvolvido muitas ferramentas para colher e analisar relatos em segunda mão, quando se trata de observar nossas próprias mentes mal arranhamos a superfície.

Na ausência de métodos modernos para uma observação direta da mente, poderíamos experimentar algumas das ferramentas desenvolvidas por culturas pré-modernas. Várias delas dedicaram muita atenção ao estudo da mente, e basearam-se não na coleta de relatos em segunda mão mas treinando pessoas a observar sistematicamente a própria mente. Os métodos que desenvolveram estão reunidos sob o termo genérico "meditação". Hoje esse termo é frequentemente associado a religião e misticismo, mas, em princípio, meditação é qualquer método para observação direta da própria mente. De fato, muitas religiões fazem extenso uso de várias técnicas de meditação, mas isso não quer dizer que a meditação seja necessariamente religiosa. Muitas religiões fizeram também extenso uso de livros, e isso não quer dizer que o uso de livros é uma prática religiosa.

Ao longo de milênios os humanos desenvolveram centenas de técnicas de meditação, que diferem em seus princípios e sua eficácia. Minha experiência pessoal foi com apenas uma técnica — Vipassana —, e assim é a única sobre a qual posso falar com autoridade. Como inúmeras outras técnicas de meditação, supostamente a Vipassana foi descoberta na Índia antiga por Buda. No decorrer dos séculos, numerosas teorias e histórias foram atribuídas a Buda, muitas vezes sem evidências. Mas você não precisa acreditar em nenhuma delas para meditar. O professor com quem aprendi Vipassana, Goenka, era um instrutor muito prático. Ele orientava os alunos a, na observação da mente, pôr de lado todas as descrições de outras pessoas, dogmas religiosos e conjeturas filosóficas e se focar em sua própria experiência e na realidade com a qual efetivamente se depararem. Todo dia vários alunos vão a sua sala buscar orientação e fazer perguntas. Logo na entrada lê-se num cartaz: "Por favor evite discussões teóricas e filosóficas, e concentre suas perguntas em questões relativas a sua prática efetiva".

Prática efetiva significa observar as sensações do corpo e as reações mentais às sensações, de modo metódico e contínuo, revelando com isso os padrões básicos da mente. Há quem às vezes transforme a meditação numa busca de experiências especiais de felicidade e êxtase. Mas, na verdade, a consciência é o maior mistério no universo, e sensações mundanas como calor e coceira são em tudo tão misteriosas quanto sentimentos de euforia ou de unicidade cósmica. Os praticantes de meditação Vipassana são advertidos a nunca sair em busca de experiências especiais, e sim a concentrarem-se em compreender a realidade de sua mente, seja qual for.

Nos últimos anos estudiosos tanto da mente quanto do cérebro demonstraram interesse crescente nessas técnicas de meditação, mas a maioria dos pesquisadores, até agora, só usou essa técnica indiretamente.[2] Um cientista típico, na verdade, não pratica ele mesmo meditação. Em vez disso, convida meditadores experientes a seu laboratório, cobre a cabeça deles de eletrodos, pede que meditem e observa as atividades cerebrais resultantes. Isso pode nos ensinar muitas coisas interessantes sobre o cérebro, mas, se o objetivo é estudar a mente, estão faltando alguns dos aspectos mais importantes. É como se alguém tentasse compreender a estrutura da matéria observando uma pedra com uma lupa. Você vai até essa pessoa, entrega-lhe um microscópio e diz: "Tente com isso. Você enxergará muito melhor". Ela recebe o microscópio, pega a lupa na qual tanto confia e cuidadosamente observa através da lupa o material de que é feito o microscópio... A meditação é uma ferramenta que serve para observar a mente de forma direta. Você perderá a maior parte de seu potencial se, em vez de meditar você mesmo, monitorar atividades elétricas no cérebro de algum outro meditador.

Não estou sugerindo que se abandonem as ferramentas atuais e as práticas de pesquisa do cérebro. A meditação não as substitui, mas pode complementá-las. É um pouco como engenheiros perfurando um túnel que atravessa uma enorme montanha. Por que perfurar de um lado só? É melhor perfurar simultaneamente dos dois. Se cérebro e mente são de fato uma e a mesma coisa, os dois túneis terão de se encontrar. E se o cérebro e a mente não forem a mesma coisa? Então será ainda mais importante perfurar dentro da mente, e não apenas no cérebro.

Algumas universidades e laboratórios começaram de fato a usar a meditação como ferramenta de pesquisa, e não como mero objeto de estudos do cérebro. Mas esse processo ainda está em sua infância, em parte porque requer um investimento extraordinário dos pesquisadores. Uma meditação séria exige muita disciplina. Se você tentar observar objetivamente suas sensações, a primeira coisa que vai notar é como a mente é agitada e impaciente. Mesmo que você se concentre em observar uma sensação relativamente clara e distinta, como a respiração entrando e saindo por suas narinas, em geral sua mente é capaz de fazer isso por não mais que alguns segundos, antes de perder o foco e se perder em pensamentos, memórias e sonhos.

Quando um microscópio sai do foco, só precisamos girar

uma pequena manivela. Se ela estiver quebrada, podemos chamar um técnico para consertá-la. Mas quando a mente perde o foco não conseguimos consertar isso tão fácil. Em geral é preciso muito treinamento para sossegar e concentrar a mente de modo que possa começar a observar a si mesma metódica e objetivamente. Talvez no futuro possamos tomar uma pílula e obter foco instantâneo. Como a meditação visa a explorar a mente e não só se focar nela, esse atalho pode demonstrar-se contraproducente. A pílula talvez nos deixe alertas e focados, mas ao mesmo tempo pode nos impedir de explorar todo o espectro da mente. Afinal, hoje já podemos com alguma facilidade concentrar a mente assistindo a um bom filme de suspense na televisão — mas a mente está tão focada no filme que não é capaz de observar sua própria dinâmica.

Porém mesmo que não possamos nos valer desses dispositivos tecnológicos, não deveríamos desistir. Podemos nos inspirar nos antropólogos, zoólogos e astronautas. Antropólogos e zoólogos passam anos em ilhas distantes, expostos a uma pletora de doenças e perigos. Astronautas dedicam muitos anos a difíceis regimes de treinamento, preparando-se para suas arriscadas excursões ao espaço exterior. Se estamos dispostos a fazer esses esforços para compreender culturas estrangeiras, espécies desconhecidas e planetas distantes, também valeria a pena trabalhar duro para compreender nossa própria mente. E seria melhor compreender nossa mente antes que os algoritmos assumam a tarefa por nós.

Observar a si mesmo nunca foi fácil, mas pode ter se tornado mais difícil com o passar do tempo. À medida que transcorria a história, os humanos criaram narrativas cada vez mais complexas sobre si mesmos, o que tornou cada vez mais difícil saber quem realmente nós somos. Essas narrativas visavam a unir grande número de pessoas, acumular poder e preservar a harmonia social. Foram vitais para alimentar bilhões de pessoas famintas e assegurar que essas pessoas não degolassem umas às outras. Quando pessoas tentavam observar a si mesmas, o que comumente descobriam eram essas narrativas pré-fabricadas. Uma exploração em aberto era perigosa demais. Ameaçaria solapar a ordem social.

À medida que a tecnologia se aperfeiçoava, aconteceram duas coisas. Primeiro, quando facas de sílex evoluíram gradualmente para mísseis nucleares, ficou mais perigoso desestabilizar a ordem social. Segundo, à medida que pinturas rupestres gradualmente evoluíram para transmissões de televisão, ficou mais fácil iludir pessoas. No futuro próximo, algoritmos poderão completar esse processo, fazendo com que seja praticamente impossível que as pessoas observem a realidade por si mesmas. Serão os algoritmos que decidirão por nós quem somos e o que deveríamos saber sobre nós mesmos.

Por mais alguns anos ou décadas, ainda teremos escolha. Se fizermos esse esforço, ainda podemos investigar quem somos realmente. Mas, se quisermos aproveitar essa oportunidade, é melhor fazer isso agora.

Agradecimentos

Gostaria de agradecer a todos que me ajudaram a escrever — e a deletar:

A Michal Shavit, minha editora na Penguin Random House no Reino Unido, a primeira a sugerir a ideia deste livro, e quem me orientou através do longo processo da escrita; e também a toda a equipe da Penguin Random House, por todo apoio e trabalho duro.

A David Milner, que como sempre fez um excelente trabalho de edição do manuscrito. Por vezes eu só precisava pensar no que David diria para trabalhar com mais afinco no texto.

A Suzanne Dean, minha diretora de criação na Penguin Random House, que é o gênio por trás da sobrecapa do livro.

A Preena Gadher e seus colegas na Riot Communications, por terem orquestrado uma brilhante campanha de divulgação.

A Cindy Spiegel, de Spiegel & Grau, por seu feedback e por cuidar das coisas no outro lado do Atlântico.

A todos os meus outros editores em todos os continentes do mundo (exceto a Antártica), por sua confiança, dedicação e profissionalismo.

A meu assistente de pesquisa, Idan Sherer, por verificar tudo, desde antigas sinagogas até inteligência artificial.

A Shmuel Rosner, por seu apoio contínuo e seus bons conselhos.

A Yigal Borochovsky e Sarai Aharoni, que leram o manuscrito e dedicaram muito tempo e esforço para corrigir meus erros e me habilitar a enxergar coisas de uma nova perspectiva.

A Danny Orbach, Uri Sabach, Yoram Yovell e Ron Merom, por seus insights quanto a kamikazes, vigilância, psicologia e algoritmos.

A minha dedicada equipe — Ido Ayal, Maya Orbach, Naama Wartenburg e Eilona Ariel —, que passou muitos dias num inferno de e-mails em meu lugar.

A todos os meus amigos e parentes, por sua paciência e amor.

A minha mãe, Pnina, e minha sogra, Hannah, por me doarem seu tempo e sua experiência.

A meu esposo e empresário, Itzik, sem o qual nada disso teria acontecido. Eu só sei escrever livros. Ele faz todas as outras coisas.

E, finalmente, a todos os meus leitores, por seu interesse, seu tempo e seus comentários. Se um livro ficar numa prateleira e ninguém o ler, ele faz barulho?

*

Como observado na introdução, este livro foi escrito numa conversação com o público. Muitos capítulos foram compostos em resposta a perguntas feitas por meus leitores, jornalistas e colegas. Versões mais antigas de alguns segmentos foram publicadas anteriormente como ensaios e artigos, que me deram a oportunidade de receber feedback e afiar meus argumentos. Essas versões mais antigas incluem os seguintes ensaios e artigos:

"If We Know Meat Is Murder, Why Is It So Hard for Us to Change and Become Moral?", *Haaretz*, 21 jun. 2012.

"The Theatre of Terror", *Guardian*, 31 jan. 2015.

"Judaism Is Nota a Major Player in the History of Humankind", *Haaretz*, 31 jul. 2016.

"Yuval Noah Harari on Big Data, Google and the End of Free Will", FT.com, 26 ago. 2016.

"Isis Is As Much an Offshoot of Our Global Civilization as Google", *Guardian*, 9 set. 2016.

"Salvation by Algorithm: God, Technology and New 21st Century Religion", *New Statesman*, 9 set. 2016.

"Does Trump's Rise Mean Liberalism's End?", *New Yorker*, 7 out. 2016.

"Yuval Noah Harari Challenges the Future According to Facebook", *Financial Times*, 23 mar. 2017.

"Humankind: The Post-Truth Species", Bloomberg.com, 13 abr. 2017.

"People Have Limited Knowledge. What's the Remedy? Nobody Knows", *New York Times*, 18 abr. 2017.

"The Meaning of Life in a World without Work", *Guardian*, 8 maio 2017.

"In Big Data vs. Bach, Computers Might Win", *Bloomberg View*, 13 maio 2017.

"Are We about to Witness the Most Unequal Societies in History?", *Guardian*, 24 maio 2017.

"Universal Basic Income is Neither Universal nor Basic", *Bloomberg View*, 4 jun. 2017.

"Why It's No Longer Possible for Any Country to Win a War", Time.com, 23 jun. 2017.

"The Age of Disorder: Why Technology is the Greatest Threat to Humankind", *New Statesman*, 25 jul. 2017.

"Reboot for the AI Revolution", *Nature News*, 17 out. 2017.

Notas

PARTE I: O DESAFIO TECNOLÓGICO

1. DESILUSÃO: O FIM DA HISTÓRIA FOI ADIADO [pp. 21-39]

1. Veja, por exemplo, o discurso inaugural de George W. Bush em 2005, em que ele diz: "Somos levados, pelos fatos e pelo senso comum, a uma conclusão: a sobrevivência da liberdade em nosso país depende cada vez mais do sucesso da liberdade em outros países. A melhor esperança pela paz em nosso mundo é a expansão da liberdade em todo o mundo". "Bush Pledges to Spread Democracy" (CNN, 20 jan. 2005). Disponível em: <http://edition.cnn.com/2005/ALLPOLITICS/01/20/bush.speech/>. Acesso em: 7 jan. 2018. Para Obama, veja, por exemplo, seu discurso para a ONU: Katie Reilly, "Read Barack Obama's Final Speech to the United Nations as President" (*Time*, 20 set. 2016). Disponível em: <http://time.com/4501910/president-obama-united-nations-speech-transcript/>. Acesso em: 3 dez. 2017.

2. William Neikirk e David S. Cloud, "Clinton: Abuses Put China 'On Wrong Side of History'" (*Chicago Tribune*, 30 out. 1997). Disponível em: <http://articles.chicagotribune.com/1997-10-30/news/9710300304_1_human-rights-jiang--zemin-chinese-leader>. Acesso em: 3 dez. 2017.

3. Eric Bradner, "Hillary Clinton's Email Controversy, Explained" (CNN, 28 out. 2016). Disponível em: <http://edition.cnn.com/2015/09/03/politics/hillary--clinton-email-controversy-explained-2016/index.html>. Acesso em: 3 dez. 2017.

4. Chris Graham e Robert Midgley, "Mexico Border Wall: What is Donald Trump Planning, How Much Will It Cost and Who Will Pay for It?" (*Telegraph*, 23 ago. 2017). Disponível em: <http://www.telegraph.co.uk/news/0/mexico-border-wall-donald-trump-planning-much-will-cost-will/>. Acesso em: 3 dez. 2017. Michael Schuman, "Is China Stealing Jobs? It May Be Losing Them, Instead" (*New York Times*, Nova York, 22 jul. 2016). Disponível em: <https://www.nytimes.com/2016/07/23/business/international/china-jobs-donald-trump.html>. Acesso em: 3 dez. 2017.

5. Para vários exemplos do século XIX e início do século XX, veja: Evgeny Dobrenko e Eric Naiman (Orgs.), *The Landscape of Stalinism: The Art and Ideology of Soviet Space* (Seattle: University of Washington Press, 2003); W. L. Guttsman, *Art for the Workers: Ideology and the Visual Arts in Weimar Germany* (Nova York: Manchester University Press, 1997). Para uma discussão genérica, veja: Nicholas John Cull, *Propaganda and Mass Persuasion: A Historical Encyclopedia, 1500 to the Present* (Santa Barbara: ABC-CLIO, 2003).

6. Para esta interpretação, veja: Ishaan Tharoor, "Brexit: A Modern-Day Peasants' Revolt?" (*Washington Post*, 25 jul. 2016). Disponível em: <https://www.washingtonpost.com/news/worldviews/wp/2016/06/25/the-brexit-a-modern-day-peasants-revolt/?utm_term=.9b8e81bd5306>. Acesso em: 18 jun. 2018. John Curtice, "US Election 2016: The Trump-Brexit Voter Revolt" (BBC, 11 nov. 2016). Disponível em: <http://www.bbc.com/news/election-us-2016-37943072>. Acesso em: 18 jun. 2018.

7. O mais famoso continua a ser, é claro, *O fim da história e o último homem*, de Francis Fukuyama (Londres: Penguin, 1992).

8. Karen Dawisha, *Putin's Kleptocracy* (Nova York: Simon & Schuster, 2014). Timothy Snyder, *The Road to Unfreedom: Russia, Europe, America* (Nova York: Tim Duggan Books, 2018). Anne Garrels, *Putin Country: A Journey Into the Real Russia* (Nova York: Farrar, Straus & Giroux, 2016). Steven Lee Myers, *The New Tsar: The Rise and Reign of Vladimir Putin* [*O novo czar: A ascensão e o reinado de Vladimir Putin*] (Nova York: Knopf Doubleday, 2016).

9. Credit Suisse, *Global Wealth Report 2015*. Disponível em: <https://publications.credit-suisse.com/tasks/render/file/?fileID=F2425415-DCA7-80B8-EAD989AF9341D47E>. Acesso em: 12 mar. 2018. Filip Novokmet, Thomas Piketty e Gabriel Zucman, "From Soviets to Oligarchs: Inequality and Property in Russia 1905-2016" (*World Wealth and Income Database*, jul. 2017). Disponível em: <http://www.piketty.pse.ens.fr/files/NPZ2017WIDworld.pdf>. Acesso em: 12 mar. 2018. Shaun Walker, "Unequal Russia" (*The Guardian*, 25 abr. 2017). Disponível em: <https://www.theguardian.com/inequality/2017/apr/25/unequal-russia-is-anger-stirring-in-the-global-capital-of-inequality>. Acesso em: 12 mar. 2018.

10. Ayelet Shani, "The Israelis Who Take Rebuilding the Third Temple Very Seriously" (*Haaretz*, Tel Aviv, 10 ago. 2017). Disponível em: <https://www.haaretz.com/israel-news/.premium-1.805977>. Acesso em: 7 jan. 2018. "Israeli Minister: We Should Rebuild Jerusalem Temple" (*Israel Today*, 7 jul. 2013). Disponível em: <http://www.israeltoday.co.il/Default.aspx?tabid=178&nid=23964>. Acesso em: 7 jan. 2018. Yuri Yanover, "Dep. Minister Hotovely: The Solution Is Greater Israel without Gaza" (*Jewish Press*, 25 ago. 2013). Disponível em: <http://www.jewishpress.com/news/breaking-news/dep-minister-hotovely-the-solution-is-greater-israel-without-gaza/2013/08/25/>. Acesso em: 7 jan. 2018. "Israeli Minister: The Bible Says West Bank Is Ours" (*Al Jazeera*, 24 fev. 2017). Disponível em: <http://www.aljazeera.com/programmes/upfront/2017/02/israeli-minister-bible-west-bank-170224082827910.html>. Acesso em: 29 jan. 2018.

11. Katie Reilly, "Read Barack Obama's Final Speech to the United Nations as President" (*Time*, 20 set. 2016). Disponível em: <http://time.com/4501910/president-obama-united-nations-speech-transcript/>. Acesso em: 3 dez. 2017.

2. TRABALHO: QUANDO VOCÊ CRESCER, TALVEZ NÃO TENHA UM EMPREGO [pp. 40-68]

1. Gregory R. Woirol, *The Technological Unemployment and Structural Unemployment Debates* (Westport: Greenwood Press, 1996, pp. 18-20); Amy Sue Bix, *Inventing Ourselves out of Jobs? America's Debate over Technological Unemployment, 1929-1981* (Baltimore: Johns Hopkins University Press, 2000, pp. 1-8). Joel Mokyr, Chris Vickers e Nicolas L. Ziebarth, "The History of Technological Anxiety and the Future of Economic Growth: Is This Time Different?" (*Journal of Economic Perspectives*, v. 29, n. 3, pp. 33-42, 2015). Joe Mokyr, *The gifts of Athena: Historical Origins of the Knowledge Economy* (Princeton: Princeton University Press, 2002, pp. 255-7). David H. Autor, "Why Are There Still So Many Jobs? The History and the Future of Workplace Automation" (*Journal of Economic Perspectives*, v. 29, n. 3, pp. 3-30, 2015). Melanie Arntz, Terry Gregory e Ulrich Zierahn, "The Risk of Automation for Jobs in OECD Countries" (*OECD Social, Employment and Migration Working Papers*, n. 189, 2016). Maria Cristina Piva e Marco Vivarelli, "Technological Change and Employment: Were Ricardo and Marx Right?" (*IZA Institute of Labor Economics, Discussion Paper N. 10471*, 2017).

2. Veja, por exemplo, a IA superando o homem: em condições de voo, e especialmente em simulações de combate aéreo: Nicholas Ernest et al., "Genetic Fuzzy Based Artificial Intelligence for Unmanned Combat Aerial Vehicle Con-

trol in Simulated Air Combat Missions" (*Journal of Defense Management*, v. 6, n. 1, pp. 1-7, 2016); sobre tutoria inteligente e sistemas de ensino: Kurt VanLehn, "The Relative Effectiveness of Human Tutoring, Intelligent Tutoring Systems, and Other Tutoring Systems" (*Educational Psychologist*, v. 46, n. 4, pp. 197-221, 2011); negociação algorítmica: Giuseppe Nuti et al., "Algorithmic Trading" (*Computer*, v. 44, n. 11, pp. 61-9, 2011); planejamento financeiro, gerência de portfólios etc.: Arash Baharammirzaee, "A Comparative Survey of Artificial Intelligence Applications in Finance: Artificial Neural Networks, Expert System and Hybrid Intelligent Systems" (*Neural Computing and Applications*, v. 19, n. 8, pp. 1165-95, 2010); análise de dados complexos em sistemas médicos e produção de diagnóstico e tratamento: Marjorie Glass Zauderer et al., "Piloting IBM Watson Oncology within Memorial Sloan Kettering's Regional Network" (*Journal of Clinical Oncology*, v. 32, n. 15, e17653, 2014); criação de textos originais em linguagem natural a partir de maciça quantidade de dados: Jean-Sébastien Vayre et al., "Communication Mediated through Natural Language Generation in Big Data Environments: The Case of Nomao" (*Journal of Computer and Communication*, v. 5, pp. 125-48, 2017); reconhecimento facial: Florian Schroff, Dmitry Kalenichenko e James Philbin, "FaceNet: A Unified Embedding for Face Recognition and Clustering" (*IEEE Conference on Computer Vision and Pattern Recognition* — CVPR, pp. 815-23, 2015); direção de veículos: Cristiano Premebida, "A Lidar and Vision-based Approach for Pedestrian and Vehicle Detection and Tracking" (*IEEE Intelligent Transportation Systems Conference*, 2007).

3. Daniel Kahneman, *Thinking, Fast and Slow* [*Rápido e devagar, duas formas de pensar*] (Nova York: Farrar, Straus & Giroux, 2011). Dan Ariely, *Predictably Irrational* (Nova York: Harper, 2009). Brian D. Ripley, *Pattern Recognition and Neural Networks* (Cambridge: Cambridge University Press, 2007). Christopher M. Bishop, *Pattern Recognition and Machine Learning* (Nova York: Springer, 2007).

4. Seyed Azimi et al., "Vehicular Networks for Collision Avoidance at Intersections" (*SAE International Journal of Passenger Cars — Mechanical Systems*, v. 4, pp. 406-16, 2011). Swarun Kumar et al., "CarSpeak: A Content-Centric Network for Autonomous Driving" (*SIGCOM Computer Communication Review*, v. 42, pp. 259-70, 2012). Mihail L. Sichitiu and Maria Kihl, "Inter-Vehicle Communication Systems: A Survey" (*IEEE Communications Surveys & Tutorials*, p. 10, 2008). Mario Gerla, Eun-Kyu Lee e Giovanni Pau, "Internet of Vehicles: From Intelligent Grid to Autonomous Cars and Vehicular Clouds" (*IEEE World Forum on Internet of Things* — WF-IoT, pp. 241-6, 2014).

5. David D. Luxton et al., "Health for Mental Health: Integrating Smartphone Technology in Behavioural Healthcare" (*Professional Psychology: Research*

and Practice, v. 42, n. 6, pp. 505-12, 2011). Abu Saleh Mohammad Mosa, Illhoi Yoo e Lincoln Sheets, "A Systematic Review of Healthcare Application for Smartphones" (*BMC Medical Informatics and Decision Making*, v. 12, n. 1, p. 67, 2012). Karl Frederick Braekkan Payne, Heather Wharrad e Kim Watts, "Smartphone and Medical Related App Use among Medical Students and Junior Doctors in the United Kingdom (UK): A Regional Survey" (*BMC Medical Informatics and Decision Making*, v. 12, n. 1, p. 121, 2012). Sandeep Kumar Vashist, E. Marion Schneider e John H. T. Loung, "Commercial Smartphone-Based Devices and Smart Applications for Personalised Healthcare Monitoring and Management" (*Diagnostics*, v. 4, n. 3, pp. 104-28, 2014). Maged N. Kamel Bouls et al., "How Smartphones Are Changing the Face of Mobile and Participatory Healthcare: An Overview, with Example from ECAALYX" (*BioMedical Engineering OnLine*, v. 10, n. 24, 2011. Disponível em: <https://doi.org/10.1186/1475-925X-10-24>. Acesso em: 30 jul. 2017. Paul J. F. White, Blake W. Podaima e Marcia R. Friesen, "Algorithms for Smartphone and Tablet Image Analysis for Healthcare Applications" (*IEEE Access*, v. 2, pp. 831-40, 2014).

6. World Health Organization, *Global Status Report on Road Safety 2015* (2016); "Estimates for 2000-2015, Cause-Specific Mortality". Disponível em: <http://www.who.int/healthinfo/global_burden_disease/estimates/en/index1.html>. Acesso em: 6 set. 2017.

7. Para uma pesquisa sobre a causa de acidentes automobilísticos nos Estados Unidos, veja: Daniel J. Fagnant e Kara Kockelman, "Preparing a Nation for Autonomous Vehicles: Opportunities, Barriers and Policy Recommendations" (*Transportation Research Part A: Policy and Practice*, v. 77, pp. 167-81, 2015); para uma pesquisa em âmbito mundial, veja, por exemplo: OECD/ITF, *Road Safety Annual Report 2016* (Paris: OECD Publishing, 2016). Disponível em: <http://dx.doi.org/10.1787/irtad-2016-en>. Acesso em: 6 set. 2017.

8. Kristofer D. Kusano e Hampton C. Gabler, "Safety Benefits of Forward Collision Warning, Brake Assist, and Autonomous Braking Systems in Rear-End Collisions" (*IEEE Transactions on Intelligent Transportation Systems*, v. 13, n. 4, pp. 1546-55, 2012); James M. Anderson et al., *Autonomous Vehicle Technology: A Guide for Policymakers* (Santa Monica: RAND Corporation, 2014, esp. pp. 13-5); Daniel J. Fagnant e Kara Kockelman, "Preparing a Nation for Autonomous Vehicles: Opportunities, Barriers and Policy Recommendations" (*Transportation Research Part A: Policy and Practice*, v. 77, pp. 167-81, 2015); Jean-Francois Bonnefon, Azim Shariff e IyadRahwan, "Autonomous Vehicles Need Experimental Ethics: Are We Ready for Utilitarian Cars?", (*arXiv*, pp. 1-15, 2015). Para sugestões de redes interveiculares para evitar colisões, veja: Seyed R. Azimi et al., "Vehicular Networks for Collision Avoidance at Intersections" (*SAE Internatio-*

nal *Journal of Passenger Cars — Mechanical Systems*, v. 4, n. 1, pp. 406-16, 2011); Swarun Kumar et al., "CarSpeak: A Content-Centric Network for Autonomous Driving" (*SIGCOM Computer Communication Review*, v. 42, n. 4, pp. 259-70, 2012); Mihail L. Sichitiu e Maria Kihl, "Inter-Vehicle Communication Systems: A Survey" (*IEEE Communications Surveys & Tutorials*, v. 10, n. 2, 2008); Mario Gerla et al., "Internet of Vehicles: From Intelligent Grid to Autonomous Cars and Vehicular Clouds" (*IEEE World Forum on Internet of Things — WF-IoT*, pp. 241-6, 2014).

9. Michael Chui, James Manyika e Mehdi Miremadi, "Where Machines Could Replace Humans — and Where They Can't (Yet)" (*McKinsey Quarterly*, 2016). Disponível em: <http://www.mckinsey.com/business-functions/digital-mckinsey/our-insights/where-machines-could-replace-humans-and-where-they-cant-yet>. Acesso em: 1 mar. 2018.

10. Wu Youyou, Michal Kosinski e David Stillwell, "Computer-based Personality Judgments Are More Accurate Than Those Made by Humans" (PANS, v. 112, pp. 1036-8, 2014).

11. Stuart Dredge, "AI and Music: Will We Be Slaves to the Algorithm?" (*The Guardian*, Londres, 6 ago. 2017). Disponível em: <https://www.theguardian.com/technology/2017/aug/06/artificial-intelligence-and-will-we-be-slaves-to-the-algorithm>. Acesso em: 15 out. 2017. Para uma visão geral de métodos, veja: Jose David Fernández e Francisco Vico, "AI Methods in Algorithmic Composition: A Comprehensive Survey" (*Journal of Artificial Intelligence Research*, v. 48, pp. 513-82, 2013).

12. Eric Topol, *The Patient Will See You Now: The Future of Medicine is in Your Hands* (Nova York: Basic Books, 2015). Robert Wachter, *The Digital Doctor: Hope, Hype and Harm at the Dawn of Medicine's Computer Age* (Nova York: McGraw-Hill Education, 2015). Simon Parkin, "The Artificially Intelligent Doctor Will Hear You Now" (*MIT Technology Review*, 2016). Disponível em: <https://www.technologyreview.com/s/600868/the-artificially-intelligent-doctor-will-hear-you-now/>. James Gallagher, "Artificial Intelligence 'As Good As Cancer Doctors'" (BBC, Londres, 26 jan. 2017). Disponível em: <http://www.bbc.com/news/health-38717928>. Acesso em: 19 jun. 2018.

13. Kate Brannen, "Air Force's Lack of Drone Pilots Reaching 'Crisis' Levels" (*Foreign Policy*, 15 jan. 2015). Disponível em: <http://foreignpolicy.com/2015/01/15/air-forces-lack-of-drone-pilots-reaching-crisis-levels/>. Acesso em: 19 jun. 2018.

14. Tyler Cowen, *Average is Over: Powering America Beyond the Age of the Great Stagnation* (Nova York: Dutton, 2013). Brad Bush, "How Combined Human and Computer Intelligence Will Redefine Jobs" (*TechCrunch*, 2016). Dispo-

nível em: <https://techcrunch.com/2016/11/01/how-combined-human-and-
-computer-intelligence-will-redefine-jobs/>. Acesso em: 19 jun. 2018.

15. Ulrich Raulff, *Farewell to the Horse: The Final Century of Our Relationship* (Londres: Allen Lane, 2017). Gregory Clark, *A Farewell to Alms: A Brief Economic History of the World* (Princeton: Princeton University Press, 2008, p. 286). Margo DeMello, *Animals and Society: An Introduction to Human-Animal Studies* (Nova York: Columbia University Press, 2012, p. 197). Clay McShane e Joel Tarr, "The Decline of the Urban Horse in American Cities" (*Journal of Transport History*, v. 24, n. 2, pp. 177-98, 2003).

16. Lawrence F. Katz e Alan B. Krueger, "The Rise and Nature of Alternative Work Arrangements in the United States, 1995-2015" (*National Bureau of Economic Research*, 2016). Peter H. Cappelli e J. R. Keller, "A Study of the Extent and Potential Causes of Alternative Employment Arrangements" (*ILR Review*, v. 66, n. 4, pp. 874-901, 2013). Gretchen M. Spreitzer, Lindsey Cameron e Lyndon Garrett, "Alternative Work Arrangements: Two Images of the New World of Work" (*Annual Review of Organizational Psychology and Organizational Behavior*, v. 4, pp. 473-99, 2017). Sarah A. Donovan, David H. Bradley e Jon O. Shimabukuru, "What Does the Gig Economy Mean for Workers?" (Washington, DC: Congressional Research Service, 2016). Disponível em: <https://fas.org/sgp/crs/misc/R44365.pdf>. Acesso em: 11 fev. 2018. "More Workers Are in Alternative Employment Arrangements" (Pew Research Center, 28 set. 2016). Disponível em: <http://www.pewsocialtrends.org/2016/10/06/the-state-of-american-jobs/st_2016-10-06_jobs-26/>. Acesso em: 11 fev. 2018.

17. David Ferrucci et al., "Watson: Beyond *Jeopardy!*" (*Artificial Intelligence*, v. 199-200, pp. 93-105, 2013).

18. "Google's AlphaZero Destroys Stockfish in 100-Game Match" (Chess.com, 6 dez. 2017). Disponível em: <https://www.chess.com/news/view/google-
-s-alphazero-destroys-stockfish-in-100-game-match>. Acesso em: 11 fev. 2018. David Silver et al., "Mastering Chess and Shogi by Self-Play with a General Reinforcement Learning Algorithm" (*arXiv*, 2017). Disponível em: <https://arxiv.org/pdf/1712.01815.pdf>. Acesso em: 2 fev. 2018. Veja também Sarah Knapton, "Entire Human Chess Knowledge Learned and Surpassed by DeepMind's AlphaZero in Four Hours" (*Telegraph*, 6 dez. 2017). Disponível em: <http://www.telegraph.co.uk/science/2017/12/06/entire-human-chess-knowledge-learned-
-surpassed-deepminds-alphazero/>. Acesso em: 11 fev. 2018.

19. Cowen, *Average is Over*, op. cit.; Tyler Cowen, "What are Humans Still Good for? The Turning Point in Freestyle Chess May Be Approaching" (2013). Disponível em: <http://marginalrevolution.com/marginalrevolution/2013/11/what-are-humans-still-good-for-the-turning-point-in-freestyle-chess-may-be-
-approaching.html>. Acesso em: 19 jun. 2018.

20. Maddalaine Ansell, "Jobs for Life Are a Thing of the Past. Bring On Lifelong Learning" (*The Guardian*, 31 maio 2016). Disponível em: <https://www.theguardian.com/higher-education-network/2016/may/31/jobs-for-life-are-a-thing-of-the-past-bring-on-lifelong-learning>. Acesso em: 19 jun. 2018.

21. Alex Williams, "Prozac Nation Is Now the United States of Xanax" (*New York Times*, 10 jun. 2017). Disponível em: <https://www.nytimes.com/2017/06/10/style/anxiety-is-the-new-depression-xanax.html>. Acesso em: 19 jun. 2018.

22. Simon Rippon, "Imposing Options on People in Poverty: The Harm of a Live Donor Organ Market" (*Journal of Medical Ethics*, v. 40, pp. 145-50, 2014). I. Glenn Cohen, "Regulating the Organ Market: Normative Foundations for Market Regulation" (*Law and Contemporary Problems*, v. 77, 2014). Alexandra K. Glazier, "The Principles of Gift Law and the Regulation of Organ Donation" (*Transplant International*, v. 24, pp. 368-72, 2011). Megan McAndrews e Walter E. Block, "Legalizing Saving Lives: A Proposition for the Organ Market" (*Insights to A Changing World Journal*, pp. 1-17, 2015).

23. James J. Hughes, "A Strategic Opening for a Basic Income Guarantee in the Global Crisis Being Created by AI, Robots, Desktop Manufacturing and Bio-Medicine". (*Journal of Evolution & Technology*, v. 24, pp. 45-61, 2014); Alan Cottey, "Technologies, Culture, Work, Basic Income and Maximum Income" (*AI & Society*, v. 29, pp. 249-57, 2014).

24. Jon Henley, "Finland Trials Basic Income for Unemployed" (*The Guardian*, 3 jan. 2017). Disponível em: <https://www.theguardian.com/world/2017/jan/03/finland-trials-basic-income-for-unemployed>. Acesso em: 1 mar. 2018.

25. "Swiss Voters Reject Proposal to Give Basic Income to Every Adult and Child" (*The Guardian*, 5 jun. 2017). Disponível em: <https://www.theguardian.com/world/2016/jun/05/swiss-vote-give-basic-income-every-adult-child-marxist-dream>. Acesso em: 19 jun. 2018.

26. Isabel Hunter, "Crammed into Squalid Factories to Produce Clothes for the West on Just 20p a Day, the Children Forced to Work in Horrific Unregulated Workshops of Bangladesh" (*Daily Mail*, 1 dez. 2015). Disponível em: <http://www.dailymail.co.uk/news/article-3339578/Crammed-squalid-factories-produce-clothes-West-just-20p-day-children-forced-work-horrific-unregulated-workshops-Bangladesh.html>. Acesso em: 15 out. 2017. Chris Walker e Morgan Hartley, "The Culture Shock of India's Call Centers" (*Forbes*, 16 dez. 2012). Disponível em: <https://www.forbes.com/sites/morganhartley/2012/12/16/the-culture-shock-of-indias-call-centres/#17bb61d372f5>. Acesso em: 15 out. 2017.

27. Klaus Schwab e Nicholas Davis, *Shaping the Fourth Industrial Revolution* (World Economic Forum, 2018, p. 54). Sobre estratégias de desenvolvimento a longo prazo, veja Ha-Joon Chang, *Kicking Away the Ladder: Development Strate-*

gy in Historical Perspective [*Chutando a escada: Desenvolvimento em perspectiva histórica*] (Londres: Anthem Press, 2003).

28. Lauren Gambini, "Trump Pans Immigration Proposal as Bringing People from 'Shithole Countries'" (*The Guardian*, 12 jan. 2018). Disponível em: <https://www.theguardian.com/us-news/2018/jan/11/trump-pans-immigration-proposal-as-bringing-people-from-shithole-countries>. Acesso em: 11 fev. 2018.

29. Para a ideia de que uma melhora absoluta nas condições poderia vir junto com um aumento na desigualdade relativa, veja especialmente Thomas Piketty, *Capital in the Twenty-First Century* [*O capital no século XXI*] (Cambridge, MA: Harvard University Press, 2013).

30. "2017 Statistical Report on Ultra-Orthodox Society in Israel" (*Israel Democracy Institute* e *Jerusalem Institute for Israel Studies*, 2017). Disponível em: <https://en.idi.org.il/articles/20439>. Acesso em: 1 jan. 2018. Melanie Lidman, "As Ultra-Orthodox Women Bring Home the Bacon, Don't Say the F-Word" (*Times of Israel*, 1 jan. 2016). Disponível em: <https://www.timesofisrael.com/as-ultra-orthodox-women-bring-home-the-bacon-dont-say-the-f-word/>. Acesso em: 15 out. 2017.

31. Melanie Lidman, "As Ultra-Orthodox Women Bring Home the Bacon, Don't Say the F-Word" (*Times of Israel*, 1 jan. 2016). Disponível em: <https://www.timesofisrael.com/as-ultra-Orthodox-women-bring-home-the-bacon--dont-say-the-f-word/>. Acesso em: 15 out. 2017. "Statistical Report on Ultra--Orthodox Society in Israel" (*Israel Democracy Institute* e *Jerusalem Institute for Israel Studies*, v. 18, 2016). Disponível em: <https://en.idi.org.il/media/4240/shnaton-e_8-9-16_web.pdf>. Acesso em: 15 out. 2017. Quanto ao índice de felicidade, Israel foi recentemente classificado em 11º lugar entre 38 países pela *OECD*: "Life Satisfaction" (*OECD Better Life Index*). Disponível em: <http://www.oecdbetterlifeindex.org/topics/life-satisfaction/>. Acesso em: 15 out. 2017.

32. "2017 Statistical Report on Ultra-Orthodox Society in Israel" (*Israel Democracy Institute* e *Jerusalem Institute for Israel Studies*, 2017). Disponível em: <https://en.idi.org.il/articles/20439>. Acesso em: 1 jan. 2018.

3. LIBERDADE: BIG DATA ESTÁ VIGIANDO VOCÊ [pp. 69-101]

1. Margaret Thatcher, "Interview for *Woman's Own* ('No Such Thing as Society')" (Margaret Thatcher Foundation, 23 set. 1987). Disponível em: <https://www.margaretthatcher.org/document/106689>. Acesso em: 7 jan. 2018.

2. Keith Stanovich, *Who Is Rational? Studies of Individual Differences in Reasoning* (Nova York: Psychology Press, 1999).

3. Richard Dawkins, "Richard Dawkins: We Need a New Party — the European Party" (*NewStatesman*, 29 mar. 2017). Disponível em: <https://www.newstatesman.com/politics/uk/2017/03/richard-dawkins-we-need-new-party-european-party>. Acesso em: 1 mar. 2018.

4. Steven Swinford, "Boris Johnson's Allies Accuse Michael Gove of 'Systematic and Calculated Plot' to Destroy his Leadership Hopes" (*Telegraph*, 30 jun. 2016). Disponível em: <http://www.telegraph.co.uk/news/2016/06/30/boris-johnsons-allies-accuse-michael-gove-of-systematic-and-calc/>. Acesso em: 3 set. 2017. Rowena Mason e Heather Stewart, "Gove's Thunderbolt and Boris's Breaking Point: A Shocking Tory Morning" (*The Guardian*, 30 jun. 2016). Disponível em: <https://www.theguardian.com/politics/2016/jun/30/goves-thunderbolt-boris-johnson-tory-morning>. Acesso em: 3 set. 2017.

5. James Tapsfield, "Gove Presents Himself as the Integrity Candidate for Downing Street Job but Sticks the Knife into Boris AGAIN" (*Daily Mail*, 1 jul. 2016). Disponível em: <http://www.dailymail.co.uk/news/article-3669702/ I-m-not-great-heart-s-right-place-Gove-makes-bizarre-pitch-Downing-Street-admitting-no-charisma-doesn-t-really-want-job.html>. Acesso em: 3 set. 2017.

6. Em 2017, uma equipe de Stanford produziu um algoritmo capaz de detectar se você é hétero ou homossexual, com uma precisão de 91%, baseado unicamente na análise de algumas imagens de seu rosto (https://osf.io/zn79k/). No entanto, como o algoritmo foi desenvolvido com base em imagens que as pessoas escolhiam de si mesmas para colocar em sites de encontros, ele poderia na realidade estar detectando diferenças em ideais culturais. Não é que o rosto das pessoas gays seja necessariamente diferente do rosto de heterossexuais, e sim que os gays, ao colocar suas fotos num site para encontros entre gays, tentam estar de acordo com ideais culturais diferentes daqueles dos sites de encontros entre heterossexuais.

7. David Chan, "So Why Ask Me? Are Self-Report Data Really That Bad?", in Charles E. Lance and Robert J. Vandenberg (Orgs.), *Statistical and Methodological Myths and Urban Legends* (Nova York; Londres: Routledge, 2009, pp. 309-36). Delroy L. Paulhus e SimineVazire, "The Self-Report Method", in Richard W. Robins, R. Chris Farley e Robert F. Krueger (Orgs.), *Handbook of Research Methods in Personality Psychology* (Londres; Nova York: The Guilford Press, 2007, pp. 228-33).

8. Elizabeth Dwoskin e Evelyn M. Rusli, "The Technology that Unmasks Your Hidden Emotions" (*Wall Street Journal*, 28 jan. 2015). Disponível em: <https://www.wsj.com/articles/startups-see-your-face-unmask-your-emotions-1422472398>. Acesso em: 6 set. 2017.

9. Norberto Andrade, "Computers Are Getting Better Than Humans at Facial Recognition" (*Atlantic*, 9 jun. 2014). Disponível em: <https://www.theatlantic.com/technology/archive/2014/06/bad-news-computers-are-getting-better-than-we-are-at-facial-recognition/372377/>. Acesso em: 10 dez. 2017. Elizabeth Dwoskin e Evelyn M. Rusli, "The Technology That Unmasks Your Hidden Emotions" (*Wall Street Journal*, 28 jul. 2015). Disponível em: <https://www.wsj.com/articles/startups-see-your-face-unmask-your-emotions-1422472398>. Acesso em: 10 dez. 2017. Sophie K. Scott et al., "The Social Life of Laughter" (*Trends in Cognitive Sciences*, v. 18, n. 12, pp. 618-20, 2014).

10. Daniel First, "Will Big Data Algorithms Dismantle the Foundations of Liberalism?" (*AI & Soc*, pp. 1-12, 2017). Disponível em: <https://link.springer.com/article/10.1007/s00146-017-0733-4>. Acesso em: 19 jun. 2018.

11. Carole Cadwalladr, "Google, Democracy and the Truth about Internet Search" (*The Guardian*, 4 dez. 2016). Disponível em: <https://www.theguardian.com/technology/2016/dec/04/google-democracy-truth-internet-search-facebook>. Acesso em: 6 set. 2017.

12. Jeff Freak e Shannon Holloway, "How Not to Get to Straddie" (*Red Land City Bulletin*, 15 mar. 2012). Disponível em: <http://www.redlandcitybulletin.com.au/story/104929/how-not-to-get-to-straddie/>. Acesso em: 1 mar. 2018.

13. Michelle McQuigge, "Woman Follows GPS; Ends Up in Ontario Lake" (*Toronto Sun*, 13 maio 2016). Disponível em: <http://torontosun.com/2016/05/13/woman-follows-gps-ends-up-in-ontario-lake/wcm/fddda6d6-6b6e-41c7-88e8-aecc501faaa5>. Acesso em: 1 mar. 2018. "Woman Follows GPS into Lake" (News.com.au, 16 maio 2016). Disponível em: <http://www.news.com.au/technology/gadgets/woman-follows-gps-into-lake/news-story/a7d362dfc4634f-d094651afc63f853a1>. Acesso em: 1 mar. 2018.

14. Henry Grabar, "Navigation Apps Are Killing Our Sense of Direction. What if They Could Help Us Remember Places Instead?" (*Slate*, 2018). Disponível em: <http://www.slate.com/blogs/moneybox/2017/07/10/google_and_waze_are_killing_out_sense_of_direction_what_if_they_could_help.html>. Acesso em: 6 set. 2017.

15. Joel Delman, "Are Amazon, Netflix, Google Making Too Many Decisions For Us?" (*Forbes*, 24 nov. 2010). Disponível em: <https://www.forbes.com/2010/11/24/amazon-netflix-google-technology-cio-network-decisions.html>. Acesso em: 6 set. 2017. Cecilia Mazanec, "Will Algorithms Erode Our Decision-Making Skills?" (NPR, 8 fev. 2017). Disponível em: <http://www.npr.org/sections/alltechconsidered/2017/02/08/514120713/will-algorithms-erode-our-decision-making-skills>. Acesso em: 6 set. 2017.

16. Jean-Francois Bonnefon, Azim Shariff e IyadRawhan, "The Social Dilemma of Autonomous Vehicles" (*Science*, v. 352, n. 6293, pp. 1573-6, 2016).

17. Christopher W. Bauman et al., "Revisiting External Validity: Concerns about Trolley Problems and Other Sacrificial Dilemmas in Moral Psychology" (*Social and Personality Psychology Compass*, v. 8, n. 9, pp. 536-54, 2014).

18. John M. Darley e Daniel C. Batson, "'From Jerusalem to Jericho': A Study of Situational and Dispositional Variables in Helping Behavior" (*Journal of Personality and Social Psychology*, v. 27, n. 1, pp. 100-8, 1973).

19. Kristofer D. Kusano e Hampton C. Gabler, "Safety Benefits of Forward Collision Warning, Brake Assist, and Autonomous Braking Systems in Rear-End Collisions" (*IEEE Transactions on Intelligent Transportation Systems*, v. 13, n. 4, pp. 1546-55, 2012). James M. Anderson et al., *Autonomous Vehicle Technology: A Guide for Policymakers* (Santa Monica: RAND Corporation, 2014, esp. pp. 13-5). Daniel J. Fagnant e Kara Kockelman, "Preparing a Nation for Autonomous Vehicles: Opportunities, Barriers and Policy Recommendations" (*Transportation Research Part A: Policy and Practice*, v. 77, pp. 167-81, 2015).

20. Tim Adams, "Job Hunting Is a Matter of Big Data, Not How You Perform at an Interview" (*The Guardian*, 10 maio 2014). Disponível em: <https://www.theguardian.com/technology/2014/may/10/job-hunting-big-data-interview-algorithms-employees>. Acesso em: 6 set. 2017.

21. Para uma discussão muito esclarecedora, veja Cathy O'Neil, *Weapons of Math Destruction: How Big Data Increases Inequality and Threatens Democracy* (Nova York: Crown, 2016). Esta é de fato uma leitura obrigatória para quem estiver interessado nos efeitos potenciais de algoritmos na sociedade e na política.

22. Bonnefon, Shariff e Rawhan, "Social Dilemma of Autonomous Vehicles".

23. Vincent C. Müller and Thomas W. Simpson, "Autonomous Killer Robots Are Probably Good News" (University of Oxford, Blavatnik School of Government Policy Memo, nov. 2014). Ronald Arkin, *Governing Lethal Behaviour: Embedding Ethics in a Hybrid Deliberative/Reactive Robot Architecture* (Georgia Institute of Technology, Mobile Robot Lab, pp. 1-13, 2007).

24. Bernd Greiner, *War without Fronts: The USA in Vietnam*, trad. Anne Wyburd e Victoria Fern (Cambridge, MA: Harvard University Press, 2009, p. 16). Para pelo menos uma referência ao estado emocional dos soldados, veja: Herbert Kelman e V. Lee Hamilton, "The My Lai Massacre: A Military Crime of Obedience", in Jodi O'Brien e David M. Newman (Orgs.), *Sociology: Exploring the Architecture of Everyday Life Reading* (Los Angeles: Pine Forge Press, 2010, pp. 13-25).

25. Robert J. Donia, *Radovan Karadzic: Architect of the Bosnian Genocide* (Cambridge: Cambridge University Press, 2015). Veja também: Isabella Delpla, Xavier Bougarel e Jean-Louis Fournel, *Investigating Srebrenica: Institutions, Facts, and responsibilities* (Nova York; Oxford: Berghahn Books, 2012).

26. Noel E. Sharkey, "The Evitability of Autonomous Robot Warfare" (*International Rev. Red Cross*, v. 94, n. 886, pp. 787-99, 2012).

27. Ben Schiller, "Algorithms Control Our Lives: Are They Benevolent Rulers or Evil Dictators?" (*Fast Company*, 21 fev. 2017). Disponível em: <https://www.fastcompany.com/3068167/algorithms-control-our-lives-are-they-benevolent-rulers-or-evil-dictators>. Acesso em: 17 set. 2017.

28. Elia Zureik, David Lyon e Yasmeen Abu-Laban (Orgs.), *Surveillance and Control in Israel/Palestine: Population, Territory and Power* (Londres: Routledge, 2011). Elia Zureik, *Israel's Colonial Project in Palestine* (Londres: Routledge, 2015). Torin Monahan (Org.), *Surveillance and Security: Technological Politics and Power in Everyday Life* (Londres: Routledge, 2006). Nadera Shalhoub-Kevorkian, "E-Resistance and Technological In/Security in Everday Life: The Palestinian case", *British Journal of Criminology*, v. 52, n. 1, pp. 55-72, 2012). Or Hirschauge e Hagar Sheizaf, "Targeted Prevention: Exposing the New System for Dealing with Individual Terrorism" (*Haaretz*, 26 maio 2017). Disponível em: <https://www.haaretz.co.il/magazine/.premium-1.4124379>. Acesso em: 17 set. 2017. Amos Harel, "The IDF Accelerates the Crisscrossing of the West Bank with Cameras and Plans to Surveille all Junctions" (*Haaretz*, 18 jun. 2017). Disponível em: <https://www.haaretz.co.il/news/politics/.premium-1.4179886>. Acesso em: 17 set. 2017. Neta Alexander, "This is How Israel Controls the Digital and Cellular Space in the Territories" (31 mar. 2016). Disponível em: <https://www.haaretz.co.il/magazine/.premium-MAGAZINE-1.2899665>. Acesso em: 12 jan. 2018. Amos Harel, "Israel Arrested Hundreds of Palestinians as Suspected Terrorists Due to Publications on the Internet" (*Haaretz*, 16 abr. 2017). Disponível em: <https://www.haaretz.co.il/news/politics/.premium-1.4024578>. Acesso em: 15 jan. 2018. Alex Fishman, "The Argaman Era" (*Yediot Aharonot, Weekend Supplement*, v. 28, p. 6, abr. 2017).

29. Yotam Berger, "Police Arrested a Palestinian Based on an Erroneous Translation of 'Good Morning' in His Facebook Page" (*Haaretz*, 22 out. 2017). Disponível em: <https://www.haaretz.co.il/.premium-1.4528980>. Acesso em: 12 jan. 2018.

30. William Beik, *Louis XIV and Absolutism: A Brief Study with Documents* (Boston, MA: Bedford; St Martin's, 2000).

31. O'Neil, *Weapons of Math Destruction*, op. cit.; Penny Crosman, "Can AI Be Programmed to Make Fair Lending Decisions?" (*American Banker*, 27 set. 2016). Disponível em: <https://www.americanbanker.com/news/can-ai-be-programmed-to-make-fair-lending-decisions>. Acesso em: 17 set. 2017.

32. Matt Reynolds, "Bias Test to Prevent Algorithms Discriminating Unfairly" (*New Scientist*, 29 maio 2017). Disponível em: <https://www.newscien-

tist.com/article/mg23431195-300-bias-test-to-prevent-algorithms-discriminating-unfairly/>. Acesso em: 17 set. 2017. Claire Cain Miller, "When Algorithms Discriminate" (*New York Times*, 9 jul. 2015). Disponível em: <https://www.nytimes.com/2015/07/10/upshot/when-algorithms-discriminate.html>. Acesso em: 17 set. 2017. Hannah Devlin, "Discrimination by Algorithm: Scientists Devise Test to Detect AI Bias" (*The Guardian*, 19 dez. 2016). Disponível em: <https://www.theguardian.com/technology/2016/dec/19/discrimination-by-algorithm-scientists-devise-test-to-detect-ai-bias>. Acesso em: 17 set. 2017.

33. Snyder, *The Road to Unfreedom*, op. cit.

34. Anna Lisa Peterson, *Being Animal: Beasts and Boundaries in Nature Ethics* (Nova York: Columbia University Press, 2013, p. 100).

4. IGUALDADE: OS DONOS DOS DADOS SÃO OS DONOS DO FUTURO [pp. 102-11]

1. "Richest 1 Percent Bagged 82 Percent of Wealth Created Last Year — Poorest Half of Humanity Got Nothing" (*Oxfam*, 22 jan. 2018). Disponível em: <https://www.oxfam.org/en/pressroom/pressreleases/2018-01-22/richest-1-percent-bagged-82-percent-wealth-created-last-year>. Acesso em: 28 fev. 2018. Josh Lowe, "The 1 Percent Now Have Half the World's Wealth" (*Newsweek*, 14 nov. 2017). Disponível em: <http://www.newsweek.com/1-wealth-money-half-world-global-710714>. Acesso em: 28 fev. 2018. Adam Withnall, "All the World's Most Unequal Countries Revealed in One Chart", *Independent*, 23 nov. 2016. Disponível em: <http://www.independent.co.uk/news/world/politics/credit-suisse-global-wealth-world-most-unequal-countries-revealed-a7434431.html>. Acesso em: 11 mar. 2018.

2. Tim Wu, *The Attention Merchants* (Nova York: Alfred A. Knopf, 2016).

3. Cara McGoogan, "How to See All the Terrifying Things Google Knows about You", *Telegraph*, 18 ago. 2017. Disponível em: <http://www.telegraph.co.uk/technology/0/see-terrifying-things-google-knows/>. Acesso em: 19 out. 2017. Caitlin Dewey, "Everything Google Knows about You (and How It Knows It)", *Washington Post*, 19 de nov. 2014. Disponível em: <https://www.washingtonpost.com/news/the-intersect/wp/2014/11/19/everything-google-knows-about-you-and-how-it-knows-it/?utm_term=.b81c3ce3ddd6>. Acesso em: 19 out. 2017.

4. Dan Bates, "YouTube Is Losing Money Even Though It Has More Than 1 Billion Viewers", *Daily Mail*, 26 fev. 2015, Disponível em: <http://www.dailymail.co.uk/news/article-2970777/YouTube-roughly-breaking-nine-years-purchased-Google-billion-viewers.html>. Acesso em: 19 out. 2017; Olivia Solon, "Google's

Bad Week: YouTube Loses Millions As Advertising Row Reaches US", *Guardian*, 25 mar. 2017. Disponível em: <https://www.theguardian.com/technology/2017/mar/25/google-youtube-advertising-extremist-content-att-verizon>. Acesso em: 19 de out. 2017; Seth Fiegerman, "Twitter Is Now Losing Users in the US", CNN, 27 jul. 2017. Disponível em: <http://money.cnn.com/2017/07/27/technology/business/twitter-earnings/index.html>. Acesso em: 19 out. 2017.

PARTE II: O DESAFIO POLÍTICO

5. COMUNIDADE: OS HUMANOS TÊM CORPOS [pp. 115-23]

1. Mark Zuckerberg, "Building Global Community" (Facebook, 16 fev. 2017). Disponível em: <https://www.facebook.com/notes/mark-zuckerberg/building-global-community/10154544292806634/>. Acesso em: 20 ago. 2017.

2. John Shinal, "Mark Zuckerberg: Facebook Can Play a Role that Churches and Little League once Filled" (CNBC, 26 jun. 2017). Disponível em: <https://www.cnbc.com/2017/06/26/mark-zuckerberg-compares-facebook-to-church-little-league.html>. Acesso em: 20 ago. 2017.

3. Disponível em: <http://www.cnbc.com/2017/06/26/mark-zuckerberg-compares-facebook-to-church-little-league.html>. Acesso em: 19 jun. 2018. Disponível em: <http://www.cnbc.com/2017/06/22/facebook-has-a-new-mission-following-fake-news-crisis-zuckerberg-says.html>. Acesso em: 19 jun. 2018.

4. Robin Dunbar, *Grooming, Gossip, and the Evolution of Language* (Cambridge, MA: Harvard University Press, 1998).

5. Veja, por exemplo, Pankaj Mishra, *Age of Anger: A History of the Present* (Londres: Penguin, 2017).

6. Para uma visão geral e crítica, veja: Derek Y. Darves e Michael C. Dreiling, *Agents of Neoliberal Globalization: Corporate Networks, State Structures and Trade Policy* (Cambridge: Cambridge University Press, 2016).

7. Lisa Eadicicco, "Americans Check Their Phones 8 Billion Times a Day" (*Time*, 15 dez. 2015). Disponível em: <http://time.com/4147614/smartphone-usage-us-2015/>. Acesso em: 20 ago. 2017. Julie Beck, "Ignoring People for Phones is the New Normal" (*Atlantic*, 14 jun. 2016). Disponível em: <https://www.theatlantic.com/technology/archive/2016/06/ignoring-people-for-phones-is-the-new-normal-phubbing-study/486845/>. Acesso em: 20 ago. 2017.

8. Zuckerberg, "Building Global Community", op. cit.

9. *Time Well Spent*. Disponível em: <http://www.timewellspent.io/>. Acesso em: 3 set. 2017.

10. Zuckerberg, "Building Global Community", op. cit.
11. Disponível em: <https://www.theguardian.com/technology/2017/oct/04/facebook-uk-corporation-tax-profit>. Acesso em: 19 jun. 2018. Disponível em: <https://www.theguardian.com/business/2017/sep/21/tech-firms-tax-eu-turnover-google-amazon-apple>. Acesso em: 19 jun. 2018. Disponível em: <http://www.wired.co.uk/article/facebook-apple-tax-loopholes-deals>. Acesso em: 19 jun. 2018.

6. CIVILIZAÇÃO: SÓ EXISTE UMA CIVILIZAÇÃO NO MUNDO [pp. 124-43]

1. Samuel P. Huntington, *The Clash of Civilizations and the Remaking of World Order* (Nova York: Simon & Schuster, 1996). David Lauter e Brian Bennett, "Trump Frames Anti-Terrorism Fight As a Clash of Civilizations, Defending Western Culture against Enemies" (*Los Angeles Times*, 6 jul. 2017). Disponível em: <http://www.latimes.com/politics/la-na-pol-trump-clash-20170706-story.html>. Acesso em: 29 jan. 2018. Naomi O'Leary, "The Man Who Invented Trumpism: Geery Wilders' Radical Path to the Pinnacle of Dutch Politics" (*Politico*, 23 fev. 2017). Disponível em: <https://www.politico.eu/article/the-man-who-invented-trumpism-geert-wilders-netherlands-pvv-vvd-populist/>. Acesso em: 31 jan. 2018.

2. Pankaj Mishra, *From the Ruins of Empire: The Revolt Against the West and the Remaking of Asia* (Londres: Penguin, 2013); Mishra, *Age of Anger*, op. cit.; Christopher de Bellaigue, *The Muslim Enlightenment: The Modern Struggle between Faith and Reason* (Londres: The Bodley Head, 2017).

3. "Treaty Establishing a Constitution for Europe" (European Union, 2005). Disponível em: <https://europa.eu/european-union/sites/europaeu/files/docs/body/treaty_establishing_a_constitution_for_europe_en.pdf>. Acesso em: 18 out. 2017.

4. Phoebe Greenwood, "Jerusalem Mayor Battles Ultra-Orthodox Groups over Women-Free Billboards" (*The Guardian*, 15 nov. 2011). Disponível em: <https://www.theguardian.com/world/2011/nov/15/jerusalem-mayor-battle-orthodox-billboards>. Acesso em: 7 jan. 2018

5. Disponível em: <http://nypost.com/2015/10/01/orthodox-publications-wont-show-hillary-clintons-photo/>. Acesso em: 19 jun. 2018.

6. Simon Schama, *The Story of the Jews: Finding the Words 1000 BC — 1492 AD* (Nova York: Ecco, 2014, pp. 190-7). Hannah Wortzman, "Jewish Women in Ancient Synagogues: Archaeological Reality vs. Rabbinical Legislation" (*Women in Judaism*, v. 5, n. 2, 2008). Disponível em: <http://wjudaism.library.utoronto.

ca/index.php/wjudaism/article/view/3537>. Acesso em: 29 jan. 2018. Ross S. Kraemer, "Jewish Women in the Diaspora World of Late Antiquity", in Judith R. Baskin (Org.), *Jewish Women in Historical Perspective* (Detroit: Wayne State University Press, 1991, esp. p. 49). Hachlili Rachel, *Ancient Synagogues — Archaeology and Art: New Discoveries and Current Research* (Leiden: Brill, 2014, pp. 578-81); Zeev Weiss, "The Sepphoris Synagogue Mosaic: Abraham, the Temple and the Sun God — They're All in There" (*Biblical Archeology Society*, v. 26, n. 5, pp. 48-61, 2000); David Milson, *Art and Architecture of the Synagogue in Late Antique Palestine* (Leiden: Brill, 2007, p. 48).

7. Ivan Watson e Pamela Boykoff, "World's Largest Muslim Group Denounces Islamist Extremism" (CNN, 10 maio 2016). Disponível em: <http://edition.cnn.com/2016/05/10/asia/indonesia-extremism/index.html>. Acesso em: 8 jan. 2018. Lauren Markoe, "Muslim Scholars Release Open Letter To Islamic State Meticulously Blasting Its Ideology" (*Huffington Post*, 25 set. 2014). Disponível em: <https://www.huffingtonpost.com/2014/09/24/muslim-scholars-islamic-state_n_5878038.html>. Acesso em: 8 jan. 2018. Para a carta, veja: "Open Letter to Al-Baghdadi". Disponível em: <http://www.lettertobaghdadi.com/>. Acesso em: 8 jan. 2018.

8. Chris Perez, "Obama Defends the 'True Peaceful Nature of Islam'" (*New York Post*, 18 fev. 2015). Disponível em: <http://nypost.com/2015/02/18/obama-defends-the-true-peaceful-nature-of-islam/>. Acesso em: 17 out. 2017. Dave Boyer, "Obama Says Terrorists Not Motivated By True Islam" (*Washington Times*, 1 fev. 2015). Disponível em: <http://www.washingtontimes.com/news/2015/feb/1/obama-says-terrorists-not-motivated-true-islam/>. Acesso em: 18 out. 2017.

9. De Bellaigue, *The Islamic Enlightenment*, op. cit.

10. Christopher McIntosh, *The Swan King: Ludwig II of Bavaria* (Londres: I. B. Tauris, 2012, p. 100).

11. Robert Mitchell Stern, *Globalization and International Trade Policies* (Hackensack: World Scientific, 2009, p. 23).

12. John K. Thornton, *A Cultural History of the Atlantic World, 1250-1820* (Cambridge: Cambridge University Press, 2012, p. 110).

13. Susannah Cullinane, Hamdi Alkhshali e Mohammed Tawfeeq, "Tracking a Trail of Historical Obliteration: ISIS Trumpets Destruction of Nimrud" (CNN, 14 abr. 2015). Disponível em: <http://edition.cnn.com/2015/03/09/world/iraq-isis-heritage/index.html>. Acesso em: 18 out. 2017.

14. Kenneth Pomeranz, *The Great Divergence: China, Europe and the Making of the Modern World Economy* (Princeton; Oxford: Princeton University Press, 2001, pp. 36-8).

15. "ISIS Leader Calls for Muslims to Help Build Islamic State in Iraq" (CBC-NEWS, 1 jul. 2014). Disponível em: <http://www.cbc.ca/news/world/isis-leader--calls-for-muslims-to-help-build-islamic-state-in-iraq-1.2693353>. Acesso em: 18 out. 2017. Mark Townsend, "What Happened to the British Medics Who Went to Work for ISIS?" (*The Guardian*, 12 jul. 2015). Disponível em: <https://www.theguardian.com/world/2015/jul/12/british-medics-isis-turkey-islamic--state>. Acesso em: 18 out. 2017.

7. NACIONALISMO: PROBLEMAS GLOBAIS EXIGEM RESPOSTAS GLOBAIS
[pp. 144-63]

1. Francis Fukuyama, *Political Order and Political Decay: From the Industrial Revolution to the Globalization of Democracy* (Nova York: Farrar, Straus & Giroux, 2014).

2. Ashley Killough, "Lyndon Johnson's 'Daisy' Ad, Which Changed the World of Politics, Turns 50" (CNN, 8 set. 2014). Disponível em: <http://edition.cnn.com/2014/09/07/politics/daisy-ad-turns-50/index.html>. Acesso em: 19 out. 2017.

3. "Cause-Specific Mortality: Estimates for 2000-2015" (Organização Mundial de Saúde, 2015). Disponível em: <http://www.who.int/healthinfo/global_burden_disease/estimates/en/index1.html>. Acesso em: 19 out. 2017.

4. David E. Sanger e William J. Broad, "To Counter Russia, US Signals Nuclear Arms Are Back in a Big Way" (*New York Times*, 4 fev. 2018). Disponível em: <https://www.nytimes.com/2018/02/04/us/politics/trump-nuclear-russia.html>. Acesso em: 6 fev. 2018. Departamento de Defesa dos Estados Unidos, "Nuclear Posture Review 2018". Disponível em: <https://www.defense.gov/News/Special-Reports/0218_npr/>. Acesso em: 6 fev. 2018. Jennifer Hansler, "Trump Says He Wants Nuclear Arsenal in 'Tip-Top Shape', Denies Desire to Increase Stockpile" (CNN, 12 out. 2017). Disponível em: <http://edition.cnn.com/2017/10/11/politics/nuclear-arsenal-trump/index.html>. Acesso em: 19 out. 2017. Jim Garamone, "DOD Official: National Defense Strategy Will Enhance Deterrence" (*Department of Defense News, Defense Media Activity*, 19 jan. 2018). Disponível em: <https://www.defense.gov/News/Article/Article/1419045/dod-official-national-defense-strategy-will-rebuild-dominance-enhance-deterrence/>. Acesso em: 28 jan. 2018.

5. Michael Mandelbaum, *Mission Failure: America and the World in the Post--Cold War Era* (Nova York: Oxford University Press, 2016).

6. Elizabeth Kolbert, *Field Notes from a Catastrophe* (Londres: Bloomsbury,

2006); Elizabeth Kolbert, *The Sixth Extinction: An Unnatural History* (Londres: Bloomsbury, 2014); Will Steffen et al., "Planetary Boundaries: Guiding Human Development on a Changing Planet" (*Science*, v. 347, n. 6223, 13 fev. 2015). DOI: 10.1126/science.1259855.

7. John Cook et al., "Quantifying the Consensus on Anthropogenic Global Warming in the Scientific Literature" (*Environmental Research Letters*, v. 8, n. 2, 2013). John Cook et al., "Consensus on Consensus: A Synthesis of Consensus Estimates on Human-Caused Global Warming" (*Environmental Research Letters*, v. 11, n. 4, 2016). Andrew Griffin, "15,000 Scientists Give Catastrophic Warning about the Fate of the World in New 'Letter to Humanity'" (*Independent*, 13 nov. 2017). Disponível em: <http://www.independent.co.uk/environment/letter-to-humanity-warning-climate-change-global-warming-scientists-union-concerned-a8052481.html>. Acesso em: 8 jan. 2018. Justin Worland, "Climate Change Is Already Wreaking Havoc on Our Weather, Scientists Find" (*Time*, 15 dez. 2017). Disponível em: <http://time.com/5064577/climate-change-arctic/>. Acesso em: 8 jan. 2018.

8. Richard J. Millar et al., "Emission Budgets and Pathways Consistent with Limiting Warming to 1.5 C" (*Nature Geoscience*, v. 10, pp. 741-7, 2017). Joeri Rogelj et al., "Differences between Carbon Budget Estimates Unraveled" (*Nature Climate Change*, v. 6, pp. 245-52, 2016). Akshat Rathi, "Did We Just Buy Decades More Time to Hit Climate Goals" (*Quartz*, 21 set. 2017). Disponível em: <https://qz.com/1080883/the-breathtaking-new-climate-change-study-hasnt-changed-the-urgency-with-which-we-must-reduce-emissions/>. Acesso em: 11 fev. 2018. Roz Pidcock, "Carbon Briefing: Making Sense of the IPCC's New Carbon Budget" (*Carbon Brief*, 23 out. 2013). Disponível em: <https://www.carbonbrief.org/carbon-briefing-making-sense-of-the-ipccs-new-carbon-budget>. Acesso em: 11 fev. 2018.

9. Jianping Huang et al., "Accelerated Dryland Expansion under Climate Change" (*Nature Climate Change*, v. 6, pp. 166-71, 2016). Thomas R. Knutson, "Tropical Cyclones and Climate Change" (*Nature Geoscience*, v. 3, pp. 157-63, 2010). Edward Hanna et al., "Ice-Sheet Mass Balance and Climate Change" (*Nature*, v. 498, pp. 51-9, 2013). Tim Wheeler e Joachim von Braun, "Climate Change Impacts on Global Food Security" (*Science*, v. 341, n. 6145, pp. 508-13, 2013). A. J. Challinor et al., "A Meta-Analysis of Crop Yield under Climate Change and Adaptation" (*Nature Climate Change*, v. 4, pp. 287-91, 2014). Elisabeth Lingren et al., "Monitoring EU Emerging Infectious Disease Risk Due to Climate Change" (*Science*, v. 336, n. 6080, pp. 418-9, 2012. Frank Biermann e Ingrid Boas, "Preparing for a Warmer World: Towards a Global Governance System to Protect Climate Change" (*Global Environmental Politics*, v. 10, n. 1, pp. 60-88, 2010).

Jeff Goodell, *The Water Will Come: Rising Seas, Sinking Cities and the Remaking of the Civilized World* (Nova York: Little, Brown and Company, 2017). Mark Lynas, *Six Degrees: Our Future on a Hotter Planet* (Washington: National Geographic, 2008). Naomi Klein, *This Changes Everything: Capitalism vs. Climate* (Nova York: Simon & Schuster, 2014). Kolbert, *The Sixth Extinction*, op. cit.

10. Johan Rockström et al., "A Roadmap for Rapid Decarbonization" (*Science*, v. 355, n. 6331, 23 mar. 2017). DOI: 10.1126/science.aah3443.

11. Institution of Mechanical Engineers, *Global Food: Waste Not, Want Not* (Londres: Institution of Mechanical Engineers, 2013, p. 12).

12. Paul Shapiro, *Clean Meat: How Growing Meat Without Animals Will Revolutionize Dinner and the World* (Nova York: Gallery Books, 2018).

13. "Russia's Putin Says Climate Change in Arctic Good for Economy" (CBS News, 30 mar. 2017). Disponível em: <http://www.cbc.ca/news/technology/russia-putin-climate-change-beneficial-economy-1.4048430>. Acesso em: 1 mar. 2018. Neela Banerjee, "Russia and the US Could be Partners in Climate Change Inaction" (*Inside Climate News*, 7 fev. 2017). Disponível em: <https://insideclimatenews.org/news/06022017/russia-vladimir-putin-donald-trump-climate--change-paris-climate-agreement>. Acesso em: 1 mar. 2018. Noah Smith, "Russia Wins in a Retreat on Climate Change" (*Bloomberg View*, 15 dez. 2016). Disponível em: <https://www.bloomberg.com/view/articles/2016-12-15/russia--wins-in-a-retreat-on-climate-change>. Acesso em: 1 mar. 2018. Gregg Easterbrook, "Global Warming: Who Loses — and Who Wins?" (*Atlantic*, abr. 2007). Disponível em: <https://www.theatlantic.com/magazine/archive/2007/04/global-warming-who-loses-and-who-wins/305698/>. Acesso em: 1 mar. 2018. Quentin Buckholz, "Russia and Climate Change: A Looming Threat" (*Diplomat*, 4 fev. 2016). Disponível em: <https://thediplomat.com/2016/02/russia-and-climate-change-a-looming-threat/>. Acesso em: 1 mar. 2018.

14. Brian Eckhouse, Ari Natter e Christopher Martin, "President Trump Slaps Tariffs on Solar Panels in Major Blow to Renewable Energy" (22 jan. 2018). Disponível em: <http://time.com/5113472/donald-trump-solar-panel-tariff/>. Acesso em: 30 jan. 2018.

15. Miranda Green e Rene Marsh, "Trump Administration Doesn't Want to Talk about Climate Change" (CNN, 13 set. 2017). Disponível em: <http://edition.cnn.com/2017/09/12/politics/trump-climate-change-silence/index.html>. Acesso em: 22 out. 2017. Lydia Smith, "Trump Administration Deletes Mention of 'Climate Change' from Environmental Protection Agency's Website" (*Independent*, 22 out. 2017). Disponível em: <http://www.independent.co.uk/news/world/americas/us-politics/donald-trump-administration-climate-change-deleted-environmental-protection-agency-website-a8012581.html>. Acesso em: 22 out. 2017. Alana Abramson, "No, Trump Still Hasn't Changed His Mind

About Climate Change After Hurricane Irma and Harvey" (*Time*, 11 set. 2017). Disponível em: <http://time.com/4936507/donald-trump-climate-change-hurricane-irma-hurricane-harvey/>. Acesso em: 22 out. 2017.

16. "Treaty Establishing a Constitution for Europe" (European Communities, 2005). Disponível em: <https://europa.eu/european-union/sites/europaeu/files/docs/body/treaty_establishing_a_constitution_for_europe_en.pdf>. Acesso em: 23 out. 2017.

8. RELIGIÃO: DEUS AGORA SERVE À NAÇÃO [pp. 164-77]

1. Bernard S. Cohn, *Colonialism and its Forms of Knowledge: The British in India* (Princeton: Princeton University Press, 1996, p. 148).

2. "Encyclical Letter Laudato Si' of the Holy Father Francis on Care for Our Common Home" (*The Holy See*). Disponível em: <http://w2.vatican.va/content/francesco/en/encyclicals/documents/papa-francesco_20150524_enciclica-laudato-si.html>. Acesso em: 3 dez. 2017.

3. Introduzido pela primeira vez por Freud em seu tratado de 1930, *O mal-estar na civilização*: Sigmund Freud, *Civilization and its discontents*, trad. de James Strachey (Nova York: W. W. Norton, 1961, p. 61).

4. Ian Buruma, *Inventing Japan, 1853-1964* (Nova York: Modern Library, 2003).

5. Robert Axell, *Kamikaze: Japan's Suicide Gods* (Londres: Longman, 2002).

6. Charles K. Armstrong, "Familism, Socialism and Political Religion in North Korea" (*Totalitarian Movements and Political Religions*, v. 6, n. 3, pp. 383-94, 2005). Daniel Byman e Jennifer Lind, "Pyongyang's Survival Strategy: Tools of Authoritarian Control in North Korea" (*International Security*, v. 35, n. 1, pp. 44-74, 2010). Paul French, *North Korea: The Paranoid Peninsula*, 2. ed. (Londres: Nova York: Zed Books, 2007). Andrei Lankov, *The Real North Korea: Life and Politics in the Failed Stalinist Utopia* (Oxford: Oxford University Press, 2015). Young Whan Kihl, "Staying Power of the Socialist 'Hermit Kingdom'", in Hong Nack Kim e Young WhanKihl (Orgs.), *North Korea: The Politics of Regime Survival* (Nova York: Routledge, 2006, pp. 3-36).

9. IMIGRAÇÃO: ALGUMAS CULTURAS TALVEZ SEJAM MELHORES QUE OUTRAS [pp. 178-97]

1. "Global Trends: Forced Displacement in 2016" (UNHCR, 2016). Disponível em: <http://www.unhcr.org/5943e8a34.pdf>. Acesso em: 11 jan. 2018.

2. Lauren Gambini, "Trump Pans Immigration Proposal as Bringing People from 'Shithole Countries'" (*The Guardian*, 12 jan. 2018). Disponível em: <https://www.theguardian.com/us-news/2018/jan/11/trump-pans-immigration-proposal-as-bringing-people-from-shithole-countries>. Acesso em: 11 fev. 2018.

3. Tal Kopan, "What Donald Trump Has Said about Mexico and Vice Versa" (CNN, 31 ago. 2016). Disponível em: <https://edition.cnn.com/2016/08/31/politics/donald-trump-mexico-statements/index.html>. Acesso em: 28 fev. 2018.

PARTE III: DESESPERO E ESPERANÇA

10. TERRORISMO: NÃO ENTRE EM PÂNICO [pp. 201-14]

1. Disponível em: <http://www.telegraph.co.uk/news/0/many-people-killed-terrorist-attacks-uk/>. Acesso em: 19 jun. 2018. National Consortium for the Study of Terrorism and Responses to Terrorism (START) (2016), Global Terrorism Database [Arquivo de dados]. Disponível em: <https://www.start.umd.edu/gtd>. Acesso em: 19 jun. 2018. Disponível em: <http://www.cnsnews.com/news/article/susan-jones/11774-number-terror-attacks-worldwide-dropped-13-2015>. Acesso em: 19 jun. 2018. Disponível em: <http://www.datagraver.com/case/people-killed-by-terrorism-per-year-in-western-europe-1970-2015>. Acesso em: 19 jun. 2018. Disponível em: <http://www.jewishvirtuallibrary.org/statistics-on-incidents-of-terrorism-worldwide>. Acesso em: 19 jun. 2018. Gary LaFree, Laura Dugan e Erin Miller, *Putting Terrorism in Context: Lessons from the Global Terrorism Database* (Londres: Routledge, 2015). Gary LaFree, "Using Open Source Data to Counter Common Myths about Terrorism", in Brian Forst, Jack Greene e Jim Lynch (Orgs.), *Criminologists on Terrorism and Homeland Security* (Cambridge: Cambridge University Press, 2011, pp. 411-42). Gary LaFree, "The Global Terrorism Database: Accomplishments and Challenges" (*Perspectives on Terrorism*, v. 4, pp. 24-46, 2010). Gary LaFree e Laura Dugan, "Research on Terrorism and Countering Terrorism", in M. Tonry (Org.), *Crime and Justice: A Review of Research* (Chicago: University of Chicago Press, 2009, pp. 413-77). Gary LaFree e Laura Dugan, "Introducing the Global Terrorism Database" (*Political Violence and Terrorism*, v. 19, pp. 181-204, 2007).

2. "Deaths on the Roads: Based on the WHO Global Status Report on Road Safety 2015" (Organização Mundial de Saúde). Disponível em: <https://wonder.cdc.gov/mcd-icd10.html>. Acesso em: 26 jan. 2016. "Global Status Report on Road Safety 2013", (Organização Mundial de Saúde). Disponível em: <http://gamapserver.who.int/gho/interactive_charts/road_safety/road_traffic_deaths/atlas.html>. Acesso em: 19 jun. 2018. Disponível em: <http://www.who.int/vio-

lence_injury_prevention/road_safety_status/2013/en>. Acesso em: 19 jun. 2018. Disponível em: <http://www.newsweek.com/2015-brought-biggest-us-traffic--death-increase-50-years-427759>. Acesso em: 19 jun. 2018.

3. Disponível em: <http://www.euro.who.int/en/health-topics/noncommunicable-diseases/diabetes/data-and-statistics>. Acesso em: 19 jun. 2018. Disponível em: <http://apps.who.int/iris/bitstream/10665/204871/1/9789241565257_eng.pdf?ua=1>. Acesso em: 19 jun. 2018. Disponível em: <https://www.theguardian.com/environment/2016/sep/27/more-than-million-died-due-air--pollution-china-one-year>. Acesso em: 19 jun. 2018.

4. Para a batalha, veja Gary Sheffield, *Forgotten Victory: The First World War. Myths and Reality* (Londres: Headline, 2001, pp. 137-64).

5. "Victims of Palestinian Violence and Terrorism since September 2000" (Ministério do Exterior de Israel). Disponível em: <http://mfa.gov.il/MFA/ForeignPolicy/Terrorism/Palestinian/Pages/Victims%20of%20Palestinian%20Violence%20and%20Terrorism%20sinc.aspx>. Acesso em: 23 out. 2017.

6. "Car Accidents with Casualties, 2002", em hebraico (Escritório Central de Estatística). Disponível em: <http://www.cbs.gov.il/www/publications/acci02/acci02h.pdf>. Acesso em: 23 out. 2017.

7. "Pan Am Flight 103 Fast Facts" (CNN, 16 dez. 2016). Disponível em: <http://edition.cnn.com/2013/09/26/world/pan-am-flight-103-fast-facts/index.html>. Acesso em: 23 out. 2017.

8. Tom Templeton e Tom Lumley, "9/11 in Numbers" (*The Guardian*, 18 ago. 2002). Disponível em: <https://www.theguardian.com/world/2002/aug/18/usa.terrorism>. Acesso em: 23 out. 2017.

9. Ian Westwell e Dennis Cove (Orgs.), *History of World War I*, v. 2 (Nova York: Marshall Cavendish, 2002, p. 431). Para Isonzo, veja John R. Schindler, *Isonzo: The Forgotten Sacrifice of the Great War* (Westport: Praeger, 2001, pp. 217-8).

10. Sergio Catignani, *Israeli Counter-Insurgency and the Intifadas: Dilemmas of a Conventional Army* (Londres: Routledge, 2008).

11. "Reported Rapes in France Jump 18% in Five Years" (France 24, 11 ago. 2015). Disponível em: <http://www.france24.com/en/20150811-reported-rapes-france-jump-18-five-years>. Acesso em: 11 jan. 2018.

11. GUERRA: NUNCA SUBESTIME A ESTUPIDEZ HUMANA [pp. 215-27]

1. Yuval Noah Harari, *Homo Deus: A Brief History of Tomorrow* [*Homo Deus: uma breve história do amanhã*] (Nova York: HarperCollins, 2017, pp. 14-9). "Global Health Observatory Data Repository, 2012" (Organização Mundial de Saúde). Disponível em: <http://apps.who.int/gho/data/node.main.RCOWORLD?lan-

g=en>. Acesso em: 16 ago. 2015. "Global Study on Homicide, 2013" (UNDOC). Disponível em: <http://www.unodc.org/documents/gsh/pdfs/2014_GLOBAL_HOMICIDE_BOOK_web.pdf>. Acesso em: 16 ago. 2015. Disponível em: <http://www.who.int/healthinfo/global_burden_disease/estimates/en/index1.html>.

2. "World Military Spending: Increases in the USA and Europe, Decreases in Oil-Exporting Countries" (*Stockholm International Peace Research Institute*, 24 abr. 2017). Disponível em: <https://www.sipri.org/media/press-release/2017/world-military-spending-increases-usa-and-europe>. Acesso em: 23 out. 2017.

3. Disponível em: <http://www.nationalarchives.gov.uk/battles/egypt/popup/telel4.htm>. Acesso em: 19 jun. 2018.

4. Spencer C. Tucker (Org.), *The Encyclopedia of the Mexican-American War: A Political, Social and Military History* (Santa Barbara: ABC-CLIO, 2013, p. 131).

5. Ivana Kottasova, "Putin Meets Xi: Two Economies, Only One to Envy" (CNN, 2 jul. 2017). Disponível em: <http://money.cnn.com/2017/07/02/news/economy/china-russia-putin-xi-meeting/index.html>. Acesso em: 23 out. 2017.

6. PIB segundo estatísticas do FMI, calculado com base na paridade do poder aquisitivo: Fundo Monetário Internacional, "Report for Selected Countries and Subjects, 2017". Disponível em: <https://www.imf.org/external/pubs/ft/weo/2017/02/weodata/index.aspx>. Acesso em: 27 fev. 2018.

7. Disponível em: <http://www.businessinsider.com/isis-making-50-million-a-month-from-oil-sales-2015-10>. Acesso em: 19 jun. 2018.

8. Ian Buruma, *Inventing Japan* (Londres: Weidenfeld & Nicolson, 2003); EriHotta, *Japan 1941: Countdown to Infamy* (Londres: Vintage, 2014).

12. HUMILDADE: VOCÊ NÃO É O CENTRO DO MUNDO [pp. 228-45]

1. Disponível em: <http://www.ancientpages.com/2015/10/19/10-remarkable-ancient-indian-sages-familiar-with-advanced-technology-science-long-before-modern-era/>. Acesso em: 19 jun. 2018. Disponível em: <https://www.hindujagruti.org/articles/31.html>. Acesso em: 19 jun. 2018. Disponível em: <http://mcknowledge.info/about-vedas/what-is-vedic-science/>. Acesso em: 19 jun. 2018.

2. Estes números e a proporção entre eles podem ser vistos claramente no diagrama disponível em: Conrad Conrad Hackett e David McClendon, "Christians Remain World's Largest Religious Group, but They Are Declining in Europe" (Pew Research Center, v. 5, abr. 2017). Disponível em: <http://www.pewresearch.org/fact-tank/2017/04/05/christians-remain-worlds-largest-religious-group-but-they-are-declining-in-europe/>. Acesso em: 13 nov. 2017.

3. Jonathan Haidt, *The Righteous Mind: Why Good People Are Divided by Politics and Religion* (Nova York: Pantheon, 2012); Joshua Greene, *Moral Tribes: Emotion, Reason, and the Gap Between Us and Them* (Nova York: Penguin, 2013).

4. Marc Bekoff e Jessica Pierce, "Wild Justice — Honor and Fairness among Beasts at Play" (*American Journal of Play*, v. 1, n. 4, pp. 451-75, 2009).

5. Frans de Waal, *Our Inner Ape* (Londres: Granta, 2005, cap. 5).

6. Frans de Waal, *Bonobo: The Forgotten Ape* (Berkeley: University of California Press, 1997, p. 157).

7. A história tornou-se o tema de um documentário intitulado *Chimpanzee*, lançado em 2010 pela Disneynature.

8. M. E. J. Richardson, *Hammurabi's Laws* (Londres, Nova York: T&T Clark International, 2000, pp. 29-31).

9. Loren R. Fisher, *The Eloquent Peasant*, 2. ed. (Eugene: Wipf & Stock Publishers, 2015).

10. Alguns rabinos permitiam a profanação do Shabat para salvar um gentio, com base na típica engenhosidade do Talmude. Eles alegavam que se judeus se abstivessem de salvar gentios isso enraiveceria os gentios e faria com que atacassem e matassem judeus. Assim, ao salvar um gentio poderia se estar salvando indiretamente um judeu. Mas até mesmo esta alegação destaca como se atribuíam valores diferentes para a vida de gentios e de judeus.

11. Catherine Nixey, *The Darkening Age: The Christian Destruction of the Classical World* (Londres: Macmillan, 2017).

12. Charles Allen, *Ashoka: The Search for India's Lost Emperor* (Londres: Little, Brown, 2012, p. 412-3).

13. Clyde Pharr. (Org.), *The Theodosian Code and Novels, and the Sirmondian Constitutions* (Princeton: Princeton University Press, 1952, pp. 440, 467-71).

14. Ibid., esp. pp. 472-3.

15. Sofie Remijsen, *The End of Greek Athletics in Late Antiquity* (Cambridge: Cambridge University Press, 2015, pp. 45-51).

16. Ruth Schuster, "Why Do Jews Win So Many Nobels?" (*Haaretz*, 9 out. 2013). Disponível em: <https://www.haaretz.com/jewish/news/1.551520>. Acesso em: 13 nov. 2017.

13. DEUS: NÃO TOMARÁS O NOME DE DEUS EM VÃO [pp. 246-53]

1. Lillian Faderman, *The Gay Revolution: The Story of the Struggle* (Nova York: Simon & Schuster, 2015).

2. Elaine Scarry, *The Body in Pain: The Making and Unmaking of the World* (Nova York: Oxford University Press, 1985).

14. SECULARISMO: TENHA CONSCIÊNCIA DE SUA SOMBRA
[pp. 254-67]

1. Jonathan H. Turner, *Incest: Origins of the Taboo* (Boulder: Paradigm Publishers, 2005). Robert J. Kelly et al., "Effects of Mother-Son Incest and Positive Perceptions of Sexual Abuse Experiences on the Psychosocial Adjustment of Clinic-Referred Men" (*Child Abuse & Neglect*, v. 26, n. 4, pp. 425-41, 2002). Mireille Cyr et al., "Intrafamilial Sexual Abuse: Brother-Sister Incest Does Not Differ From Father-Daughter and Stepfather-Stepdaughter Incest" (*Child Abuse & Neglect*, v. 26, n. 9, pp. 957-73, 2002). Sandra S. Stroebel, "Father-Daughter Incest: Data from an Anonymous Computerized Survey" (*Journal of Child Sexual Abuse*, v. 21, n. 2, pp. 176-99, 2010).

PARTE IV: VERDADE

15. IGNORÂNCIA: VOCÊ SABE MENOS DO QUE PENSA QUE SABE
[pp. 271-7]

1. Steven A. Sloman e Philip Fernbach, *The Knowledge Illusion: Why We Never Think Alone* (Nova York: Riverhead Books, 2017); Greene, *Moral Tribes*, op. cit.
2. Sloman e Fernbach, *The Knowledge Illusion*, op. cit., p. 20.
3. Eli Pariser, *The Filter Bubble* (Londres: Penguin, 2012); Greene, *Moral tribes*, op. cit.
4. Greene, *Moral Tribes*, op. cit.; Dan M. Kahan, "The Polarizing Impact of Science Literacy and Numeracy on Perceived Climate Change Risks" (*Nature Climate Change*, v. 2, pp. 732-5, 2012). Mas para uma visão oposta, veja Sophie Guy et al., "Investigating the Effects of Knowledge and Ideology on Climate Change Beliefs" (*European Journal of Social Psychology*, v. 44, n. 5, pp. 421-9, 2014).
5. Arlie Russell Hochschild, *Strangers in Their Own Land: Anger and Mourning on the American Right* (Nova York: The New Press, 2016).

16. JUSTIÇA: NOSSO SENSO DE JUSTIÇA PODE ESTAR DESATUALIZADO
[pp. 278-86]

1. Greene, *Moral Tribes*, op. cit.; Robert Wright, *The Moral Animal* (Nova York: Pantheon, 1994).
2. Kelsey Timmerman, *Where Am I Wearing?: A Global Tour of the Countries,*

Factories, and People That Make Our Clothes (Hoboken: Wiley, 2012); Kelsey Timmerman, *Where Am I Eating?: An Adventure Through the Global Food Economy* (Hoboken: Wiley, 2013).

3. Reni Eddo-Lodge, *Why I Am No Longer Talking to White People About Race* (Londres: Bloomsbury, 2017); Ta-Nehisi Coates, *Between the World and Me* (Melbourne: Text Publishing Company, 2015).

4. Josie Ensor, "'Everyone in Syria Is Bad Now'", Says UN War Crimes Prosecutor as She Quits Post" (*New York Times*, 17 ago. 2017). Disponível em: <http://www.telegraph.co.uk/news/2017/08/07/everyone-syria-bad-now-says-un-war-crimes-prosecutor-quits-post/>. Acesso em: 18 out. 2017.

5. Para um exemplo, Helena Smith, "Shocking Images of Drowned Syrian Boy Show Tragic Plight of Refugees" (*The Guardian*, 2 set. 2015). Disponível em: <https://www.theguardian.com/world/2015/sep/02/shocking-image-of-drowned-syrian-boy-shows-tragic-plight-of-refugees>. Acesso em: 18 out. 2017.

6. T. Kogut e I. Ritov, "The Singularity Effect of Identified Victims in Separate and Joint Evaluations" (*Organizational Behavior and Human Decision Processes*, v. 97, n. 2, pp. 106-16, 2005). D. A. Small e G. Loewenstein, "Helping a Victim or Helping the Victim: Altruism and Identifiability" (*Journal of Risk and Uncertainty*, v. 26, n. 1, pp. 5-16, 2003). Greene, *Moral Tribes*, op. cit., 264.

7. Russ Alan Prince, "Who Rules the World?" (*Forbes*, 22 jul. 2013). Disponível em: <https://www.forbes.com/sites/russalanprince/2013/07/22/who-rules-the-world/#63c9e31d7625>. Acesso em: 18 out. 2017.

17. PÓS-VERDADE: ALGUMAS *FAKE NEWS* DURAM PARA SEMPRE
[pp. 287-303]

1. Julian Borger, "Putin Offers Ukraine Olive Branches Delivered by Russian Tanks' (*The Guardian*, 4 mar. 2014). Disponível em: <https://www.theguardian.com/world/2014/mar/04/putin-ukraine-olive-branches-russian-tanks>. Acesso em: 11 mar. 2018.

2. Serhii Plokhy, *Lost Kingdom: The Quest for Empire and the Making of the Russian Nation* (Nova York: Basic Books, 2017); Snyder, *The Road to Unfreedom*, op. cit.

3. Matthew Paris, *Matthew Paris' English History*, trad. J. A. Gyles, vol. 3 (Londres: Henry G. Bohn, 1854, pp. 138-41). Patricia Healy Wasyliw, *Martyrdom, Murder and Magic: Child Saints and Their Cults in Medieval Europe* (Nova York: Peter Lang, 2008, pp. 123-5).

4. Cecilia Kang e Adam Goldman, "In Washington Pizzeria Attack, Fake News

Brought Real Guns" (*New York Times*, 5 dez. 2016). Disponível em: <https://www.nytimes.com/2016/12/05/business/media/comet-ping-pong-pizza-shooting-fake-news-consequences.html>. Acesso em: 12 jan. 2018.

5. Leonard B. Glick, *Abraham's Heirs: Jews and Christians in Medieval Europe* (Syracuse: Syracuse University Press, 1999, pp. 228-9).

6. Anthony Bale, "Afterword: Violence, Memory and the Traumatic Middle Ages", in Sarah Rees Jones e Sethina Watson (Orgs.), *Christians and Jews in Angevin England: The York Massacre of 1190, Narrative and Contexts* (York: York Medieval Press, 2013, p. 297).

7. Embora a citação seja frequentemente atribuída a Goebbels, convém assinalar que nem eu nem meu dedicado assistente para pesquisa conseguimos verificar que Goebbels alguma vez tivesse escrito ou dito isso.

8. Hilmar Hoffman, *The Triumph of Propaganda: Film and National Socialism, 1933-1945* (Providence: Berghahn Books, 1997, p. 140).

9. Lee Hockstader, "From a Ruler's Embrace to a Life in Disgrace" (*Washington Post*, 10 mar. 1995).

10. Thomas Pakenham, *The Scramble for Africa* (Londres: Weidenfeld& Nicolson, 1991, pp. 616-7).

18. FICÇÃO CIENTÍFICA: O FUTURO NÃO É O QUE VOCÊ VÊ NOS FILMES [PP. 304-16]

1. Aldous Huxley, *Brave new World* [*Admirável mundo novo*] (Londres: Vintage, 1932, cap. 17).

PARTE V: RESILIÊNCIA

19. EDUCAÇÃO: A MUDANÇA É A ÚNICA CONSTANTE [pp. 319-30]

1. Wayne A. Wiegand e Donald G. Davis (Orgs.), *Encyclopedia of Library History* (Nova York, Londres: Garland Publishing, 1994, pp. 432-3).

2. Verity Smith (Org.), *Concise Encyclopedia of Latin American Literature* (Londres, Nova York: Routledge, 2013, pp. 142, 180).

3. Cathy N. Davidson, *The New Education: How to Revolutionize the University to Prepare Students for a World in Flux* (Nova York: Basic Books, 2017). Bernie Trilling, *21st Century Skills: Learning for Life in Our Times* (San Francisco: Jossey-Bass, 2009). Charles Kivunja, "Teaching Students to Learn and to Work Well with 21st Century Skills: Unpacking the Career and Life Skills Domain of

the New Learning Paradigm" (*International Journal of Higher Education*, v. 4, n. 1, 2015). Para o site de P21, veja: "P21 Partnership for 21st Century Learning". Disponível em: <http://www.p21.org/our-work/4cs-research-series>. Acesso em: 12 jan. 2018. Para um exemplo da implementação de novos métodos pedagógicos, veja, por exemplo, a publicação da us National Education Association: "Preparing 21st Century Students for a Global Society" (NEA). Disponível em: <http://www.nea.org/assets/docs/A-Guide-to-Four-Cs.pdf>. Acesso em: 21 jan. 2018.

4. Maddalaine Ansell, "Jobs for Life Are a Thing of the Past. Bring On Lifelong Learning" (*The Guardian*, 31 maio 2016). Disponível em: <https://www.theguardian.com/higher-education-network/2016/may/31/jobs-for-life-are-a--thing-of-the-past-bring-on-lifelong-learning>. Acesso em: 19 jun. 2018.

5. Erik B. Bloss et al., "Evidence for Reduced Experience-Dependent Dendritic Spine Plasticity in the Aging Prefrontal Cortex" (*Journal of Neuroscience*, v. 31, n. 21, pp. 7831-9, 2011). Miriam Matamales et al., "Aging-Related Dysfunction of Striatal Cholinergic Interneurons Produces Conflict in Action Selection" (*Neuron*, v. 90, n. 2, pp. 362-72, 2016). Mo Costandi, "Does Your Brain Produce New Cells? A Skeptical View of Human Adult Neurogenesis" (*The Guardian*, 23 fev. 2012). Disponível em: <https://www.theguardian.com/science/neurophilosophy/2012/feb/23/brain-new-cells-adult-neurogenesis>. Acesso em: 17 ago. 2017. Gianluigi Mongillo, Simon Rumpel e Yonatan Loewenstein, "Intrinsic Volatility oOf Synaptic Connections — A Challenge to the Synaptic Trace Theory of Memory" (*Current Opinion in Neurobiology*, v. 46, pp. 7-13, 2017).

20. SENTIDO: A VIDA NÃO É UMA HISTÓRIA [pp. 331-77]

1. Karl Marx e Friedrich Engels, *Manifesto do Partido Comunista* (São Paulo: Companhia das Letras, 2012, pp. 34-5, 44).

2. Ibid., pp. 44-5.

3. Raoul Wootlif, "Netanyahu Welcomes Envoy Friedman to 'Jerusalem, Our Eternal Capital'" (*Times of Israel*, 16 maio 2017). Disponível em: <https://www.timesofisrael.com/netanyahu-welcomes-envoy-friedman-to-jerusalem-our--eternal-capital/>. Acesso em: 12 jan. 2018. Peter Beaumont, "Israeli Minister's Jerusalem Dress Proves Controversial in Cannes" (*The Guardian*, 18 maio 2017). Disponível em: <https://www.theguardian.com/world/2017/may/18/israeli-minister-miri-regev-jerusalem-dress-controversial-cannes>. Acesso em: 12 jan. 2018. Lahav Harkov, "New 80-Majority Jerusalem Bill Has Loophole Enabling

City to Be Divided" (*Jerusalem Post*, 2 jan. 2018). Disponível em: <http://www.jpost.com/Israel-News/Right-wing-coalition-passes-law-allowing-Jerusalem-to-be-divided-522627>. Acesso em: 12 jan. 2018.

4. K. P. Schroder e Robert Connon Smith, "Distant Future of the Sun and Earth Revisited" (*Monthly Notices of the Royal Astronomical Society*, v. 386, n. 1, pp. 155-63, 2008).

5. Veja especialmente: Roy A. Rappaport, *Ritual and Religion in the Making of Humanity* (Cambridge: Cambridge University Press, 1999). Graham Harvey, *Ritual and Religious Belief: A Reader* (Nova York: Routledge, 2005).

6. Essa é a interpretação mais comum, embora não seja a única, da composição de hocus pocus: Leslie K. Arnovick, *Written Reliquaries* (Amsterdam: John Benjamins Publishing Company, 2006, p. 250, n. 30).

7. Joseph Campbell, *The Hero with a Thousand Faces* (Londres: Fontana Press, 1993, p. 235).

8. Xinzhong Yao, *An Introduction to Confucianism* (Cambridge: Cambridge University Press, 2000, pp. 190-9).

9. "Flag Code of India, 2002" (Press Information Bureau, Government of India). Disponível em: <http://pib.nic.in/feature/feyr2002/fapr2002/f030420021.html>. Acesso em: 13 ago. 2017.

10. Disponível em: <http://pib.nic.in/feature/feyr2002/fapr2002/f030420021.html>. Acesso em: 19 jun. 2018.

11. Disponível em: <https://www.thenews.com.pk/latest/195493-Heres-why-Indias-tallest-flag-cannot-be-hoisted-at-Pakistan-border>. Acesso em: 19 jun. 2018.

12. Stephen C. Poulson, S*ocial Movements in Twentieth-Century Iran: Culture, Ideology and Mobilizing Frameworks* (Lanham: Lexington Books, 2006, p. 44).

13. Houman Sharshar (Org.), *The Jews of Iran: The History, Religion and Culture of a Community in the Islamic World* (Nova York: Palgrave Macmillan, 2014, pp. 52-5). Houman M. Sarshar, *Jewish Communities of Iran* (Nova York: Encyclopedia Iranica Foundation, 2011, pp. 158-60).

14. Gersion Appel, *The Concise Code of Jewish Law*, 2. ed. (Nova York: KTAV Publishing House, 1991, p. 191).

15. Veja especialmente: Robert O. Paxton, *The Anatomy of Fascism* (Nova York: Vintage Books, 2005).

16. Richard Griffiths, *Fascism* (Londres; Nova York: Continuum, 2005, p. 33).

17. Christian Goeschel, *Suicide in the Third Reich* (Oxford: Oxford University Press, 2009).

18. "Paris Attacks: What Happened on the Night" (BBC, 9 dez. 2015). Dispo-

nível em: <http://www.bbc.com/news/world-europe-34818994>. Acesso em: 13 ago. 2017. Anna Cara, "ISIS Expresses Fury over French Airstrikes in Syria; France Says They Will Continue" (CTV News, 14 nov. 2015). Disponível em: <http://www.ctvnews.ca/world/isis-expresses-fury-over-french-airstrikes-in-syria--france-says-they-will-continue-1.2658642>. Acesso em: 13 ago. 2017.

19. Jean de Joinville, *The Life of Saint Louis*, in M. R. B. Shaw (Org.), *Chronicles of the Crusades* (Londres: Penguin, 1963, p. 243). Jean de Joinville, *Vie de saint Louis*, ed. Jacques Monfrin (Paris, 1995, cap. 319, p. 156).

20. Ray Williams, "How Facebook Can Amplify Low Self-Esteem/Narcissism/Anxiety" (*Psychology Today*, 20 maio 2014). Disponível em: <https://www.psychologytoday.com/blog/wired-success/201405/how-facebook-can-amplify--low-self-esteemnarcissismanxiety>. Acesso em: 17 ago. 2017.

21. *Mahasatipatthana Sutta*, cap. 2, seção 1, ed. Vipassana Research Institute (Igatpuri: Vipassana Research Institute, 2006, pp. 12-3).

22. Ibid., p. 5.

23. G. E. Harvey, *History of Burma: From the Earliest Times to 10 March 1824* (Londres: Frank Cass & Co. Ltd, 1925, pp. 252-60).

24. Brian Daizen Victoria, *Zen at War* (Lanham: Rowman & Littlefield, 2006); Buruma, *Inventing Japan*, op. cit.; Stephen S. Large, "Nationalist Extremism in Early Showa Japan: Inoue Nissho and the 'Blood-Pledge Corps Incident', 1932" (*Modern Asian Studies*, v. 35, n. 3, pp. 533-64, 2001); W. L. King, *Zen and the Way of the Sword: Arming the Samurai Psyche* (Nova York: Oxford University Press, 1993); Danny Orbach, "A Japanese Prophet: Eschatology and Epistemology in the Thought of Kita Ikki" (*Japan Forum*, v. 23, n. 3, pp. 339-61, 2011).

25. "Facebook Removes Myanmar Monk's Page for 'Inflammatory Posts' about Muslims" (*Scroll.in*, 27 fev. 2018). Disponível em: <https://amp.scroll.in/article/870245/facebook-removes-myanmar-monks-page-for-inflammatory-posts--about-muslims>. Acesso em: 4 mar. 2018. Marella Oppenheim, "'It Only Takes One Terrorist': The Buddhist Monk Who Reviles Myanmar's Muslims" (*The Guardian*, 12 maio 2017). Disponível em: <https://www.theguardian.com/global--development/2017/may/12/only-takes-one-terrorist-buddhist-monk-reviles-myanmar-muslims-rohingya-refugees-ashin-wirathu>. Acesso em: 4 mar. 2018.

26. Jerzy Lukowski e Hubert Zawadzki, *A Concise History of Poland* (Cambridge: Cambridge University Press, 2001, p. 163).

21. MEDITAÇÃO: APENAS OBSERVE [pp. 378-89]

1. Disponível em: <www.dhamma.org>. Acesso em: 19 jun. 2018.

2. Britta K. Hölzel et al., "How Does Mindfulness Meditation Work? Proposing Mechanisms of Action from a Conceptual and Neural Perspective" (*Perspectives on Psychological Science*, v. 6, n. 6, pp. 537-59, 2011). Adam Moore e Peter Malinowski, "Meditation, Mindfulness and Cognitive Flexibility'" (*Consciousness and Cognition*, v. 18, n. 1, pp. 176-86, 2009). Alberto Chiesa, Raffaella Calati e Alessandro Serretti, "Does Mindfulness Training Improve Cognitive Abilities? A Systematic Review of Neuropsychological Findings" (*Clinical Psychology Review*, v. 31, n. 3, pp. 449-64, 2011). Antoine Lutz et al., "Attention Regulation and Monitoring in Meditation" (*Trends in Cognitive Sciences*, v. 12, n. 4, pp. 163-9, 2008). Richard J. Davidson et al., "Alterations in Brain and Immune Function Produced by Mindfulness Meditation" (*Psychosomatic Medicine*, v. 65, n. 4, pp. 564-70, 2003). Fade Zeidan et al., "Mindfulness Meditation Improves Cognition: Evidence of Brief Mental Training" (*Consciousness and Cognition*, v. 19, n. 2, pp. 597-605, 2010).

Índice remissivo

1984 (Orwell), 79, 312

abássidas, califas, 125
aborígenes, 235, 283, 289
aborto, 69
Abraão (patriarca hebreu), 230, 235, 336
Administração Nacional de Segurança de Trânsito em Estradas dos Estados Unidos, 46
Admirável Mundo Novo (Huxley), 311-2, 315
Afeganistão, 53, 134, 146, 195, 201, 217, 263
África, 133, 178, 192, 212, 229, 231, 281, 285; Oriental, 296
África do Sul, 33, 105
afro-americanos, 191, 193, 283
agricultura, 41, 52, 103, 151-2, 165-6, 233, 320, 328, 361
Aisne, terceira Batalha do (1918), 203
Alá, 137, 166, 168, 255, 334, 353; *ver também* Islã; Maomé, profeta

Al-Aqsa, mesquita de (Jerusalém), 35
Al-Baghdadi, Abu Bakr, 130
Alemanha, 27, 33, 97, 126, 141, 146, 179, 189, 212-3, 216, 218, 243, 281, 311, 359-60; nazista, 95, 175, 282; Oriental, 126; República Federal da Alemanha (Alemanha Ocidental), 126
Alfredo, o Grande (rei da Inglaterra), 178
algoritmos, 27, 38, 42, 45, 47, 50-1, 60-2, 68, 72-5, 77, 79-80, 83, 86-8, 92-8, 101, 107-8, 111, 118, 123, 159, 264, 305, 307, 312, 324, 326, 329-30, 366, 388-9; *ver também* Big Data; inteligência artificial; tecnologia da informação
Ali, Hussein ibn, 353
Alibaba (site de vendas), 77
AlphaZero (programa de computador), 54-5
al-Qaeda, 205, 211-2

Amazon (site de vendas), 64-6, 77, 79, 122, 329-30
Amazônia, 151
América do Norte, 23, 265
América do Sul, 170-1
Amós, profeta, 236-7
Amritsar, massacre de (1919), 29
Andéol, Emilie, 134
animais, 14, 101, 103, 117, 123, 126, 130, 144, 151, 154, 229, 239, 251, 272, 279, 304, 331, 333
Antigo Regime (França), 95
Antigo Testamento, 231, 233-4, 237, 239; ver também Bíblia
antissemitismo, 182-3, 243-5, 293; ver também judeus
"anúncio da margarida" (campanha presidencial dos EUA, 1964), 147-9
Apple, 122, 223
aprendizado de máquina, 27, 40, 48, 57, 92, 94, 304, 329
aquecimento global, 12, 35, 108, 142, 153, 155-6, 161, 164-5, 167, 171, 177, 212, 245, 273, 278; ver também mudança climática
Aquenáton, faraó, 239
árabes, 168, 234; ver também Primavera Árabe
Arábia Saudita, 134, 155, 168, 172-3, 175, 179, 189
Argélia, 184-5
Arjuna (personagem do Bhagavad Gita), 332-4, 365
armas, de destruição em massa, 16, 210-1, 213; nucleares, 147, 176, 211, 223, 228; sistemas de armas autônomos, 92; ver também bomba atômica; guerra nuclear

arte, 13, 47-8, 50-1, 77, 82-3, 102, 222, 229, 232, 234, 295, 302, 324, 340, 358-9
Ashura, dia da (festival xiita), 353-4
Ásia, 64, 338; sudeste da, 132
Asoka, imperador indiano, 240-1, 350
assédio sexual, 14
assírios, 216
astecas, 229, 354
ateniense, democracia, 127
Austrália, 33, 81, 151, 185, 191, 230, 235, 289
autoritarismo, 95, 222, 263, 322
Avesta, 291
Ayodhya (Índia), 356
Babri, mesquita (Ayodhya, Índia), 356
Baidu (companhia tecnológica), 45, 66, 74, 329
bancos, 96, 139, 223
bandeiras nacionais, 134-6, 138, 350-1, 368
Bangladesh, 64, 336
Bélgica, 136, 209
belicismo, 215
Bellaigue, Christopher de, 125
bem-estar social, 15, 30, 103, 105, 146-8, 357
Berko, Anat, 289
Berlim, 21, 216, 220, 361
bestialismo, ética secular e, 257
Bhagavad Gita (epopeia hindu), 332
Bhardwaj, Maharishi, 228
Bíblia, 35, 164, 169, 171, 233, 236, 238, 248, 250, 258, 290-2, 298, 364
Big Bang, 247, 341
Big Data, 15, 38, 48, 69, 72, 74-5, 79-80, 92-3, 97, 101, 329; ver também algoritmos; inteligência artificial; tecnologia da informação

Bin Laden, Osama, 128
bioengenharia, 38, 66, 105-6, 157, 159, 164, 303, 320
bioquímica, 48, 51, 99, 110, 383-4
biotecnologia, 15, 17, 19, 24-7, 37-8, 43, 58, 66, 74, 95, 104, 111, 113, 142, 157-8, 221, 264, 312, 329
bioterrorismo, 211
Birmânia (Mianmar), 372-3
Bismarck, Otto von, 130
bitcoin, 25
Blair, Tony, 211-2
blockchain, tecnologia de, 25, 27
Bom Samaritano, parábola do, 84-5
bomba atômica, 156, 223, 272, 288
bombardeios aéreos, 220, 321, 361-2
Bósnia, 91
Bouazizi, Mohamed, 14
Brasil, 22, 105, 133, 154, 168
Brexit, referendo do (2016), 23-4, 28, 31, 35, 70-2, 124, 131, 149
Brihadaranyaka Upanishad (texto hindu), 348, 370
Bruxelas, 125, 131, 216; atentado a bombas em (2016), 202
Buda, 238-9, 370-3, 386
budismo, 85, 134, 174, 231-2, 234, 245, 341-2, 356, 370, 372-4
Bulgária, 212
Bush, George W., 22, 211-2, 220, 224

caçadores-coletores, 102, 133, 146, 188, 235, 278, 282, 284, 286
Califórnia, 27, 64, 115, 119, 189, 216, 222, 224, 249-50, 327
Calorlândia (país fictício), 189-90, 193-6
calotas polares, derretimento das, 153, 265, 321

Cambridge Analytica, escândalo da, 110, 116
Cambridge, Universidade de, 32, 70, 243
Cameron, David, 70-1
campanhas presidenciais dos Estados Unidos, de 1964, 147-9; de 2016, 23-4, 27-8, 36, 115
Canaã, 237, 239; *ver também* Israel; Palestina
Canadá, 33, 104
Canuto, o Grande (rei da Dinamarca), 138
capitalismo, 14, 36, 82, 142, 148, 168, 172, 174, 188, 262, 304
"carne limpa", desenvolvimento de uma, 153-4
Caro, José (rabi), 244
carros autodirigidos, 44-5, 57, 66, 84, 87, 89, 211
casamento gay, 69, 247, 257; *ver também* homossexualidade; LGBT, população
Catalunha, 161
Catedral de Lincoln (Inglaterra), 293
catolicismo, 141, 170-1, 175, 265, 366
Cazaquistão, 294
"centauros" (equipes de seres humanos e inteligência artificial), 52, 54
cérebro, 14, 25, 42, 72-4, 77, 92, 109, 123, 298, 301, 307, 310-2, 315, 320, 326, 329, 338, 357, 367, 380, 383-7; interfaces cérebro-computador, 123, 320; *ver também* mente humana
Chade, 136, 155
Charlie Hebdo (jornal francês), 129
Chemosh (divindade moabita), 239
Chigaku, Tanaka, 373

chimpanzés, 126, 235-6
Chin, dinastia, 216
China, 13, 28, 31, 33, 93, 105, 148, 150, 154-7, 174, 201, 212-3, 216-9, 221, 223, 229-31, 242, 251, 289, 312, 320-1, 349-50
Churchill, Winston, 79, 142, 301
ciberterrorismo, 211
ciborgues, 27, 106, 264, 342
Cisjordânia, 93-4, 279
civilização, 13, 24, 58, 106, 124-5, 127, 131, 141-4, 150-2, 159, 167, 177, 196, 242, 313
"classe sem utilidade", revolução tecnológica e, 39
Clinton, Bill, 23, 212, 220
Clinton, Hillary, 27, 129, 293
Coca-Cola, 77, 295-6, 329
Código da Bandeira da Índia (2002), 350
Comitê Olímpico Internacional, 136-7
compaixão, 90-1, 100, 249-51, 255-6, 258, 260-3, 373-4
comportamental, economia, 41
computadores, 25, 41-6, 52, 54-6, 60, 62, 64, 66, 74-6, 83, 88, 98-9, 101, 119, 142, 175, 264, 329, 384; interfaces cérebro-computador, 123, 320; *ver também* inteligência artificial; robôs
comunidades, 62, 68, 115-9, 121, 123, 144, 169, 192, 231, 234, 286, 292-3, 299
comunismo, 14-5, 21, 29-31, 34, 57, 59-60, 62-3, 103, 126, 169-70, 172, 221-2, 294, 300, 311, 335-6, 343
Confúcio, 228, 238-9, 349
confucionismo, 174, 245

Congo, 134, 139, 146, 216, 263
conhecimento, ilusão do, 272-3
consciência, 12, 61, 73, 98-100, 158, 246, 305, 380, 385-6; *ver também* mente humana
Conselho sobre Religião e o Homossexual (CRH), 249-50
conservadores, 69, 274, 373
conspiração, teorias de, 277, 285
Constâncio I (imperador romano), 241
Constantino, o Grande (imperador romano), 241
Constantinopla, 228
Constituição da União Europeia, 127, 161
Contos da Cantuária (Chaucer), 292
cooperação, 31, 52, 54, 73, 113, 150, 162, 172, 176, 191, 235, 291, 293, 296
cor da pele, 192
Corão, 164, 168-70, 229, 248, 290-1, 334, 364
Coreia do Norte, 22, 92, 175-7, 213, 224
Coreia do Sul, 33
corpo humano, 59, 103, 123, 139-40, 192, 320, 327
corporações, 14-5, 60, 62, 74, 80, 96, 109-10, 117-8, 122-3, 139, 154, 161, 208, 223, 297-8
corrupção, 32-3, 35, 92, 237
Costa do Marfim, 136
criatividade, 47, 55, 105, 229, 309, 323, 365-6
Crimeia, 218-9, 222, 225, 287, 295
criptomoedas, 25
crise dos mísseis (Cuba, 1962), 149
crise financeira global (2008), 23, 215

cristianismo, 33, 85, 127, 130, 163-4, 168-9, 172-3, 175, 177, 181, 183, 231-5, 238-41, 243, 245, 248, 250, 255, 260-1, 265, 290, 293, 300, 346-7, 353-4, 356, 359, 376
Cristo *ver* Jesus Cristo
croatas, 346
Cruzadas, 232, 249, 265, 362
Cuba, 28, 149
culturas, 178, 187-8, 193, 227, 265, 286, 345, 349, 384-5, 388
"culturismo", 187, 191, 193-5
Cúpula de Comunidades (2017), 115
"custo de oportunidade", 212

darma, 332-3, 350, 365, 378
Darwin, Charles, 243; *A origem das espécies*, 130-1
darwinismo, 266; *ver também* evolução
Davos, Fórum Econômico Mundial em (Suíça), 277
Dawkins, Richard, 71
Declaração de Direitos Humanos das Nações Unidas, 263-4
Decretos Teodosianos (Roma, 391 d.C), 241
Deep Blue (programa de computador), 52
democracia, 12-3, 17-8, 23, 30-2, 36, 57, 70-2, 79, 82, 94-6, 103, 124, 127, 181, 271, 275
desemprego, 39-40, 53, 56-7, 68; *ver também* empregos
desigualdade, 13, 33, 67, 102-5, 111, 278; *ver também* igualdade humana
desorientação, sensação de, 24, 120
Deus, 13, 16, 72, 139, 164, 177, 232, 238-41, 245-50, 253, 256, 257, 260-2, 280, 291-2, 296, 304, 331, 344, 350-1, 354, 371-2
deuses, 12, 14, 37, 117, 165, 176, 237, 240, 249-50, 254, 291, 344, 352, 354, 356, 357-8
Dez Mandamentos, 248
"dilema do bonde", 84
Dinamarca, 22, 125, 138, 184, 195, 250, 263
dióxido de carbono, emissões de, 152; *ver também* aquecimento global
direitos humanos, 14, 22, 30-1, 36, 70, 124, 127, 133, 261, 263-4, 373
discriminação, 96-7, 104, 173, 193, 195, 240, 250, 260, 283; *ver também* "culturismo"; racismo
disrupção tecnológica, 24, 36-7, 156-8, 161, 177, 196, 271
ditaduras, 22-3, 57, 89, 93-6, 103, 217, 263, 366; "ditaduras digitais", 15, 68, 89, 95-6, 110, 157
Divertida mente (filme), 310-1
DNA, 75, 95-6, 109, 130, 192, 229
doenças, 36, 44, 51, 75-6, 98, 118, 140-1, 166, 172, 260, 272, 312, 320, 354, 388
dogmas, 170, 262-3, 277, 286, 386
dólar, 297-8
Donbas (Ucrânia), 295
Donetsk (Ucrânia), 219, 288

ecologia, 26, 155, 162; crise ecológica/colapso ecológico, 16, 26, 36-7, 151, 154, 157, 159, 177, 196
economia, 25, 28, 41, 46, 56-7, 60, 69, 71, 94, 97, 103, 131, 141, 150, 159, 162, 167-70, 221-2, 285, 323
educação, 30, 37, 56, 59, 62, 65-7, 95,

103, 105, 146-8, 243, 259, 261, 271, 273, 322, 327
Egito, 104, 166, 216, 362; antigo, 166, 237, 348
Einstein, Albert, 71, 228, 242-4
El Mansoura, batalha de (1250), 362
El Salvador, 22, 192
Ela (filme), 304
elite global, 21, 282
Elizabeth II, rainha da Inglaterra, 70
empregos, 27, 38, 40, 46, 51-4, 56-9, 61-2, 68, 142, 178, 180, 193, 323-4; *ver também* desemprego; mercado de trabalho
empréstimos bancários, 96
energia renovável, 153, 156
enfermeiras, 47, 140-1
Engels, Friedrich, 323
engenharia genética, 27, 58, 157, 304
epidemias *ver* doenças
Erdo an, Recep Tayyip, 224
Escócia, 161
escravidão, 188, 192
Espanha, 161, 216, 293, 354
"especiação", 105-6
Espinosa, Baruch, 242
Estado Islâmico, 124-6, 129-30, 139-40, 223, 249, 308, 361-2
Estados falidos, 146, 263
Estados Unidos, 23, 27, 30-1, 33, 35, 46, 52-3, 56, 64-5, 69, 90-1, 93-4, 105-6, 125, 128, 132, 136, 141, 148-50, 156-7, 164, 168, 175, 182, 185, 191-2, 201, 204, 208, 211, 213, 216-21, 223-4, 243, 274
Estela de Mesa (documento moabita em pedra), 239
estresse, 56, 85, 325
estupro, 78, 207, 257

ética, 83-7, 234-5, 238, 249, 256-7, 308
Europa, 13, 23, 31, 66, 127, 132, 137, 139, 141-2, 148, 161, 166, 178-9, 182-4, 186, 195-6, 202, 212-3, 216, 220, 242, 251, 293, 312, 360, 375; *ver também* União Europeia
evangélicos, 171
evolução, 73, 130, 145-6, 158, 164, 235, 243, 256, 258, 272-3, 278, 282-3, 336, 339-41
Ex Machina (filme), 305
Exército Popular de Libertação, 223
Exército Vermelho, 221
expectativa de vida, 140, 320

Facebook, 15, 50, 83, 93-4, 96, 107, 115-23, 223, 286, 290, 292, 295, 368-9, 374
fake news, 13, 287, 290, 293-5, 300
fascismo, 14-5, 21, 29, 31, 57, 182, 196, 294, 311, 357-60, 363, 373
FDI (Forças de Defesa de Israel), 218
felicidade, 67, 251-2, 263, 312-3, 334, 361-2, 381, 386
feminismo, 118, 182, 261, 271, 305, 343
Fernbach, Philip, 272
ficção científica, 89, 98, 100, 154, 302-6, 308, 324
Filipinas, 164, 204
"Fim da História", 30
Finlândia, 63, 104
Floresta Amazônica, 151
fome, 30, 36, 57, 67, 145, 260, 265, 279, 295, 312, 333
Força Aérea dos Estados Unidos, 52
Fórum Econômico Mundial (Davos, Suíça), 277
fosfato como fertilizante, 151

Foucault, Michel, 125
França, 29, 33, 95, 105, 125, 128, 136-7, 184-5, 207-8, 216, 243, 255, 350, 361-2
Francisco Ferdinando, arquiduque, 28, 31
Francisco, papa, 171
Freddy (chimpanzé), 236
Freud, Sigmund, 173, 232-3, 242-4, 351
Friedman, Milton, 168
Friócia (país fictício), 189-90, 193
Front National (França), 33
fundamentalismo islâmico, 35, 118, 125, 139, 203; *ver também* Islã; muçulmanos
futebol, 298-9

Galileu Galilei, 242, 259
Gandhi, Mahatma, 169-70
gases de efeito estufa, 152-3, 155
Gaza (Palestina), 218
Gêngis Khan, 220, 224
Geórgia, 220, 222
globalização, 16, 23, 27-8, 31, 63, 102, 104-6, 131-2, 143, 148, 178
Goebbels, Joseph, 294
Goenka, S. N., 379, 386
Google, 54, 60-1, 64-6, 74, 80-3, 97, 107-8, 121-2, 223, 346; Glass, 123; Maps, 80-2; Tradutor, 323
gorilas, 126, 130
Gove, Michael, 71-2
Grã-Bretanha *ver* Inglaterra
Grande Barreira de Corais (Austrália), 151
Grande Depressão, 312
Grande Fome Ucraniana (1932-3), 57
Grande Revolta Judaica (66-70 d.C), 296

Grécia, 33; antiga, 228-9
Guardian, The (jornal), 374
guerras, 29, 57-8, 91, 132, 136, 149, 159, 212, 215-220, 222, 224-5, 240, 263, 285, 294, 312-3, 337, 346, 349, 367; "Guerra ao Terror", Estados Unidos e a, 211; "guerra cibernética", 164, 221, 224; guerra nuclear, 34, 58, 147, 149-50, 152, 155, 157-8, 161, 177, 196; Guerra do Golfo, primeira (1990-1), 217, 219; Guerra do Vietnã (1955-75), 90-1, 132; Guerra Fria, 132, 148-9, 221, 226; guerra Irã-Iraque (1980-88), 217; guerra mexicano-americana (1846-48), 216; *ver também* Primeira Guerra Mundial; Segunda Guerra Mundial
Guevara, Che, 29, 31, 171
Guilherme II, imperador alemão, 127-8
Guilherme, o Conquistador (rei da Inglaterra), 224
Guiné, 136, 336, 339

Haber, Fritz, 243-4
Haiti, 192
Hamas (movimento palestino), 218
HaMevasser (jornal judaico), 129
Hamlet (Shakespeare), 363
Hamodia (jornal judaico), 129
Hamurabi, rei babilônio, 237
Harry Potter (Rowling), 291
Hastings, Batalha de (1066), 224
Hayek, Friedrich, 168-9
Hilel, o Velho (rabino), 239
hinduísmo, 164, 168, 172, 234, 245, 248, 341
Hirohito, imperador do Japão, 292

Hiroshima, ataque atômico a (1945), 147, 150, 223
Hitler, Adolf, 29, 31, 95-6, 127-8, 142, 223, 264, 288, 294, 360-1
Holanda, 30, 63
Holocausto, 231, 293, 335, 359
Holoceno, 151
Homero, 228
hominídeos, 144, 158
Homo Deus: Uma breve história do amanhã (Harari), 12-3, 15, 383
Homo sapiens, 16-7, 42, 56, 65-7, 85, 105-6, 121, 144, 146, 151, 153, 158, 233, 236, 248, 258, 264, 272-3, 289-90, 296, 300, 305, 331, 338, 343
homofobia, 183, 233, 238, 247
homossexualidade, 89, 249-50, 257
Hsinbyushin, rei birmanês, 372-3
Hugh de Lincoln, 292-3
humildade, 226, 228, 245
Hungria, 212, 216
Hussein, Saddam, 226

Iahweh (divindade hebraica), 35, 238-9, 248, 357
IBM (International Business Machines), 45, 52, 54
Idade da Pedra, 102, 117, 229, 235, 272, 290
Idade Média, 66, 125, 132, 164, 166, 176, 207-8, 255, 293, 342, 379
identidades de massa, 172
identidades nacionais, 141, 161-2, 175-6, 184, 357
Iêmen, 217
ignorância, 55, 229, 246, 259, 264, 266, 273-5, 277, 280-2, 286
Igreja católica *ver* catolicismo
Igreja ortodoxa, 33, 35, 175, 177, 294, 346, 376

Igreja presbiteriana, 84
igualdade humana, 15-6, 29, 37, 95, 101-3, 113, 127, 184, 255, 258, 260-1
Iluminismo Judaico, 242
imigrantes, 13, 36, 125, 178-90, 192, 194, 196
imperialismo, 28-9, 31, 34, 139, 265
Império Babilônico, 237
Império Otomano, 194-5
Império Pala (Índia), 178
Império Romano, 185, 231-2, 240-1, 296
Império Song (China), 137, 320
impostos, 25, 62, 65, 122, 138, 168, 257, 356
impressoras 3-D, 64
incas, 354
incesto, ética secular e, 257
Índia, 22, 35, 64, 104-5, 132, 140, 148, 150, 164, 168-9, 178, 228, 230-1, 240-2, 321, 328, 350-1, 379, 386
índios, 136, 233, 314
individualidade, 45, 272
Indonésia, 30, 34, 135-6
infanticídio, 188
Inglaterra, 23, 29, 33, 35, 70-1, 125, 137-8, 141, 149, 178, 191, 208, 216, 223-4, 292-3
Inoue, Nissho, 373
Inquisição, 74, 127, 249, 264-5, 354, 366
Instagram, 368
Institution of Mechanical Engineers, 154
inteligência artificial (IA), 17, 25, 27, 38, 41, 43-9, 51-3, 56, 58-60, 64, 68, 82, 88-9, 91, 94, 97-100, 104-6, 116, 118, 157-60, 164, 170, 264,

284, 303, 305, 323-4; *ver também* computadores; robôs; tecnologia da informação
interfaces cérebro-computador, 123, 320
internet, 24, 35, 60-1, 66, 77, 101-2, 119, 289
intuição, 41-2, 73, 80
Irã, 122, 125, 139, 155-6, 168, 172-3, 175, 177, 179, 217-8, 250, 354
Iraque, 22-3, 33, 125, 139, 201, 209, 217-20, 263, 273, 353, 361-2
Irlanda, 136, 265
Irlanda do Norte, 170
Islã, 13, 33, 38, 127, 129-30, 163-4, 172, 175, 229, 231-2, 234, 240, 245, 354; *ver também* Alá; Maomé, profeta; muçulmanos
Isonzo, Décima Batalha do (1917), 203
Israel, 35, 67-8, 93-4, 119, 129, 139, 141, 146, 168, 172-3, 175, 177, 181, 202, 206, 218, 230-1, 237, 239, 276, 289, 335, 337-8, 355, 360
Itália, 136, 216, 311, 351, 360
Iugoslávia, 212

Japão, 33, 155-6, 173-5, 179, 189, 204, 216, 218, 225, 232, 292, 311, 349, 373
Jerusalém, 35, 84, 208, 230, 296, 336-7, 343, 365
Jesus Cristo, 142, 166, 169-71, 235, 238, 250, 265, 347-8, 353, 357, 375
"jogo limpo", regras de, 235
Jogos Olímpicos: "Jogos Olímpicos Medievais (1016)", 136; Berlim (1936), 136; Los Angeles (1984), 136; Moscou (1980), 136; Munique (1972), 136; na Antiguidade Clássica, 241; Rio de Janeiro (2016), 134, 136; Tóquio (2020), 138
Johnson, Boris, 71-2
Johnson, Lyndon B., 147
Joinville, Jean de, 362
Juche (ideologia norte coreana), 176
Judá, reino de, 237
judaísmo, 127, 175, 230-4, 237-9, 241-2, 244, 248, 355
judeus, 35, 68, 84-5, 127, 129, 168, 170, 172, 177, 181, 229-33, 237-9, 241-5, 260-1, 289, 292-3, 296, 334-7, 343, 348, 354-5; ultraortodoxos, 67-8, 128-9, 244
judiciário, sistema, 23, 70
Júlio César, 127, 224
justiça, 16, 237, 261, 277-8, 286; senso de, 278-9, 285

kamikazes, 175
Kanad, Acharya, 228
Kant, Immanuel, 86-8
Karbala (Iraque), 353-4
Kasparov, Gary, 52, 54
KGB (serviço secreto soviético), 74, 366
Khomeini, aiatolá Ruhollah, 353
Kidogo (chimpanzé), 235-6
Kim Il-sung, 176
Kim Jong-il, 226
Kim Jong-un, 92
Kinsey, escala, 77
Kiribati, República de, 154-6
Kita, Ikki, 373
Krishna (divindade hindu), 332

Laozi, 238

435

"Laudato si'" (encíclica do papa Francisco), 171
lavagem cerebral, 300-2, 315, 329, 360
Levítico, Livro de, 238
LGBT, população, 173, 249
Líbano, 217
libelos de sangue, 292
liberalismo, 14-5, 17, 21, 28-9, 34, 36-8, 69, 73-4, 101, 103, 294, 366, 369
liberdade de expressão, 18, 260, 264
liberdade de imprensa, 23
liberdade humana, 15-6, 21-2, 29-31, 37, 69-70, 72-3, 101, 113, 127, 142, 183, 196-7, 255, 258-9, 261-3, 309, 315, 322, 363-6, 375
libertação nacional, movimentos de, 30
Líbia, 23, 216, 218
líderes autoritários atuais, 23
Lincoln, Abraham, 32
literatura científica, 302
livre mercado, 14, 31, 69, 82
livre-arbítrio, 41, 69-74, 309, 311, 366-7
Livro dos Mortos egípcio, 291
Lockerbie, atentado de (Escócia, 1988), 202
Lody (chimpanzé), 236
Londres, 12, 21, 131, 133, 138, 161, 178, 210, 212, 216, 281, 312-3, 324
Lucas, George, 364
Lugansk (Ucrânia), 219, 288
Luís IX, rei da França, 362
Luís XIV, rei da França, 95, 127
Luís XVI, rei da França, 259

macacos, 12, 73, 99, 146, 158, 235-6, 249, 336; *ver também* chimpanzés; gorilas

Mahabharata (epopeia hindu), 228
Mahasatipaatthana Sutta (texto budista), 370
Mahavira, 238-9
maias, 234, 242
Maimônides, 242
Mali, 136, 285
Manchester, atentado na Arena de (2017), 202
Manchukuo, 289
Manchúria, 225
Manifesto comunista (Marx e Engels), 323, 335
Maomé, profeta, 35, 125, 229, 235, 353; *ver também* Alá; Islã
Markizova, Gelya, 294-5
mártires, 35-3, 361-2
Marx, Karl, 125, 168-9, 171, 262, 266, 305, 308, 323
marxismo, 35, 262, 265-6
marxismo-leninismo, 31, 176
Mashhad (Irã), 354
Matrix (filme), 304-6, 308, 315, 330
Maxim (metralhadora automática), 224
May, Theresa, 148
McIlvenna, Ted, 249
medicina, 44-7, 51, 56, 66, 75-6, 95, 140, 141, 165-6, 243-4, 302, 361
meditação, 56, 373, 379, 381, 383, 385-8
Meir, Golda, 289
mente humana, 101, 307-11, 325, 364, 367-71, 374, 376, 380-8; *ver também* cérebro
mercado de trabalho, 15, 38, 40, 43, 47, 52-3, 56, 59-60, 68, 88; *ver também* empregos
Merkel, Angela, 127-9

Mesa (rei moabita), 239
Mesopotâmia, 237
metodismo (Igreja metodista), 249
#MeToo, movimento, 14, 207
metralhadoras, 53, 224
México, 27, 151, 192, 216, 321, 327-8
Mianmar (Birmânia), 373-4
Mickiewicz, Adam, 375
mídia, 32, 210, 245, 285, 289, 294-5
Mill, John Stuart, 86, 88
Mishra, Pankaj, 125
misoginia, 173, 183, 233, 238, 247
missa, cerimônia da, 347
mísseis, 149, 159, 175-6, 208, 221, 228, 389
Mitsui (corporação japonesa), 373
Moab, 239
Modi, Narendra, 148, 224
Moisés (profeta hebreu), 235, 237, 336
monoteísmo, 239-41, 354
moralidade, 14, 229-30, 235, 237-9, 249-50, 253-5, 277-8, 281, 314
Mórmons, Livro dos, 248, 291, 298
Moscou, 21, 30, 106, 132-3, 136, 219, 288
Mubarak, Hosni, 91
muçulmanos, 33, 91, 125, 127, 130, 137, 140, 168, 170, 172-3, 183, 191, 193, 208, 228, 232-3, 239-41, 250, 255, 260-1, 286, 290, 292, 334, 352, 361-2; sunitas, 137, 168, 172; xiitas, 168, 172, 175, 177, 352-4
mudança climática, 13, 142, 151-2, 154-7, 159-61, 273, 284, 303; *ver também* aquecimento global
Mumbai (Índia), 12, 38
muro na fronteira mexicana, 27
Murph (chimpanzé), 236
música, 47-8, 50

Mussolini, Benito, 360
My Lai, massacre de (Vietnã, 1968), 90-1

nacionalismo, 13, 33-5, 37-8, 113, 143-4, 146-8, 153, 156-8, 161, 163, 176-7, 202, 222, 224, 228-9, 286, 288, 334, 336, 338-41, 357-8, 360, 373, 375-6
Nações Unidas, 133; Declaração de Direitos Humanos das, 263-4
Nakhangova, Mamlakat, 295
nanotecnologia, 106
Napoleão Bonaparte, 127, 223, 288, 349
National Rifle Association, 357
nazismo, 30, 95, 128, 136, 172, 175, 264, 266, 282, 294, 311, 343, 360-1
neandertais, 158, 342-3
Nepal, 135-6
Netanyahu, Benjamin, 218, 224, 276
Netflix, 79, 82
neurociência, 41, 384
neurônios, 13, 41, 73, 310, 326, 357, 362, 366-7, 378, 383
New York Times, The (jornal), 301
Newton, Isaac, 242
Ngwale, Kinjikitile, 296
Nigéria, 122, 133, 135, 164, 201, 209
Nilo, rio, 145, 147, 216, 362
Nobel, prêmio, 242-4
Noda, Yuzu, 81
Noruega, 138
Nova York, 21, 64-5, 192, 210-2
Nova Zelândia, 105, 139
Novo Testamento, 234; *ver também* Bíblia

Obama, Barack, 22, 31, 36, 130, 192, 211, 212

437

Ocidente, 13, 27, 30, 35, 124-5, 139, 220, 232-3, 346, 349
oligarquias, 32-3, 35, 106
Olimpíadas *ver* Jogos Olímpicos
omíadas, califas, 125
Onze de Setembro, atentados do (Nova York, 2001), 202-3, 205, 210-1, 245
Organização Mundial de Saúde, 44
Oriente Médio, 33, 108, 140, 178, 183, 203, 217, 220, 223, 242, 362
Origem das espécies, A (Darwin), 130-1
Orwell, George, 92; *1984*, 79, 312
Oscar (chimpanzé), 236
Otan, 220, 222, 288
Oxford, Universidade de, 70, 188, 379

Palestina, 134, 137, 289
palestinos, 93-4, 133, 136, 202, 336, 338
Paquistão, 134, 195, 201, 250
Paris, 95, 133, 210, 216, 292, 307, 361-2; ataques terroristas em (2015), 202
Parks, Rosa, 259, 366
Partido Comunista Chinês, 23
Partido Comunista Soviético, 262
Partido Conservador (Inglaterra), 70
Partido Trabalhista (Inglaterra), 70
Pasteur, Louis, 366
Paulo, são (apóstolo), 238
Pearl Harbor, ataque de (1941), 174, 204
Pedro, o Grande (tzar), 220
Pegu, rei de, 373
pensamento crítico, 17, 323
pensamento de grupo, 273-5, 286
Pentágono, 205

perplexidade, era da, 16, 37, 317
Peru, 135
Pessach (Páscoa judaica), 348
Peste Negra, 207
petróleo, 24, 131, 153, 155, 221, 223
Phelps, Michael, 134
Picasso, Pablo, 366
Pixar (estúdio), 309
plantas geneticamente modificadas, 273
Platão, 228-9
Pokémon Go (jogo), 123
Polônia, 35, 135, 175, 181, 212, 222, 375-6
"pós-verdade", era da, 16, 286-90
Pravda (jornal russo), 294, 301
Primavera Árabe, 14
Primeira Guerra Mundial, 28, 53, 57, 215, 327
processamento de dados, 74, 76, 83, 94, 101
propaganda, 27, 146-7, 269, 282, 289, 294-5, 300, 329, 360, 368
protestantes, 141, 170, 265
Putin, Vladimir, 32-3, 35, 110, 148, 220-2, 287-90, 295

Qatar, 181

racionalidade, 70, 73, 226, 272-4
racismo, 88, 176, 180, 182, 187, 191, 193-5, 229, 233, 238, 282
Radhakrishnan, Sarvepalli, 350
Reagan, Ronald, 70
Rebelião Maji Maji (África Oriental, 1907), 296
reconhecimento de padrões, 41-3, 384
redes sociais, 77, 116
refugiados, 12, 152, 159, 179-81, 184, 187-9, 196, 257

regulamentação ambiental, 153, 168, 274
Rei leão, O (filme), 332, 363, 365
religião, 13, 16, 36-7, 57, 67, 82, 113, 120, 129, 134, 141, 163-77, 181, 184, 226-7, 229, 231-2, 234-5, 239-42, 244-5, 249, 254, 262, 265-7, 286, 290-1, 295-6, 299, 315, 331, 334, 341, 345, 347, 363, 378, 385; *ver também* Deus; deuses
renda básica universal (RBU), 62-3, 66
República Tcheca, 250
ressonância magnética funcional, 298
Revolução Científica, 242, 244
Revolução Francesa (1789), 91, 231-2
Revolução Industrial, 37, 40, 57-8, 103, 234, 327
Revolução Russa (1917), 28, 35
revolução tecnológica, 15, 38-9, 72, 307
Rio de Janeiro, Jogos Olímpicos do (2016), 134, 136
robôs, 40, 43, 46, 53, 58, 60, 62, 64, 68, 89-91, 100, 106, 211, 305
Rokia (menina do Mali), 285
Romênia, 136, 212
Rússia, 23, 28, 31-3, 35, 93, 106, 132, 148-9, 155-6, 174-5, 177, 179, 212-3, 216, 218-22, 287-8, 293, 295, 311, 321, 360, 375; *ver também* União Soviética

sacrifícios humanos, 354, 356
Sanders, Bernie, 357
Sapiens: Uma breve história da humanidade (Harari), 12-3, 231, 383
saúde, serviços/sistema de, 12, 32, 37, 45-6, 51, 67, 95, 109
Schechtman, Dan, 243
Schumacher, Michael, 86-7
secularismo, 253-5, 261-2, 265
Segunda Guerra Mundial, 21, 29, 132, 231, 359
seleção natural, 85-6, 124-6, 158
Seminário Teológico de Princeton, 84
Senado Romano, 291
sensores biométricos, 45, 75, 78, 92, 109, 123
Sérvia, 220
sérvios, 91, 346
sexualidade, 76, 257, 365, 367
Shabat judaico, 237, 355
Shakespeare, William, 47, 82-3, 312, 315; *Hamlet*, 363
Shang, dinastia, 228
Show de Truman, O (filme), 306-7, 315, 330
Shulchan Aruch (código prático da lei judaica), 244
Shwedagon, pagode (Birmânia), 373
Sião, 372-3; *ver também* Tailândia
Sikh (religião), 234, 348
sionismo, 146, 231, 289, 334-7, 339, 343; *ver também* Israel; judeus
Síria, 33, 52, 124-5, 139, 149, 189, 201, 215, 217-8, 220, 278, 321, 361-2
sistema financeiro, 25
Sloman, Steven, 272
Sófocles, 228
sofrimento, 100, 153, 250-1, 256, 258, 300, 351, 354, 371, 374-8, 382
soldados, 52, 90-1, 93, 103, 202-3, 208, 216, 261, 279, 300, 304, 337, 349, 353, 361, 376, 379
Somália, 146
Somme, Batalha do (1916), 202
Srebrenica, massacre de (Bósnia, 1995), 91

Stálin, Ióssif, 95-6, 127, 220-1, 262, 264, 294-5, 301, 307
Stockfish (programa de computador), 54-5
Stürmer, Der (jornal alemão), 301
sudeste asiático, 132
Suécia, 133, 138, 146, 180-1
Suez, canal de, 216
Suíça, 63, 119, 146
Suméria, 237
sunitas, 137, 168, 172
super-humanos, 66, 105, 264, 305

Tailândia, 133; *ver também* Sião
Taiwan, 132, 134, 137, 174
Talibã, 53, 134, 195
Talmude, 68, 129, 170, 230, 233-4, 237, 242, 291
Tasmânia, 283-4
Tea Party (movimento conservador norte-americano), 274, 357
tecnologia da informação, 15, 19, 24, 26, 37-8, 43, 58, 74, 95, 113, 157, 221
Tel el-Kebir, Batalha de (1882), 216
televisão, 24, 77-9, 121, 147, 209, 301, 304-7, 310, 321, 388-9
Templo de Iahweh (Jerusalém), 35
Tencent (companhia tecnológica), 66, 107
Teodósio, imperador romano, 241
Teologia da Libertação, 171
teoria atômica, 228
Terceira Guerra Mundial, possibilidade de, 176, 214
Terra, idade da, 337
terrorismo, 13, 16, 45, 196-7, 201-14, 271
Tesla (empresa automotiva), 87-9
Thatcher, Margaret, 70

Tibete, 289
Tiranga ("tricolor", bandeira nacional da Índia), 350-1
Tojo, general, 226
Torá, 239, 243
totalitarismo, 95, 115, 363
trabalho infantil, 57
Trump, Donald, 13, 23-4, 27-8, 31, 35, 65, 148, 192, 289-90, 382
Tsuyoshi, Inukai, 373
Tunísia, 14
tupis, índios, 136
Turquia, 23, 35, 164, 180, 212, 321
Twitter, 110, 123, 292, 295
Tzeitung, Di (jornal judaico), 128

Ucrânia, 57, 149, 212, 218-20, 222, 273, 287-8, 300
União Europeia, 15, 70-1, 73, 124-5, 127, 131, 142, 161, 177-8, 201, 213, 221-2, 288
União Soviética, 27, 94, 217, 221, 294-5, 366; *ver também* Rússia
universidade, decidir o que estudar na, 81-2
universo, idade do, 336-7

Vale do Silício (Califórnia), 64, 106, 115, 223, 365
Vedas, 164, 169, 248, 291, 298, 364
verdade, a, 32, 256, 258, 261-3, 266, 269, 275-6, 280, 286-8, 294, 296, 299-301, 313, 341, 349-50, 358-9, 363, 365, 368, 370, 374, 377
Vida de Brian, A (filme), 234, 275
vida inorgânica, 15, 158
Vietnã, 34, 90, 216-7, 349; Guerra do (1955-75), 90-1, 132
vigilância, ferramentas/sistemas de, 92-3

violência, 22, 36, 147, 149, 161, 185, 202, 204, 206-9, 211, 215, 235, 252, 263, 299, 312, 362, 373; *ver também* guerras; terrorismo
Vipassana, meditação, 379, 381, 385-6
Vishwamitra, 228
Vitória, rainha da Inglaterra, 35, 224

wahabismo, 175
Waksman, Selman, 243
Walmart, 53
Walt Disney Pictures, 309-11, 328, 332
Watson (sistema de computadores da IBM), 54
White Memorial Retreat Center (Califórnia), 249

Willow (filme), 364
Wirathu, Ashin, 373
Wright, irmãos, 228, 366

xadrez, jogo de, 52, 54-6, 160, 226
Xi Jinping, 31
Xia, dinastia, 228
xiitas, 168, 172, 175, 177, 352-4
Xintoísmo, 174-5, 234

Yazid, 353
YouTube, 77, 135

Zakai, Iochanan ben (rabi), 244
Zen, meditação, 373
Zoológico de Milwaukee County, 235
Zuckerberg, Mark, 110-1, 115-21, 124

1ª EDIÇÃO [2018] 11 reimpressões

ESTA OBRA FOI COMPOSTA EM MINION PELO ACQUA ESTÚDIO E
IMPRESSA PELA GRÁFICA SANTA MARTA EM OFSETE SOBRE PAPEL PÓLEN SOFT
DA SUZANO S.A. PARA A EDITORA SCHWARCZ EM MAIO DE 2021

A marca FSC® é a garantia de que a madeira utilizada na fabricação do papel deste livro provém de florestas que foram gerenciadas de maneira ambientalmente correta, socialmente justa e economicamente viável, além de outras fontes de origem controlada.